L'ALLÉGORIE DU PATRIMOINE

Ouvrages du même auteur

Aux mêmes éditions

L'Urbanisme, utopies et réalités
1965

(en collaboration)
Le Sens de la ville
1972

La Règle et le Modèle
Sur la théorie de l'architecture et de l'urbanisme
coll. « Espacements », 1980

(en collaboration)
Histoire de la France urbaine
T. 4 : La Ville de l'âge industriel
coll. « Univers historique », 1983
T. 5 : Croissance urbaine et Crise du citadin
coll. « Univers historique », 1985

Chez d'autres éditeurs

Le Corbusier
New York, Braziller, 1960

City Planning in the XIXth Century
New York, Braziller, 1970

(en collaboration avec Pierre Merlin)
Dictionnaire de l'urbanisme et de l'aménagement
Paris, PUF, 1988

FRANÇOISE CHOAY

L'ALLÉGORIE DU PATRIMOINE

ÉDITIONS DU SEUIL
*27, rue Jacob, Paris VIe*

CE LIVRE EST PUBLIÉ SOUS LA RESPONSABILITÉ DE JEAN-LUC GIRIBONE
DANS LA COLLECTION « LA COULEUR DES IDÉES »
QU'IL DIRIGE AVEC JEAN-PIERRE DUPUY ET OLIVIER MONGIN

ISBN 2-02-014392-5

A la mémoire d'André Chastel.

Je voudrais saluer ici ceux dont l'œuvre accomplie au service du patrimoine m'a incitée à écrire ce livre, en particulier Jacques Houlet, Raymond Lemaire et Michel Parent. Je tiens en outre à remercier Alexandre Melissinos, Michel Rebut-Sarda et Jean-Marie Vincent qui m'ont fait l'amitié de relire le manuscrit.

Monument et monument historique

Patrimoine*. Ce beau et très ancien mot était, à l'origine, lié aux structures familiales, économiques et juridiques d'une société stable, enracinée dans l'espace et le temps. Requalifié par divers adjectifs (génétique, naturel, historique...) qui en ont fait un concept « nomade [1] », il poursuit aujourd'hui une carrière autre et retentissante.

Patrimoine historique. L'expression désigne un fonds destiné à la jouissance d'une communauté élargie aux dimensions planétaires et constitué par l'accumulation continue d'une diversité d'objets que rassemble leur commune appartenance au passé : œuvres et chefs-d'œuvre des beaux-arts et des arts appliqués, travaux et produits de tous les savoirs et savoir-faire des humains. Dans notre société errante, que ne cessent de transformer la mouvance et l'ubiquité de son présent, « patrimoine historique » est devenu un des maîtres mots de la tribu médiatique. Il renvoie à une institution et à une mentalité.

Le paradoxe du transfert sémantique subi par le mot signale l'intrication et l'opacité de la chose. Le patrimoine historique et les conduites qui y sont associées se trouvent pris dans des strates de significations dont les ambiguïtés et les contradictions articulent et désarticulent deux mondes et deux visions du monde.

Le culte rendu aujourd'hui au patrimoine historique appelle donc mieux que l'habituel constat de satisfaction. Il est le révélateur,

* « Bien d'héritage qui descend suivant les lois, des pères et des mères aux enfants », *Dictionnaire de la langue française* de É. Littré.

négligé et néanmoins éclatant, d'un état de société et des questions qui l'habitent. C'est dans cette perspective que je l'aborde ici.

Parmi le fonds immense et hétérogène du patrimoine historique, j'ai choisi comme catégorie exemplaire celle qui concerne le plus directement le cadre de vie de tous et de chacun, le patrimoine bâti. On eût dit hier les monuments historiques, mais les deux expressions ne sont plus synonymes. Les monuments historiques ne constituent plus qu'une part d'un héritage qui ne cesse de s'accroître par l'annexion de nouveaux types de biens et par l'élargissement du cadre chronologique et des aires géographiques à l'intérieur desquels ces biens s'inscrivent.

Lors de la création en France de la première Commission des monuments historiques, en 1837, les trois grandes catégories de monuments historiques étaient constituées par les restes de l'Antiquité, les édifices religieux du Moyen Age et quelques châteaux. Au lendemain de la Deuxième Guerre mondiale, le nombre des biens inventoriés avait été multiplié par dix, mais leur nature n'avait guère changé. Ils relevaient essentiellement de l'archéologie et de l'histoire de l'architecture savante. Depuis, toutes les formes de l'art de bâtir, savantes et populaires, urbaines et rurales, toutes les catégories d'édifices, publics et privés, somptuaires et utilitaires ont été annexées, sous des dénominations nouvelles : architecture *mineure*, venue d'Italie, pour désigner les constructions privées non monumentales, souvent érigées sans le secours d'architectes ; architecture *vernaculaire*, venue d'Angleterre pour distinguer les édifices marqués par les terroirs ; architecture *industrielle* des usines, des gares, des hauts-fourneaux, reconnue d'abord par les Anglais [2]. Enfin, le domaine patrimonial n'est plus limité aux édifices individuels, il comprend désormais les ensembles bâtis et le tissu urbain : îlots et quartiers urbains, villages, villes entières et même ensembles de villes [3], comme le montre « la liste » du Patrimoine mondial établie par l'Unesco.

Jusqu'aux années soixante, le cadre chronologique dans lequel s'inscrivaient les monuments historiques était comme aujourd'hui quasiment illimité en amont, où il coïncide avec celui de la recherche archéologique. En aval il ne franchissait pas les bornes de la seconde moitié du XIXe siècle. Aujourd'hui, les Bruxellois regrettent la Maison du peuple (1896), chef-d'œuvre de Horta, démoli en 1968. En 1970, les Halles de Baltard ont encore pu être détruites, en dépit de protestations vigoureuses venues de toute la France et du monde entier. Si prestigieuses qu'elles fussent, ces voix étaient celles d'une petite minorité confrontée à l'indifférence générale. Pour l'administration et pour la majorité du public, les pavillons aériens commandés par Napoléon III et Haussmann n'avaient qu'une fonction triviale qui ne leur donnait pas accès à la classe des monuments. En outre, ils appartenaient à une époque réputée pour son mauvais goût. Aujourd'hui, une partie du Paris haussmannien est classée et, en principe, désormais intangible. Il en est de même pour l'architecture « modern style », illustrée en France, au tournant du siècle, par Guimard, Lavirotte et l'école de Nancy, et que la brièveté de sa carrière avait fait aussitôt assimiler à une mode et déprécier.

Le XXe siècle lui-même a forcé les portes du domaine patrimonial. Seraient sans doute classés et protégés à l'heure actuelle l'hôtel Impérial de Tokyo, chef-d'œuvre de F. L. Wright (1915), qui avait résisté aux séismes naturels, démoli en 1968 ; les ateliers Esders de Perret (1919), démolis en 1960 ; les grands magasins Schocken (1924) de Mendelsohn à Stuttgart, démolis en 1955 ; le dispensaire de Louis Kahn à Philadelphie (1954), démoli en 1973. En France, une commission, récemment chargée du « patrimoine du XXe siècle », a cherché à élaborer des critères et une typologie, pour ne laisser échapper aucun témoignage historiquement signifiant. Les architectes eux-mêmes ne sont pas les moins concernés par la désignation de leurs œuvres au classement. Le Corbusier avait, de son vivant, commencé à faire protéger ses réalisations, dont aujourd'hui onze sont classées et quatorze inscrites sur l'inventaire supplémentaire. La villa Savoye a donné lieu à plusieurs campagnes de restauration, plus coûteuses que celles de maint monument médiéval.

Enfin, la notion de monument historique et les pratiques conservatoires qui lui sont associées se sont répandues hors de l'Europe où elles étaient nées et qui était longtemps demeurée leur territoire exclusif. Les années 1870 avaient vu, dans le cadre de l'ouverture Meiji, la discrète entrée du monument historique au Japon [4] :

pour ce pays qui avait vécu ses traditions au présent, qui ne connaissait d'histoire que dynastique, ne concevait d'art ancien ou moderne que vivant, ne conservait ses monuments que toujours neufs grâce à leur reconstruction rituelle, l'assimilation du temps occidental passait par la reconnaissance d'une histoire universelle, par l'adoption du musée et par la préservation des monuments en tant que témoignages du passé.

A la même époque, les États-Unis étaient les premiers à protéger leur patrimoine naturel mais ne s'intéressaient guère à la conservation d'un patrimoine bâti dont la protection est récente et a commencé par concerner les demeures individuelles des grandes personnalités nationales. Quant à la Chine [5], à qui ces valeurs étaient demeurées étrangères, elle a systématiquement ouvert et exploité le filon de ses monuments historiques depuis les années 1970.

La première Conférence internationale pour la conservation des monuments historiques, tenue à Athènes en 1931 [6], ne réunit que des Européens. La seconde, tenue à Venise en 1964, voit l'arrivée de trois pays non européens, la Tunisie, le Mexique et le Pérou. Quinze ans plus tard, quatre-vingts pays appartenant aux cinq continents signaient la Convention du patrimoine mondial.

La triple extension typologique, chronologique et géographique des biens patrimoniaux est accompagnée par la croissance exponentielle de leur public.

Le concert patrimonial et la concertation des pratiques conservatoires ne vont cependant pas sans dissonances. Ces records commencent à inspirer l'inquiétude. Ne vont-ils pas engendrer la destruction de leur objet [7] ? Les effets négatifs du tourisme ne se font pas sentir seulement à Florence ou à Venise. La vieille cité de Kyoto se dégrade de jour en jour. Il a fallu fermer, en Égypte, les tombeaux de la Vallée des Rois. En Europe, comme ailleurs, l'inflation patrimoniale est également combattue et dénoncée à d'autres titres : coût d'entretien, inadaptation aux usages actuels, action paralysante sur les grands projets d'aménagement. Sont également invoquées la nécessité d'innover et les dialectiques de la destruction qui, à travers les siècles, ont fait succéder de nouveaux monuments aux anciens. De fait, sans remonter à l'Antiquité ou au Moyen Age, en se cantonnant en France, il suffit de rappeler les centaines d'églises gothiques détruites aux XVIIe et XVIIIe siècles pour cause d'« embellissement » et remplacées par des édifices baroques ou classiques. Pierre Patte, l'architecte de Louis XV, préconisait, dans son plan pour l'amélioration et l'embellissement de Paris, de « laisser tomber [8] » toutes les constructions gothiques. Même les monuments de l'Antiquité, si prestigieux qu'ils fussent à l'âge classique, n'en étaient pas moins rasés, tel le fameux Palais de Tutele [9] à Bordeaux, du moment qu'ils entravaient les projets de modernisation des villes et des territoires.

En France, la tradition de destruction constructive et de modernisation, qu'illustrent ces exemples, sert aujourd'hui de caution et de justification à nombre d'élus dans leur opposition aux avis des architectes des bâtiments de France et de la Commission des monuments historiques. C'est au nom du progrès technique et social, de l'amélioration du cadre de vie que le théâtre de Nîmes, clé d'un ensemble néo-classique unique dans ce pays, a été remplacé par un centre culturel polyvalent. Dans le Maghreb et au Proche-Orient, les mêmes arguments continuent d'être utilisés pour justifier la destruction ou l'éventrement des médinas : en Tunisie [10], comme en Syrie ou en Iran, la volonté politique de modernisation a été servie par l'idéologie du mouvement des CIAM [11] et de ses vedettes.

De leur côté, les architectes invoquent le droit des artistes à la création. Ils veulent, comme leurs prédécesseurs, marquer l'espace urbain et ne pas être relégués hors les murs ou condamnés, dans les villes historiques, au pastiche. Ils rappellent qu'à travers le temps, les styles ont aussi coexisté, juxtaposés et articulés dans une même ville ou un même édifice : l'histoire de l'architecture, de l'époque romane au gothique flamboyant ou au baroque est lisible dans une partie des grands édifices religieux européens : cathédrales de Chartres, de Nevers, d'Aix-en-Provence, de Valence, de Tolède. La séduction d'une ville comme Paris lui vient de la diversité stylistique de ses architectures et de ses espaces. Ils ne doivent pas être figés par une conservation intransigeante, mais continués : ainsi la pyramide du Louvre.

Les propriétaires, quant à eux, revendiquent le droit de disposer librement de leurs biens pour en tirer les plaisirs ou les profits de leur choix. L'argument se heurte en France à une législation qui privilégie l'intérêt public. Il continue cependant de prévaloir aux États-Unis où la limitation de l'usage du patrimoine historique privé passe pour une atteinte à la liberté des citoyens.

Les voix discordantes de ces opposants sont aussi puissantes que leur détermination. Chaque jour en apporte la preuve. Pourtant, les menaces permanentes qui pèsent sur le patrimoine n'empêchent pas un large consensus en faveur de sa conservation et de sa protection qui sont officiellement défendues au nom des valeurs scientifiques, esthétiques, mémoriales, sociales, urbaines, dont ce patrimoine est porteur dans les sociétés industrielles avancées. Un anthropologue américain peut soutenir que, par la médiation du tourisme d'art, le patrimoine bâti sera le lien fédérateur de la société mondiale [12].

Consensus/contestation : les raisons et les valeurs invoquées en faveur des deux positions respectives appellent un examen et une évaluation critiques. Inflation : elle a pu être attribuée à une stratégie politique ; elle comporte de toute évidence une dimension économique et marque sans doute une réaction contre la médiocrité de l'urbanisation contemporaine. Ces interprétations des conduites patrimoniales ne sont néanmoins pas suffisantes pour expliquer leur extraordinaire développement. Elles n'en épuisent pas le sens.

Mon propos est précisément l'énigme de ce sens : zone sémantique du patrimoine bâti en cours de constitution, mal pénétrable, froide et brûlante à la fois. Pour m'y repérer, je remonterai le temps, en quête d'origines, mais non d'une histoire, j'utiliserai des figures et des repères concrets, mais sans souci d'inventaire. Au préalable, il faut préciser, au moins provisoirement, le contenu et la différence des deux termes qui sous-tendent l'ensemble des pratiques patrimoniales : monument et monument historique.

Qu'entendre d'abord par monument ? En français, le sens originel du terme est celui du latin *monumentum*, lui-même dérivé de *monere* (avertir, rappeler), ce qui interpelle la mémoire. La nature affective de la destination est essentielle : il ne s'agit pas de faire constater, de livrer une information neutre, mais d'ébranler, par émotion, une mémoire vivante. En ce sens premier, on appellera monument tout artefact édifié par une communauté d'individus pour se remémorer ou faire remémorer à d'autres générations des personnes, des événements, des sacrifices, des rites ou des croyances. La spécificité du monument tient alors précisément à son mode d'action sur la mémoire. Non seulement il la travaille et la mobilise par la médiation de l'affectivité, de façon à rappeler le passé en le faisant vibrer à la manière du présent. Mais ce passé invoqué et convoqué, incanté en quelque sorte, n'est pas quelconque : il est localisé et sélectionné à des fins vitales, dans la mesure où il peut, directement, contribuer à maintenir et préserver l'identité d'une communauté, ethnique ou religieuse, nationale, tribale ou familiale. Pour ceux qui l'édifient comme pour ceux qui en reçoivent les avertissements, le monument est une défense contre le traumatisme de l'existence, un dispositif de sécurité. Le monument assure, rassure, tranquillise en conjurant l'être du temps. Il est garant d'origines et calme l'inquiétude que génère l'incertitude des commencements. Défi à l'entropie, à l'action dissolvante qu'exerce le temps sur toutes choses naturelles et artificielles, il tente d'apaiser l'angoisse de la mort et de l'anéantissement.

Son rapport avec le temps vécu et avec la mémoire, autrement dit sa *fonction philosophique*, constitue l'essence du monument. Le reste est contingent, donc divers et variable. On l'a vu pour ses destinataires, il en est de même pour ses genres et ses formes : tombeau, temple, colonne, arc de triomphe, stèle, obélisque, poteau-totem.

Le monument ressemble fort à un universel culturel. Sous des formes multiples, il semble présent sur tous les continents et dans quasiment toutes les sociétés, qu'elles possèdent ou non l'écriture. Le monument, selon les cas, refuse les inscriptions ou bien les accueille tantôt avec parcimonie, tantôt libéralement, parfois jusqu'à s'en couvrir et amorcer une dérive vers d'autres fonctions.

Cependant, le rôle du monument, entendu en son sens originel, a progressivement perdu son importance dans les sociétés occidentales et tendu à s'effacer, tandis que le mot lui-même acquérait d'autres significations. Les lexiques l'attestent. En 1689, Furetière semble déjà donner au terme une valeur archéologique, au détriment d'une interpellation directe : « Témoignage qui nous reste de quelque grande puissance ou grandeur des siècles passés. Les pyramides d'Égypte, le Colisée, sont de beaux *monuments* de la grandeur des rois d'Égypte, de la République romaine. » Quelques années plus tard, le *Dictionnaire de l'Académie* installe bien le monument et sa fonction mémoriale dans le présent, mais ses exemples trahissent un glissement, vers des valeurs esthétiques et prestigieuses cette fois : « Monument illustre, superbe, magnifique, durable, glorieux [13]. »

Cette évolution est consacrée un siècle plus tard par Quatremère de Quincy. Celui-ci note qu'« appliqué aux ouvrages de l'architecture » ce mot « désigne un édifice, soit construit pour servir à éterniser le souvenir de choses mémorables, soit conçu, élevé ou disposé de manière à devenir un agent d'embellissement et de magnificence dans les villes ». Et il poursuit en indiquant que « sous ce second rapport, l'idée de *monument*, plus relative à l'effet de l'édifice qu'à son objet ou à sa destination, peut convenir et s'appliquer à tous les genres de bâtiments [14] ».

Certes, les révolutionnaires de 1789 n'ont cessé de rêver de monuments et de construire sur le papier les édifices par lesquels ils voulaient affirmer la nouvelle identité de la France [15]. S'ils sont effectivement destinés à servir la mémoire des générations futures, ces projets jouent néanmoins aussi sur un autre registre. L'évolution décelable dans les dictionnaires du XVIIe siècle était irréversible. « Monument » dénote désormais le pouvoir, la grandeur, la beauté : il lui appartient explicitement d'affirmer de grands desseins publics, de promouvoir des styles, de s'adresser à la sensibilité esthétique.

Aujourd'hui, le sens de « monument » a encore cheminé. Au plaisir dispensé par la beauté de l'édifice a succédé l'émerveillement ou l'étonnement que provoquent le tour de force technique et une version moderne du colossal, dans lequel Hegel avait vu le commencement de l'art chez les peuples de la Haute Antiquité orientale. Dorénavant, le monument s'impose à l'attention sans arrière-fond, interpelle au présent, troquant son ancien statut de signe pour celui de signal. Exemples : immeuble du Lloyd's à Londres, tour de Bretagne à Nantes, Arche de la Défense.

L'effacement progressif de la fonction mémoriale du monument a sans doute bien des causes. Je n'en évoquerai que deux, l'une et l'autre inscrites dans la longue durée. La première tient à la place grandissante que les sociétés occidentales ont accordée au concept d'art [16] à partir de la Renaissance. Auparavant, les monuments, destinés à rappeler les hommes à Dieu ou à leur condition de créatures, exigeaient de ceux qui les édifiaient le travail le plus parfait et le mieux accompli, éventuellement la profusion de la lumière et l'ornement de la richesse. De beauté, il n'était pas question. En donnant à la beauté son identité et son statut, en en faisant la fin suprême de l'art, le Quattrocento l'associait à toute célébration religieuse et à tout mémorial. Si Alberti, qui fut le premier théoricien de la beauté architecturale, a lui-même conservé avec piété la notion originelle de monument, il a néanmoins amorcé la substitution progressive de l'idéal de beauté à l'idéal de mémoire.

La deuxième cause réside dans le développement, le perfectionnement et la diffusion des mémoires artificielles. Platon fit de l'écriture leur paradigme vénéneux [17]. L'hégémonie mémoriale du monument n'a cependant pas été menacée avant que l'imprimerie n'apporte à l'écriture une puissance en la matière sans précédent.

Le perspicace Charles Perrault s'enchante de voir, par la multiplication des livres, disparaître les contraintes qui pesaient sur la mémoire : « aujourd'hui [...], on n'apprend presque plus rien par cœur, parce qu'on a ordinairement à soy les livres que l'on lit, où l'on peut avoir recours dans le besoin, et dont l'on cite plus sûrement les passages en les copiant que sur la foy de la mémoire comme on faisoit autrefois [18] ». Tout à sa jubilation de lettré, il n'imagine pas que l'immense trésor de savoir, mis à la disposition des doctes, porte avec soi une pratique de l'oubli et que les prothèses nouvelles de la mémoire cognitive soient néfastes pour la mémoire affective. Dès la fin du XVIIIe siècle, « histoire » désigne une discipline dont le savoir, toujours mieux accumulé et conservé, lui prête les apparences de la mémoire vivante dans le temps même où elle la supplante et en émousse les pouvoirs. Cependant, « l'histoire ne se constitue que si on la regarde, et pour la regarder, il faut en être exclu [19] » : la formule dit en abyme la différence et le rôle inverse du monument, chargé par sa présence d'objet métaphorique de rappeler à la vie un passé privilégié et d'y réimmerger ceux qui le regardent.

Un siècle et demi après l'éloge de Perrault, Victor Hugo prononçait l'oraison funèbre du monument, condamné à mort par l'invention de l'imprimerie [20]. Son intuition de visionnaire a été confirmée par la création et le perfectionnement de nouveaux modes de conservation du passé : mémoire des techniques d'enregistrement de l'image et du son, qui emprisonnent et délivrent le passé sous une forme plus concrète, parce que directement adressée aux sens et à la sensibilité, « mémoires » des systèmes électroniques plus abstraites et désincarnées.

Soit la photographie. Roland Barthes a compris que cet « objet anthropologiquement nouveau » ne venait ni concurrencer, ni contester ou récuser la peinture. « Ce n'est ni l'Art ni la Communication, c'est la Référence qui est l'ordre fondateur de la photographie. » Elle apparaît ainsi comme une prothèse d'un genre inédit : elle apporte « un ordre nouveau de preuves », « cette certitude qu'aucun écrit ne peut donner ». Ce pouvoir d'authentifier tient sans doute aux réactions chimiques qui font de la photographie « une émanation du référent » et, du même coup, lui confèrent aussi le pouvoir de ressusciter. Car par la médiation d'un halogénure d'argent « la photo de l'être disparu vient me toucher comme les rayons d'une étoile ».

Barthes a su percevoir et analyser la duplicité de la photographie, les deux faces de ce nouveau *pharmakon* qui a le pouvoir singulier de jouer sur les deux tableaux de la mémoire : d'avaliser une histoire et de faire revivre un passé mort. D'où les risques de confusion et d'usurpation. Barthes les dénonce en dénommant les deux modalités par lesquelles la photographie agit sur nous. Le *studium* désigne un attrait sage, un intérêt extérieur, mais affect quand même. L'*extase*, qui fait revenir à la conscience « la lettre même du temps [21] », est un mouvement révulsif, hallucinatoire, à propos duquel revient, à plusieurs reprises, le mot folie. Or, cette folie de la photographie qui fait coïncider l'être et l'affect est bien de même nature que l'incantation par le monument. On tempérera alors l'affirmation de *La Chambre claire* selon laquelle la société moderne a renoncé au monument, en disant que la photographie est une forme de monument adaptée à l'individualisme de notre époque : le monument de la société privée, qui permet à chacun d'obtenir en secret le retour des morts, privés ou publics, qui fondent son identité. L'incantation mémoriale s'accomplit désormais plus librement, au prix d'un travail modeste sur ces images qui conservent une part d'ontologie.

La photographie contribue par ailleurs à la sémantisation du monument-signal. C'est en effet, de plus en plus, par la médiation de leur image, par sa circulation et sa diffusion, dans la presse, à la télévision ou au cinéma, que ces signaux s'adressent aux sociétés contemporaines. Ils ne font plus signe que métamorphosés en images, en répliques sans poids, dans lesquelles se rassemble leur valeur symbolique ainsi dissociée de leur valeur utilitaire. Toute construction, quelle que soit sa destination, peut être promue monument par les nouvelles techniques de « communication ». En tant que telle, sa fonction est de légitimer et d'authentifier l'être d'une réplique visuelle, première, fragile et transitive, à laquelle est désormais déléguée sa valeur. Peu importe que la réalité bâtie ne coïncide pas avec ses représentations médiatiques ou avec ses images rêvées. La pyramide du Louvre existait avant que n'en commence la construction. Elle continue à scintiller, aujourd'hui, des feux et des transparences dont la parait la reproduction photographique de ses dessins et de ses maquettes, même si, dans la réalité, elle évoque plutôt l'entrée de quelque centre commercial et si son opacité cache la perspective de la Cour carrée sur les Tuileries et Paris. Les photographies de l'Arche de la Défense lui conservent encore un attrait symbolique, quelles que soient la rugosité de l'édifice réel et l'incommodité des bureaux qu'il abrite. On ne saurait mieux décrire la déréalisation de ce qu'on appelle aujourd'hui monument et son mode d'exister que l'architecte de la future « grande bibliothèque ». Interrogé sur l'insertion de cet édifice dans le site de Bercy, il répond : « Il faut que, dans dix ou vingt ans, on fasse les plus belles cartes postales de Paris de cet endroit [22]. »

Dans ces conditions, les monuments, au sens premier du terme, jouent-ils encore un rôle dans les sociétés dites avancées ? En dehors des nombreux édifices cultuels qui conservent leur usage, en dehors des monuments aux morts et des cimetières militaires des dernières guerres, constituent-ils mieux qu'une survivance ? En édifie-t-on de nouveaux ?

Les monuments, dont il est devenu nécessaire de préciser qu'ils sont « commémoratifs », poursuivent, portés par l'habitude, une carrière formelle et dérisoire. Les seuls monuments authentiques que notre époque ait su édifier ne disent pas leur nom et se dissimulent sous des formes insolites minimales et non métaphoriques. Ils rappellent un passé dont le poids et, le plus souvent, l'horreur interdisent de les confier à la seule mémoire historique. Entre les deux guerres mondiales, le champ de bataille de Verdun avait constitué un précédent : immense morceau de nature, découpé et torturé par les combats, il avait suffi d'y baliser un parcours, tel un chemin de croix, pour en faire le mémorial d'une des grandes catastrophes humaines de l'histoire moderne. Après la Deuxième Guerre mondiale, le centre de Varsovie, reconstruit à l'identique, rappelle à la fois l'identité séculaire de la nation polonaise et la volonté d'anéantissement qui animait ses ennemis. De même les sociétés actuelles ont voulu conserver vivant, pour les générations à venir, le souvenir du judéocide de la Deuxième Guerre mondiale. Mieux que des symboles abstraits ou des images réalistes, mieux que des photographies, parce que partie intégrante du drame co-mémoré, ce sont les camps de concentration eux-mêmes, avec leurs baraques et leurs chambres à gaz, qui sont devenus monuments. Il a suffi d'un aménagement discret et de quelques étiquettes : de leur ancien séjour à jamais déserté, les morts et leurs bourreaux avertiront à jamais ceux qui se rendent à Dachau ou à Auschwitz [23]. Aucun artiste intercesseur n'aura été nécessaire, une simple opération métonymique. Le poids du réel, d'une réalité intimement associée à celle des événements commémorés, est ici plus puissant que celui d'aucun symbole. Le camp, devenu monument, participe de la relique [24].

Mais ces mémoriaux géants, reliques et reliquaires à la fois, demeurent exceptionnels comme les faits qu'ils rappellent à la mémoire des humains. Traces qu'il importe seulement de choisir et de savoir désigner, ils témoignent en outre de la progressive dissociation qui s'opère entre la mémoire vivante et le savoir-édifier. Le nouveau centre de Varsovie n'est lui-même monument que parce qu'il est une réplique : il remplace, avec une fidélité qu'atteste, entre autres, la photographie, la ville détruite. Le monument symbolique érigé, *ex nihilo*, aux fins de remémoration n'a pratiquement plus cours dans nos sociétés développées. A mesure qu'elles disposaient de mnémotechnies plus performantes, celles-ci ont peu à peu cessé d'édifier des monuments et transféré la ferveur dont elles les entouraient aux monuments historiques.

Les deux notions, aujourd'hui souvent confondues, sont cependant, à bien des égards, opposables, sinon antinomiques. Tout d'abord, loin de présenter la quasi-universalité du monument dans le temps et dans l'espace, le monument historique est une invention, bien datée, de l'Occident. On a vu avec quel succès ce concept avait été exporté et progressivement diffusé hors d'Europe à partir de la deuxième moitié du XIXe siècle.

Mais les rapports des organisations internationales montrent que cette reconnaissance planétaire reste superficielle. Le sens du monument historique chemine difficilement. La notion n'est pas détachable d'un contexte mental et d'une vision du monde. Adopter les pratiques de conservation des monuments historiques sans disposer d'un cadre historique de référence, sans attribuer une valeur particulière au temps et à la durée, sans avoir mis l'art en histoire, est aussi dépourvu de signification que pratiquer la cérémonie du thé en ignorant le sentiment japonais de la nature, le shintoïsme et la structure nippone des relations sociales. D'où des enthousiasmes qui multiplient les contresens ou encore dissimulent des alibis.

Autre différence, fondamentale, mise en évidence par A. Riegl[25], au début de ce siècle : le monument est une création délibérée *(gewollte)* dont la destination a été assumée *a priori* et d'emblée, tandis que le monument historique n'est pas initialement voulu *(ungewollte)* et créé comme tel ; il est constitué *a posteriori* par les regards convergents de l'historien et de l'amateur, qui le sélectionnent dans la masse des édifices existants, dont les monuments ne représentent qu'une petite partie. Tout objet du passé peut être converti en témoignage historique sans avoir eu pour autant, à l'origine, une destination mémoriale. Inversement, rappelons-le, tout artefact humain peut être délibérément investi d'une fonction mémoriale. Quant au plaisir donné par l'art, il n'est pas davantage l'apanage exclusif du monument.

Le monument a pour fin de faire revivre au présent un passé englouti dans le temps. Le monument historique entretient un rapport autre avec la mémoire vivante et avec la durée. Ou bien il est simplement constitué en objet de savoir et intégré dans une conception linéaire du temps : dans ce cas, sa valeur cognitive le relègue sans appel dans le passé, ou plutôt dans l'histoire en général, ou dans l'histoire de l'art en particulier ; ou bien il peut, de surcroît, en tant qu'œuvre d'art, s'adresser à notre sensibilité artistique, à notre « vouloir d'art[26] » *(kunstwollen)* : dans ce cas, il devient partie constitutive du présent vécu, mais sans la médiation de la mémoire ou de l'histoire.

Les relations différentes qu'entretiennent respectivement les monuments et les monuments historiques avec le temps, la mémoire et le savoir, commandent une différence majeure quant à leur conservation. En apparence, cette notion leur est à tous deux consubstantielle. Pourtant, *les monuments* sont, en permanence, exposés aux outrages du temps vécu. L'oubli, la désaffection, la désuétude les font déserter et laisser tomber. La destruction volontaire[27] et concertée les menace aussi, inspirée soit par la volonté d'anéantir soit, au contraire, par le désir d'échapper à l'action du temps ou par la volonté de perfectionnement. La première forme, négative, est plus souvent évoquée : politique, religieuse, idéologique, elle prouve *a contrario* le rôle essentiel joué par le monument dans le maintien de l'identité des peuples et des groupes sociaux. La destruction positive, aussi généralisée, attire moins l'attention. Elle se présente sous des modalités différentes. L'une, rituelle, est le propre de certains peuples tels les Japonais qui, ne révérant pas comme nous les marques du temps sur leurs monuments, construisent périodiquement les répliques exactes de temples originels dont les précédentes copies sont alors détruites. L'autre, créative, est illustrée, en Europe, par de très nombreux exemples. Pour agrandir et donner plus de splendeur au sanctuaire où le « bienheureux Denis [était] demeuré pendant cinq cents ans », Suger fit détruire en partie, au cours des années 1130, la basilique carolingienne que la tradition attribuait à Dagobert[28]. Le plus précieux et vénérable monument de la chrétienté, Saint-Pierre de Rome, ne fut-il pas démoli après une vie de près de douze siècles, sur une décision de Jules II ? Il s'agissait de le remplacer par un édifice grandiose dont la magnificence et la scénographie puissent rappeler le pouvoir conquis par l'Église depuis l'époque de Constantin et les inflexions nouvelles de sa doctrine.

En revanche, parce qu'il s'insère à une place immuable et définitive dans un ensemble objectivé et figé par le savoir, le *monument historique* exige, dans la logique de ce savoir, et au moins en théorie, une conservation sans condition.

Le projet de conservation des monuments historiques et sa mise en œuvre ont évolué avec le temps et ne peuvent être dissociés de l'histoire même de la notion. Invention de l'Occident, disions-nous, et bien datée. Encore faut-il fixer les critères de cette datation.

L'entrée d'un néologisme dans les lexiques marque la reconnaissance officielle de l'objet matériel ou mental qu'il désigne. Cette consécration présente donc un décalage chronologique, plus ou moins important selon les cas, par rapport aux premiers usages du terme et à l'apparition, soudaine ou longuement préparée, de son référent. L'expression *monument historique* n'est entrée dans les dictionnaires français que dans la deuxième moitié du XIXe siècle. Mais son usage s'était répandu dès le début du siècle et avait été consacré par Guizot, lorsqu'à peine nommé ministre de l'Intérieur, en 1830, il créait le poste d'inspecteur des Monuments historiques. On doit cependant remonter plus loin. L'expression apparaît dès 1790, sans doute pour la première fois, sous la plume de L. A. Millin[29], au moment où dans le contexte de la Révolution française sont élaborés le concept de monument historique et les instruments de préservation (musées, inventaires, classement, réemploi) qui lui sont associés [30].

Le vandalisme de la Révolution de 1789 ne doit pas pour autant être minimisé. La poignée d'hommes qui le combattirent au sein des Comités et Commissions révolutionnaires cristallisaient, sous l'urgence du danger, les idées communes aux amateurs d'art, aux architectes et aux savants de l'époque des Lumières.

Ces lettrés étaient eux-mêmes les héritiers d'une tradition intellectuelle issue du Quattrocento et de la grande révolution humaniste des savoirs et des mentalités. Aussi l'origine du monument historique doit-elle être cherchée bien avant l'apparition du terme qui le désigne. Pour suivre la genèse de ce concept, il faut remonter au moment où naît le projet, jusqu'alors impensable, d'étudier et de conserver un édifice pour la seule raison qu'il est un témoin de l'histoire et une œuvre de l'art. Alberti, aux frontières de deux mondes, célèbre alors l'architecture qui peut à la fois faire revivre notre passé, assurer la gloire de l'architecte-artiste et authentifier le témoignage des historiens [31].

Vouloir, comme je le souhaite, placer le patrimoine historique bâti au cœur d'une réflexion sur le destin des sociétés actuelles; tenter, par conséquent, d'évaluer les motivations, revendiquées, avouées, tacites ou ignorées, qui sous-tendent aujourd'hui les conduites patrimoniales, un tel projet ne peut se passer d'un retour aux origines. On ne peut se pencher sur le miroir du patrimoine ni interpréter les images qu'il nous renvoie à présent sans chercher, au préalable, à comprendre comment la grande surface lisse de ce miroir a été peu à peu constituée par l'addition et la fusion de fragments d'abord appelés antiquités, puis monuments historiques.

C'est pourquoi j'ai tenté d'abord de définir un moment d'émergence et de reconstituer les étapes essentielles de cette progressive instauration du patrimoine historique bâti, de la *phase antiquisante* du Quattrocento, où les monuments élus appartiennent exclusivement à l'Antiquité, à la *phase de consécration*, qui institutionnalise la conservation du monument historique en établissant une juridiction de protection et en faisant de la restauration une discipline à part entière. Cette archéologie était nécessaire, sans exiger toutefois une fouille exhaustive ou même extensive.

Je n'ai donc pas exploré systématiquement l'histoire fine [32] et les particularités de chaque nation européenne dans sa relation avec les concepts de monument et de patrimoine historiques. Je ne me suis pas davantage penchée sur le contenu des juridictions de conservation, ni sur l'univers complexe de la restauration, n'y puisant que la matière nécessaire à mon argument. Mes exemples sont souvent empruntés à la France. Ils n'en demeurent pas moins exemplaires : en tant qu'invention européenne, le patrimoine historique relève d'une même mentalité dans tous les pays de l'Europe. Dans la mesure où il est devenu une institution planétaire, il confronte à terme tous les pays du monde aux mêmes interrogations et aux mêmes urgences.

En un mot, je n'ai pas voulu faire de la notion de patrimoine historique et de son usage l'objet d'une enquête historique, mais le sujet d'une allégorie.

Chapitre premier

Les humanismes et le monument antique

On peut faire naître le monument historique à Rome vers l'an 1420. Après l'exil d'Avignon (1305-1377), et au lendemain du Grand Schisme (1379-1417), Martin V vient rétablir le siège de la papauté dans la Ville démantelée à laquelle il veut restituer son pouvoir et son prestige. Un climat intellectuel nouveau se développe autour des ruines antiques qui désormais parlent d'histoire et confirment le passé fabuleux de Rome dont Poggio Bracciolini et ses amis humanistes pleurent la splendeur et condamnent le saccage.

Les coupures chronologiques ont une valeur essentiellement heuristique. Elles demandent à être modulées en fonction d'exceptions, d'anticipations et de survivances. On verra que l'intérêt intellectuel et artistique porté par une petite élite du Quattrocento aux monuments de l'Antiquité était issu d'une longue maturation et avait connu des précédents dès le dernier quart du XIVe siècle.

Mais ne conviendrait-il pas de faire remonter cette genèse plus loin dans le temps ? On doit même se demander si, comme certains historiens l'ont suggéré, les hommes de l'Antiquité et du Moyen Age n'ont pas, dans certains cas, posé ce même regard, historien et préservateur, sur les monuments et les objets d'art du passé. La collection d'œuvres d'art ancien, qui anticipe le musée, semble être apparue à la fin du IIIe siècle avant notre ère. Entre la mort d'Alexandre et la christianisation de l'Empire romain, le territoire grec révèle à l'élite cultivée de ses conquérants un trésor d'édifices publics (temples, *stoa*, théâtres...) qui semblent faire, à leurs yeux, figure de monuments historiques comme plus tard, dans l'Europe médiévale, les monuments romains aux yeux des clercs nourris d'humanités. Ces analogies sont-elles illusoires et superficielles ?

Dans le cadre d'un ouvrage principalement consacré à l'Occident chrétien, je ne puis évoquer l'Antiquité mieux que ponctuellement, ni davantage rassembler les pièces du débat. D'autres l'ont fait [1] et quelques repères suffiront.

Art grec classique et humanités antiques

Royaume de Pergame [2] : les Attalides ont recherché avec ferveur, sensibilité et persévérance, les sculptures et les objets d'art décoratif que la Grèce classique produisit sans jamais les collectionner. Connues par les témoignages de Pausanias, de Polybe et de Pline, les collections des Attalides n'appartiennent ni à la catégorie des trésors, religieux et funéraires, tels qu'ils furent accumulés dans les tombeaux égyptiens ou dans l'*opisthodomos* des temples grecs, ni à la catégorie des curiosités, amassées au hasard des guerres, des rapines, des voyages ou des héritages par les curieux de tous les temps. Ces objets ont été recherchés, choisis et acquis, pour leur qualité intrinsèque. Attale Ier a des émissaires dans toute la Grèce et, en 210 avant notre ère, il fait entreprendre à Égine les premières fouilles connues de l'histoire. La même démarche le conduit, ainsi que ses successeurs, à admirer et à faire recopier dans leur capitale les grands monuments helléniques.

Rome : en 146 avant Jésus-Christ, lors du partage du butin entre les armées alliées, consécutif au sac de Corinthe, le général romain L. A. Mummius est déconcerté par l'importance des enchères soumises par Attale II pour des objets dont les Romains ne perçoivent pas l'intérêt : il préempte une peinture d'Aristide (antérieure de plus d'un siècle) qu'il expédie aussitôt, avec quelques statues, en offrande aux dieux de Rome. On a pu considérer cet épisode [3] comme la date de naissance symbolique de l'objet d'art et de sa collection chez les Romains.

Les objets grecs spoliés par les armées romaines commencent par faire une entrée discrète au sein de quelques demeures patriciennes. Mais leur statut change au moment où Agrippa demande que les œuvres thésaurisées dans le secret des temples soient exposées à la vue de tous, dans la lumière vive des voies et des grands espaces publics.

Dès lors, comme si souvent dans d'autres domaines, Rome offre un spectacle ambigu [4], sur lequel le regard du XXe siècle est tenté de projeter les valeurs et les démarches de la société occidentale, post-médiévale ou même actuelle. Rome connaît des collectionneurs d'art, érudits comme Asinius Pollio, raffinés comme Atticus, gourmands comme Sénèque, méfiants comme Cicéron, passionnés comme Verrès, au point d'en perdre la vie. Rome connaît un marché de l'art, des experts, des faussaires, des courtiers. Rome a dépouillé la Grèce à une échelle qui est celle des pillages napoléoniens : témoins les cinq cents statues de bronze, arrachées au sanctuaire de Delphes et dont on retrouve aujourd'hui des restes dans le palais de Dioclétien, à Split, et dans celui d'Hadrien à Tivoli. Rome a vu élever par ce dernier empereur, dans l'enceinte de cette même villa Hadriana, le premier musée d'architecture en grandeur réelle.

Cependant, la comparaison avec la modernité occidentale demande à être tempérée. En effet, aucun principe n'interdit la destruction des édifices ou des objets d'art anciens. Leur préservation tient à des causes aléatoires. En outre, ni les biens meubles collectionnés (sculptures, peintures, vaisselles, camées), ni les édifices anciens (religieux ou civils) admirés, ne sont investis d'une valeur historique.

Deux traits, ethnique et chronologique, livrent la clé de leur différence avec les monuments et le patrimoine historiques occidentaux. Tous les objets qui enchantèrent les Attalides, puis les Romains, sont d'origine grecque [5]. A l'exception de quelques œuvres du début du VIe siècle, ils appartiennent exclusivement aux périodes classique et hellénistique. Leur valeur ne tient ni à leur relation avec une histoire qu'ils authentifieraient ou permettraient de dater, ni à leur ancienneté : ils donnent à voir les accomplissements d'une civilisation supérieure. Ce sont des modèles, propres à susciter un art de vivre et un raffinement que seuls les Grecs avaient connus. Les Attalides voulaient faire de leur capitale un centre de culture grecque. Les Romains cherchaient à s'imprégner, par la vue, du monde plastique de la Grèce, comme ils cherchaient à s'imprégner de la pensée de la Grèce par la pratique de sa langue. Il ne s'agissait pas d'une démarche réflexive et cognitive mais d'un processus d'appropriation : morceaux d'architecture ou de sculpture, objets de l'artisanat grec, qui prennent une nouvelle valeur d'usage une fois assimilés au décor des thermes, de la rue, des jardins publics et privés, de la demeure, ou encore après avoir été convertis en reposoirs de la vie domestique.

Enfin, la même prudence doit être observée quant à l'interprétation de la valeur esthétique attribuée aux créations de la Grèce classique. Certes, une nouvelle expérience de la beauté, médiatisée par la conscience, se développe depuis le IIIe siècle avant notre ère. Mais elle demeure généralement subordonnée à d'autres catégories de pratiques. On décèle en outre, chez la plupart des collectionneurs, des motifs étrangers au plaisir propre de l'art : prestige [6] chez les conquérants, snobisme chez les parvenus, lucre ou goût du jeu chez d'autres. Mais les mêmes dérives, dira-t-on, ne laissent-elles pas de caractériser une part importante des collectionneurs d'art actuels ? En outre, l'accent et le comportement de l'amateur semblent manifestes, à Pergame comme à Rome où Sylla [7] fut l'initiateur de Verrès. Toutefois, les choix du goût ne sont pas orientés par une vision du passé. Pour qu'on puisse légitimement évoquer la notion de monument historique, il manque à ces temps la distanciation de l'histoire, sous-tendue par un projet délibéré de préservation.

Restes antiques et *humanitas* médiévale

Entre l'époque des grandes invasions et la fin du Moyen Age, la relation entretenue avec les monuments de l'Antiquité classique semble moins complexe.

Dans une Europe que la colonisation romaine avait couverte de monuments et d'édifices publics, ces siècles ont formidablement détruit. Deux types de facteurs y ont surtout contribué. D'une part, le prosélytisme chrétien : les invasions barbares des VIe et VIIe siècles ont peut-être moins saccagé que le prosélytisme des missionnaires à la même époque, ou que celui des moines théologiens qui, au XIIIe siècle, transformèrent en carrière l'amphithéâtre de Trèves, rasèrent les arènes du Mans (1271) et le temple de Tours. D'autre part, l'indifférence à l'égard de monuments qui avaient perdu leurs sens et leur usage, l'insécurité et le dénuement : les grands édifices de l'Antiquité sont transformés en carrières [8], ou bien récupérés et dénaturés ; à Rome, au XIe siècle, les arches du Colisée sont bouchées, occupées par des habitations, des entrepôts, des ateliers, tandis que l'arène reçoit une église et la citadelle des Frangipani ; le Circus Maximus est rempli par des habitations que loue la congrégation de Saint-Guy ; les arches du théâtre de Pompée sont occupées par des marchands de vins et des *trattorie*, celles du théâtre de Marcellus par des chiffonniers, des fripiers et par des tavernes. En Provence, les arènes d'Arles sont transformées en citadelle, leurs arcades fermées, un quartier d'habitations construit sur leurs gradins et une église édifiée en leur centre [9]. Il n'est jusqu'aux arcs de triomphe qui se hérissent de tours défensives, comme celle érigée au XIIe siècle sur l'arc de Septime Sévère par les Frangipani.

Pourtant, aux mêmes époques, nombre d'œuvres et d'édifices du paganisme ont fait l'objet d'une conservation délibérée, sur l'incitation, directe ou indirecte, du clergé qui était demeuré seul dépositaire d'une tradition lettrée [10] et de l'*humanitas* antique. Monuments ou patrimoine historique avant la lettre ? On ne peut répondre qu'après avoir tenté d'analyser les motivations de cette attitude préservatrice.

Raisons pratiques d'économie d'abord, dans des temps de crise où la population était décimée, la construction ruineuse, les traditions artisanales en perdition. Au VIe siècle, l'attitude du pape Grégoire Ier est exemplaire. A Rome, il prend en charge l'entretien du parc immobilier, et pratique une politique de réemploi que poursuivra son successeur Honorius : les grandes demeures patriciennes sont transformées en monastères, leurs salles de réception en églises. A l'extérieur, il sermonne ses missionnaires : « Ne détruisez pas les temples païens, mais seulement les idoles qu'ils abritent. Pour ce qui est des édifices mêmes, contentez-vous de les asperger d'eau bénite et d'y placer vos autels et vos reliques [11]. » La conduite du bernard-l'ermite est érigée en doctrine.

L'intérêt utilitaire n'était cependant pas seul en jeu dans la préservation des vestiges antiques. D'autres motifs engageaient le savoir littéraire et la sensibilité. Monuments et objets païens renvoyaient aux clercs l'écho de textes familiers. L'intérêt et le respect témoignés à ces œuvres sont solidaires des positions prises par l'Église à l'égard des lettres et du savoir classiques, alternativement promus au nom des « humanités » ou condamnés pour paganisme. Ainsi, la faveur de l'*humanitas* et des arts antiques culmine lors de ces brèves et partielles renaissances que Panofsky a appelées *renascences* [12], aux VIIIe et IXe siècles dans le cadre de la politique carolingienne, puis aux XIe et XIIe siècles, sous l'impulsion des grands abbés humanistes. Lorsque Guillaume de Volpiano, Gauzelin de Saint-Benoît-sur-Loire, Hugues de Cluny, puis Hildebert de Lavardin, Jean de Salisbury, Suger de Saint-Denis ou Guibert de Nogent se rendent à Rome, c'est tout vibrants de leur culture classique qu'ils en admirent les monuments et cherchent à les identifier.

Attrait intellectuel certes, mais aussi séduction de la sensibilité : les œuvres antiques fascinent par leurs dimensions, par le raffinement et la maîtrise de leur exécution, par la richesse de leurs matériaux. Trésor, nimbé d'une aura de merveilleux, elles s'intègrent dans l'une des deux « esthétiques [13] » du Moyen Age, celle que Suger défend contre Bernard de Clairvaux. Quand l'abbé de Saint-Denis fait réparer le mobilier de son église, il admire « le travail merveilleux », « la somptuosité fastueuse » d'un panneau de l'autel dû aux « artisans barbares [...] plus fastueux que les nôtres » et « la sculpture très délicate, aujourd'hui irremplaçable [des] tablettes d'ivoire [de la chaire] » qui passe toute évaluation humaine pour « la description qu'elle offre des scènes antiques [14] ».

La valeur quasi magique attribuée aux vestiges de l'Antiquité, la curiosité qu'ils éveillent, le plaisir qu'ils offrent aux yeux sont illustrés dans les manuscrits de deux clercs du XIIe siècle. Avec ses *Mirabilia urbis Romae*, Benedictus, chanoine de Saint-Pierre, propose, vers 1155, le premier guide exclusivement consacré aux monuments païens de Rome et dont les identifications, le plus souvent fantaisistes, demeurent néanmoins toujours liées à des souvenirs littéraires. Quant au juriste anglais connu sous le nom du Magister Gregorius, il ne sait s'il faut attribuer les merveilles visitées lors de son voyage à Rome à la magie ou au travail des hommes [15]. Lorsqu'il rapporte avoir à trois reprises parcouru plusieurs milles pour aller admirer sur le Quirinal une Vénus exécutée avec « une si merveilleuse et inexplicable adresse, qu'elle portait sa nudité comme en rougissant », il décrit le comportement d'un amateur d'art. On doit ranger dans la même catégorie son illustre compatriote, Henri, évêque de Winchester, que Jean de Salisbury, pourtant collectionneur de statues antiques lui aussi, a dépeint comme un véritable obsédé d'art antique [16].

L'intérêt et la jubilation que suscitent les monuments antiques chez les protohumanistes de l'Antiquité tardive et du Moyen Age n'anticipent-ils pas l'expérience des humanistes du XVe siècle ? A se fier aux enthousiasmes et au lyrisme des auteurs médiévaux, on pourrait parfois le croire. Une différence irréductible oppose cependant les deux formes d'humanisme et leurs rapports respectifs avec l'Antiquité : la distance (historique) que l'observateur du Quattrocento a, pour la première fois, établie entre le monde contemporain auquel il appartient et la lointaine Antiquité dont il étudie les vestiges. Pour les clercs du VIIIe ou du XIIe siècle, le monde antique est à la fois impénétrable et immédiatement proche. *Impénétrable* : les territoires romains ou romanisés sont devenus chrétiens, la vision païenne du monde n'a plus cours, elle n'est plus concevable. Les expressions littéraires ou plastiques, rendues indéchiffrables par la perte de leur référent, sont réduites à des formes vides. *Proche* : ces formes vides, à portée de vue et de main, sont immédiatement transposables et transposées dans le contexte chrétien où elles sont réinterprétées selon des codes familiers [17].

Peut-être Henri de Winchester ou Gregorius sont-ils de fulgurantes exceptions. Quoi qu'il en soit, la formulation et les formules de l'admiration ne doivent pas être détachées de leur contexte. Lorsque, au début du XIIe siècle, dans son grand poème sur Rome, Hildebert de Lavardin s'extasie sur un travail qui ne pourra être « ni égalé », « ni refait », et lorsqu'il évoque la « passion des artisans » *(studio artificium)* qui furent responsables de ces images dont la nature n'eût point été capable, il ne faut pas oublier qu'il commence par louer la mutilation (purificatrice) de la Ville aux prétentions insoutenables, dont il peut désormais chérir les restes [18] avec bonne conscience. R. Krautheimer a bien souligné cette ambivalence, allant jusqu'à la penser en termes d'amour-haine. Il a montré, en outre, comment le protohumanisme s'était littéralement approprié les vestiges du monde antique en les christianisant.

L'absence de distance, également décrite par E. Panofsky dans ses analyses de la transmission des formes et des thèmes antiques pendant le Moyen Age [19], est le dénominateur commun de toutes les conduites concernant l'héritage de l'Antiquité gréco-romaine. Bernard de Chartres et Gilbert de La Porrée posent sur l'idéalisme platonicien et les catégories d'Aristote la grille de la théologie chrétienne. Tel sculpteur roman intègre des monstres antiques dans la représentation d'une scène biblique et tel enlumineur habille de vêtements médiévaux les héros de la mythologie grecque. De même en ce qui concerne les objets ou les monuments de l'Antiquité : quels que soient le savoir de ceux qui en disposent et la valeur qui leur est attribuée, ils sont directement assimilés et introduits dans le circuit des pratiques chrétiennes, sans qu'aient été ménagés autour d'eux la distance symbolique et les interdits qu'aurait imposés une mise en histoire. L'altérité d'une culture autre n'était pas assumable. Les édifices sont investis avec innocence et familiarité, sans hésitation ni scrupule, comme le sont les formes plastiques et les textes philosophiques.

Meubles ou immeubles, les créations de l'Antiquité ne jouent donc pas le rôle de monuments historiques. Leur préservation est, en fait, un réemploi. Elle se présente sous deux formes distinctes : réutilisation globale, assortie ou non d'aménagements ; fragmentation en pièces et morceaux, utilisables à des fins et en des lieux divers.

Suger avait pour vase de messe [20] un précieux vaisseau antique en porphyre, encastré par un orfèvre médiéval entre les pattes, les ailes et le col d'un aigle en argent doré. De même, le palais impérial de Trèves est converti au IXe siècle en une cathédrale dont l'évêque Hincmar admire le pavement « constitué par des marbres de différentes couleurs » et les portes « recouvertes d'un or roux qui ressemble à la hyacinthe très claire [21] » ; à Vienne, dans le Lyonnais, le temple d'Auguste et de Livie, amputé du mur de sa *cella*, devient, à la même époque, église Notre-Dame-de-la-Vie.

Mais les monuments antiques ne sont pas seulement « recyclés », ils sont, avec autant de simplicité désinvolte, débités en pièces et morceaux, réinsérés ensuite dans des constructions neuves, pour les embellir et les décorer. Il n'est d'ailleurs pas toujours aisé de discriminer ce qui est un réemploi utilitaire, même spoliateur, et ce que J. Adhémar considère comme une véritable œuvre de sauvegarde [22]. Colonnes, chapiteaux, statues, frises sculptées sont ainsi prélevés sur les édifices qui faisaient la gloire des villes antiques. Depuis le VIe siècle, Rome est la mine la plus importante de matériaux prestigieux pour les sanctuaires nouveaux, élevés sur son propre territoire (Saint-Laurent-hors-les-Murs, Saint-Pancrace, Sainte-Agnès...) ou bien ailleurs, en Italie, et dans d'autres pays.

Charlemagne fait rapporter de Rome et de Ravenne, avec l'autorisation du pape Adrien Ier, les marbres et les colonnes qu'il utilisera à Aix-la-Chapelle et à Saint-Riquier. Desiderius envoie à Rome chercher colonnes, bases et chapiteaux pour son abbaye du Mont-Cassin (1066). Suger, agrandissant Saint-Denis, se désespère : « Où trouverai-je des colonnes de marbre ou équivalentes à du marbre ? J'y pensais, j'y réfléchissais, je cherchais dans les régions les plus diverses et les plus éloignées et je ne trouvais rien. Il ne se présentait à mon esprit anxieux qu'une seule solution : aller à Rome ; dans le palais de Dioclétien, en effet, et dans les autres thermes, nous avions souvent admiré des colonnes de marbre ; les faire venir par une flotte sûre à travers la mer Méditerranée, puis à travers la mer d'Angleterre, et de là par le cours sinueux de la Seine, les obtenir ainsi à grands frais de nos amis et même de nos ennemis les Sarrasins, à proximité desquels il faudrait bien passer : telle était la solution que, pendant de nombreuses années et à force de vaines recherches, nous envisagions avec angoisse [23]. » Mais, soudain, un miracle se produit ; il découvre, à proximité de Pontoise, « une carrière admirable » et il renonce à son projet.

Toutefois Rome n'est, de loin, pas la seule réserve de fragments antiques. A Lyon, ce sont les marbres du *Forum vetus* qui aident à construire Saint-Martin-d'Ainay, et ses colonnes l'abside de la cathédrale. Mais les voyages sont souvent plus lointains. En 1049, Odilon de Cluny fait quérir les matériaux de son cloître en Provence ; Nîmes et Arles alimenteront également en sculptures et en colonnes la cathédrale de Saint-Germain d'Auxerre, les abbatiales de Saint-Germain-des-Prés à Paris et de Moissac.

Il est inutile de multiplier les exemples. Les petites renaissances qui ont préparé la Renaissance n'avaient pas permis de systématiser la perspective artificielle, pourtant déjà ébauchée. Elles n'ont pas davantage permis d'ouvrir une perspective sur les monuments de l'Antiquité.

Il faut cependant souligner les privilèges originels qui ont autorisé Rome la première à prendre distance à l'égard de son héritage antique et à le situer dans un espace historique.

D'entrée de jeu, la Ville, qui avait marqué par ses institutions urbaines et son architecture tous les territoires conquis de l'Empire, présentait elle-même la plus forte concentration d'édifices antiques fameux. Surtout, malgré les interrogations douloureuses du IVe siècle, puis les sacs successifs par les Barbares, la culture classique transmise par les patriciens convertis y était demeurée vivante. En outre, les papes s'étaient assumés comme les héritiers de Rome, d'abord contre la tradition byzantine, puis contre la barbarie des envahisseurs, enfin contre l'hégémonie des empereurs allemands.

Ils exerçaient, en particulier, les responsabilités traditionnelles des empereurs en matière d'édilité et d'architecture. Dès le début du Ve siècle [24], le renouveau du classicisme les conduit à substituer aux basiliques constantiniennes des modèles plus purs et plus raffinés, inspirés par les thermes de Trajan, de Caracalla, de Dioclétien et par les basiliques à ordres superposés de Trajan et de Septime Sévère, qui acquièrent ainsi une valeur nouvelle. En 408, un décret est pris en faveur de l'usage séculier des temples à protéger en tant que monuments publics. Les désastres du VIe siècle conduisent à la conversion d'édifices séculiers en églises : en 526-530, la salle d'audience du préfet devient l'église de Saint-Côme et Saint-Damien, en 580 une salle cérémonielle du Ier siècle reçoit l'église Santa-Maria Antica, avant que, sous Honorius, le sénat du Forum romain ne soit converti en église de Saint-Adrien. En revanche, et sans doute parce que la tradition classique demeure plus proche et plus vivante à Rome, Grégoire le Grand et ses successeurs se révèlent, dans la Ville plus qu'ailleurs, hostiles à la christianisation des temples. Le Panthéon, consacré en 609 à la Vierge Marie [25], constitue un précédent pendant près de trois cents ans.

Les frontières sont difficiles à tracer, dans cette œuvre salvatrice des papes, entre les mesures dictées par l'utilité et celles qu'inspirent l'intérêt historique ou encore la volonté d'affirmer une identité par des monuments. Deux mémoires sont simultanément sollicitées par deux séries de *monuments* : celle, plus proche, d'une instauration religieuse qui structure la vie quotidienne et définit son horizon, et celle, plus lointaine, d'un passé temporel et glorieux. Ce sont ces deux mémoires entrelacées qu'invoquent ensemble Saint-Pierre et le Colisée, Saint-Jean de Latran et la colonne de Marc Aurèle, Sainte-Marie du Trastévère et l'arc de Titus, tels que les réunit dans son étroit champ d'or la Bulle de Louis le Bavarois [26].

La présence visuelle simultanée, à Rome, de ces deux types de monuments, renvoyant à deux traditions si distantes, appelait sans doute un effet de différence et la création d'une distance seconde à l'égard de ceux de l'Antiquité. L'édit par lequel le sénat romain protège la colonne Trajane en 1162 est ambivalent : « Nous voulons qu'elle demeure intacte aussi longtemps que le monde durera [...]. Celui qui tenterait de lui porter atteinte sera condamné au pire et ses biens seront donnés au fisc. » Monument ou monument historique déjà ? Impossible de trancher. En récrivant l'histoire, on peut imaginer que le monument historique serait né un siècle plus tôt si les papes n'avaient pas dû quitter Rome et l'abandonner aux pillards et aux herbes folles.

Quand Martin V y revient, définitivement, en 1420, Rome est devenue, pour une population de quelque 17 000 habitants, le *desabitato*. Les grands monuments antiques gisent parmi les vignes et les pâturages, quand ils n'ont pas été occupés et comblés par des habitations. La structure de la Rome impériale a été effacée par les tracés processionnels d'une ville de pèlerinage [27].

Dans le cadre de la révolution du savoir que vit alors l'Italie, cette même image ruinée d'une Antiquité tout juste redécouverte à la lumière éblouissante des textes oblige quasiment le regard à donner aux monuments romains une dimension historique. C'est dans ce contexte mental, sur ces lieux et sous la désignation plurielle d'« antiquités » qu'il faut situer la naissance du monument historique. Il lui faudra encore trois siècles pour acquérir son nom définitif.

La phase antiquisante du Quattrocento

J'appelle la première phase de ce développement « antiquisante » parce que l'intérêt pour les vestiges du passé en tant que tels s'y focalise sur les édifices et les œuvres d'art de la seule Antiquité, à l'exclusion de toute autre époque. De nombreux témoignages permettent de fixer aux alentours des années 1430 le singulier éveil du regard distancié et esthète, affranchi des passions médiévales, qui, en se posant sur les édifices antiques, les métamorphose en objets de réflexion et de contemplation. Cependant, répétons-le, cette attitude nouvelle a été préparée depuis la deuxième moitié du Trecento. Les historiens et les historiens de l'art [28] qui se sont penchés sur les mouvements artistiques et intellectuels qui se sont développés dans l'Italie du Quattrocento ont identifié et distingué au Trecento deux démarches originales propres respectivement aux humanistes et aux artistes. Ces deux démarches ont contribué à une première conceptualisation de l'histoire comme discipline et de l'art comme activité autonome. Elles sont ainsi également une condition nécessaire pour que se constitue l'objet que nous appelons monument historique et qui est lié aux deux notions d'histoire et d'art par une relation générative.

D'un côté donc, une approche littéraire, introduisant ce qu'on pourrait appeler « l'effet Pétrarque ». A travers des textes classiques que sa lecture philologique et critique veut restaurer dans leur pureté originelle, Pétrarque dévoile une Antiquité *(Vetustas)* inconnue à laquelle il décerne, dans son poème *Africa* (1338) les qualificatifs de sainte et sacrée. Cette Antiquité rayonnante relègue dans la nuit de l'ignorance les siècles de l'Occident chrétien qui ont contribué à la faire méconnaître et à en falsifier les chefs-d'œuvre. Et si, dans son halo de lumière, elle prend valeur de perfection et de modèle, pour la première fois, elle révèle aussi son altérité fondamentale. La lecture purificatrice du poète, qui voulait lire les vers de Virgile sans barbarismes et sans gloses, a découvert et fondé la distance historique. Il restera à ses successeurs humanistes de la creuser toujours davantage[29].

Dès lors, pour Pétrarque et son cercle d'amis, les édifices antiques acquièrent une valeur nouvelle. Ils sont porteurs d'une seconde médiation qui authentifie et confirme celle des livres. Ils témoignent de la réalité d'un passé révolu. Ils sont arrachés à l'emprise familière et banalisante du présent pour faire rayonner la gloire des siècles qui les édifièrent. Ils dissipent par leur présence la résonance fabuleuse des textes grecs et latins, et ce pouvoir ne se manifeste nulle part mieux qu'à Rome.

Cependant, à l'époque où Pétrarque écrit le poème *Africa*, les édifices classiques sont au service d'une relation encore exclusivement textuelle avec l'Antiquité. La forme et l'apparence des monuments romains ne sollicitent pas la sensibilité visuelle, ils donnent une légitimité à la mémoire littéraire. Plus que ses monuments individuels, c'est le site entier de Rome qui évoque avant tout « un mode de vie exemplaire [...], *la virtus* et la virilité[30] », en un mot, un climat moral.

En 1375, un lettré ami de Pétrarque, le médecin Giovanni Dondi, envoie ses impressions de Rome à Fra Guglielmo da Cremona : « J'ai vu, dit-il, des statues de bronze ou de marbre préservées jusqu'à ce jour et les nombreux fragments dispersés de sculptures brisées, les arcs de triomphe grandioses et les colonnes sur lesquels est sculptée l'histoire d'actions d'éclat, et d'autres monuments érigés publiquement en l'honneur de grands hommes qui avaient établi la paix et sauvé le pays de dangers menaçants [...] ainsi que je me souviens de l'avoir lu ; j'ai vu tout cela non sans une remarquable excitation, souhaitant que toi aussi tu puisses, un jour, le voir, cheminant, t'arrêtant d'aventure, te disant peut-être en toi-même : "Voilà certes les preuves [*argumenta*] de grands hommes..." »

On a pu dire de cette lettre, comme d'autres correspondances contemporaines, qu'elles renvoyaient de Rome une image « presque emphatiquement non visuelle[31] ». Leur appartenance exclusive au monde de l'écrit et leurs préoccupations essentiellement philologiques, littéraires, morales, politiques, historiques, ont continué jusqu'aux premières décennies du XVe siècle et souvent bien plus tard, à conditionner la démarche et le regard des humanistes qui faisaient le voyage de Rome. Coluto Salutati, qui fut la cheville ouvrière de l'humanisme florentin dès la dernière décennie du XIVe siècle et appela le grec Chrysoloras à Florence en 1396, Leonardo Bruni, le chancelier-historien, n'échappent pas à la règle. Certes, leur visite est plus orientée, elle confirme des lectures plus nombreuses et plus précises. Elle est aussi facilitée par la présence à Rome de lettrés qui, tel Poggio[32], jouent le rôle de guide avec passion et compétence.

Cependant, sauf exception, ces visiteurs ne sont pas intéressés par les monuments en eux-mêmes. Pour eux, le témoignage du texte sur le passé l'emporte encore sur tous les autres. C'est avant tout Cicéron, Tite-Live, Sénèque, que les humanistes viennent évoquer et invoquer dans leur cadre. Aux édifices antiques, ils préfèrent les inscriptions qui les recouvrent. En 1452, dans le prologue du *De re aedificatoria*, Alberti résume les limites de cette attitude qu'il a, pour sa part, déjà dépassée : « [Les] tombeaux des Romains et les vestiges de leur ancienne magnificence que nous voyons tout autour de nous, nous ont appris à porter foi aux témoignages des historiens latins qui, sans doute, autrement, nous sembleraient moins crédibles. »

D'autre part, à cette approche littéraire des édifices antiques, s'oppose, nettement plus tard, à l'articulation du XIVe et du XVe siècle, une approche sensible par les « hommes de l'art » (*artifices*[33]) qui, à la différence des humanistes, sont intéressés essentiellement par les formes. Il appartint, en fait, à des sculpteurs[34] et à des architectes de découvrir à Rome l'univers formel de l'art classique. C'est ce qu'on pourrait appeler « l'effet Brunelleschi », dans la mesure où l'architecte de la coupole de Notre-Dame-des-Fleurs est le plus illustre de ces découvreurs. Mais il n'est pas le premier.

La lettre de Dondi, citée plus haut, fait déjà état de ce deuxième « effet » impulsé par les *artifices* et qui, loin de se confondre avec « l'effet Pétrarque », apparaît aux humanistes étranger et étrange. Après avoir confié à son correspondant ses propres réactions de lettré, Dondi leur oppose celle « de nos *artifices* modernes » devant les anciens édifices, statues et autres objets analogues « de la Rome antique » : « [Ils] les examinent de près, ils sont frappés de stupeur. Moi-même, je connaissais un sculpteur de marbre, un virtuose dans ce domaine, fameux parmi ceux que l'Italie possédait alors [...]. Plus d'une fois, je l'ai entendu évoquer les statues et les sculptures qu'il avait vues à Rome avec une telle admiration et vénération qu'il semblait être hors de lui-même [...]. Il louait le génie des auteurs de ces figures au-delà de toute mesure et concluait que si ces sculptures avaient seulement une étincelle de vie, elles seraient mieux que ne les ferait la nature. »

Les transports du sculpteur anonyme semblent identiques à ceux d'Henri de Winchester ou de Gregorius. Cependant, la similitude de la formulation recouvre une différence capitale : ce n'est plus un lettré, mais un *artifex* qui s'exprime par l'intermédiaire de Dondi. Le plaisir par lequel il se laisse subjuguer est lié à la spécificité de son activité de praticien. Il va sans dire qu'un tel plaisir, engendré par la seule qualité des sculptures des édifices antiques, indépendamment de leur valeur symbolique, fut déjà éprouvé antérieurement par maint maître maçon ou sculpteur médiéval. La nouveauté de l'expérience relatée par Dondi tient au fait que la contemplation désintéressée de l'œuvre antique est explicitement assumée et revendiquée. Une distance est ainsi établie par rapport aux vestiges de l'Antiquité, analogue à celle que prenaient à la même époque les successeurs de Pétrarque.

La démarche de l'*artifex* et le monde des formes plastiques n'en sont pas moins, en règle générale, inaccessibles à la sensibilité des lettrés. Ils le demeurent encore durant les premières décennies du siècle, tandis que Brunelleschi répète les voyages d'études à Rome [35] où il relève et mesure les édifices antiques, et que, comme lui, et parfois avec lui, Donatello, Ghiberti, Luca delle Robbia viennent et reviennent, de Florence, analyser à Rome les modèles de la sculpture classique.

Selon certains historiens pourtant, la synthèse des deux approches, artiste et lettrée, aurait été réalisée durant le dernier quart du XIVe siècle. La lettre de Dondi à Guglielmo da Cremona ne marquerait pas l'opposition de deux courants parallèles et indépendants, mais présenterait l'analyse de deux composantes, placées sur pied d'égalité. Celles-ci opéreraient conjointement, chez les premiers *amateurs* d'art antique dont Niccolo Niccoli est la figure tutélaire [36].

Cet érudit florentin, qui commença par collectionner les manuscrits d'auteurs classiques, se passionna dès 1380 pour la sculpture antique qu'il faisait rechercher à travers l'Italie entière. La collection qu'il lègue à Cosme de Médicis peut le faire considérer comme le premier amateur d'art au sens moderne de ce terme. Pour E. Gombrich [37], Niccoli est le catalyseur qui a permis l'éclosion des collectionneurs — princes, savants et artistes — du Quattrocento italien. Son expertise et sa sensibilité sont connues par sa correspondance [38], notamment avec Poggio Bracciolini dont il fut le conseiller souvent sollicité.

Niccoli n'en demeure pas moins une exception. Parmi les lettrés du XIVe siècle finissant et du début du XVe siècle, les amateurs d'art antique représentent une infime minorité. Celle-ci est dominée par la figure complexe et précoce de Poggio qui semble effectivement avoir, l'un des tout premiers, réussi à allier les deux regards du savant et de l'esthète. La correspondance et les écrits de ce lettré, auquel on doit la redécouverte de Vitruve[39], révèlent comment, progressivement et non sans appréhension, avec une sorte de gêne et de mauvaise conscience, il laisse libre cours à la délectation esthétique que lui procurent les sculptures et les édifices antiques. Il devient collectionneur, mais ce n'est pas un hasard s'il demande à Donatello de confirmer ses enthousiasmes. Ce sont Donatello et Brunelleschi qui ont éduqué son œil et sa sensibilité, et qui lui ont appris à voir, un peu plus tôt que ses collègues de la Curie romaine et que ses compatriotes florentins, l'architecture et la sculpture classiques.

En effet, durant les années 1420 et 1430, un dialogue sans précédent allait se nouer entre artistes et humanistes. D'une part, les premiers forment le regard des seconds, leur apprennent à voir avec d'autres yeux. D'autre part, ces derniers révèlent aux architectes et aux sculpteurs la perspective historique et la richesse de l'*humanitas* gréco-romaine dont la connaissance donne à leur vision des formes antiques une acuité et une profondeur nouvelles. Donatello, Brunelleschi et Ghiberti ont, depuis sa première visite, dans les années 1420, fait découvrir à Alberti l'art de Rome. Mais, réciproquement, c'est l'influence d'Alberti qui explique comment, en 1429, Ghiberti dépouille complètement le vieil homme médiéval et crée la Porte du Paradis[40].

A l'issue de ce processus « d'imprégnation mutuelle[41] », artistes et humanistes ont, ensemble, découpé le territoire de l'art et l'ont articulé à celui de l'histoire pour y implanter le monument historique. Mais le regard neuf des humanistes sur l'architecture et la sculpture de l'Antiquité classique n'engage pas pour autant un jugement esthétique. Le savoir historique demeure premier et seul nécessaire dans l'institution des « antiquités ». De nombreux exemples en témoignent, de Leonardi Bruni à Donato Acciajuoli ou Pomponius Leto. Combien de lettrés viendront mesurer les temples romains pour la seule satisfaction d'interpréter le texte de Vitruve. Pour beaucoup et pendant longtemps, l'analyse visuelle de l'historien, si concrète qu'elle soit, restera prisonnière de la grille du savoir.

L'aventure intellectuelle d'Alberti peut, en revanche, illustrer les étapes d'une synthèse achevée du regard érudit et du regard artiste. Sa première rencontre avec Rome est celle du lecteur de Tite-Live et de Cicéron. La Ville est alors pour lui une somme de noms, ceux des monuments (autels, temples, basiliques, théâtres, palais) dont il dresse l'inventaire dans la préface de son traité *Della famiglia* (1428). Mais, bientôt, il devient archéologue, puis architecte. Les édifices d'abord perçus comme témoins de l'histoire romaine sont bientôt étudiés et reportés sur le plan topographique qu'il prépare pour Nicolas V en vue de la restauration de la Ville [42].

Finalement, le chantier romain est lu comme une leçon de construction, puis comme une introduction au problème de la beauté. Pour l'auteur du *De re aedificatoria*, les édifices de Rome sont à la fois le fondement des règles de la beauté architecturale qu'il s'efforce de formuler en termes mathématiques, et l'aboutissement d'une inaugurale « histoire de l'architecture » qu'il fait commencer dans la démesure en Asie, se poursuivre par l'expérimentation de la mesure et des proportions en Grèce, atteindre enfin sa perfection à Rome où les architectes du Quattrocento vont pouvoir venir se former à l'exemple de ses vestiges. Aucune mention n'est faite des siècles obscurs qui ont ignoré la beauté [43].

En revanche, d'autres architectes de la même époque, comme Ghiberti ou Filarète, n'ont pas dédaigné de mentionner dans leurs écrits les œuvres de certains bâtisseurs des XIIIe et XIVe siècles. Leurs analyses [44] ont apporté une contribution originale à l'historiographie de l'architecture. Elles restent néanmoins dominées par la périodisation tripartite de Pétrarque : belle antiquité, âge obscur et renaissance moderne. Ce schéma, promis à une longue carrière, conditionne et oriente la vision des savants, des artistes et de leurs mécènes. Il exclut de son champ tout ce qui appartient aux temps intermédiaires. Le monument historique ne peut être qu'antique, l'art ne peut être qu'antique ou contemporain.

La littérature des humanistes sur le savoir et le plaisir dispensés par les œuvres de l'Antiquité laisse attendre leur conservation délibérée et organisée. Celle-ci prend des formes différentes selon qu'il s'agit d'objets meubles ou d'édifices. D'une part, monnaies, inscriptions, sculptures et fragments divers, collectionnés par les artistes, les humanistes et les princes italiens sont conservés dans les *studioli*, les antichambres, les *cortile* et les jardins de leurs demeures. La galerie, organe spécifique, n'apparaît qu'au XVIe siècle, mais il arrive que les amateurs du XVe siècle fassent construire des bâtiments pour abriter leurs antiquités (villa de Mantegna, à Mantoue). La collection qui se différencie du cabinet de curiosités [45] précède le musée. Essentiellement privée, elle offre cependant dès 1471 le premier exemple d'ouverture (une fois par an) au public, avec les collections pontificales du Capitole.

La conservation des édifices (immeubles), d'autre part, a nécessairement lieu *in situ*. Elle soulève de tout autres difficultés techniques. Elle ressortit essentiellement au domaine public et politique, engage des mécanismes édilitaires, économiques, sociaux, psychologiques complexes qui engendrent conflits et difficultés. On ne collectionne pas les temples ou les amphithéâtres romains. La passion du collectionneur n'est pas mobilisable pour leur sauvegarde. Contre les forces sociales de destruction qui les menacent, les édifices antiques ont pour seule protection — aléatoire, sinon dérisoire — la passion du savoir et l'amour de l'art. C'est pourquoi la prise de conscience au Quattrocento de la double valeur historique et artistique des monuments de l'Antiquité n'a pas entraîné leur conservation effective et systématique. La Rome du XVe siècle est, en la matière, caractérisée par une remarquable ambivalence.

A partir des années 1430 et du pontificat d'Eugène IV (1431-1447), les humanistes, en particulier ceux de la cour pontificale, sont unanimes à appeler à la conservation et à une protection vigilante des monuments romains. A l'unisson, dans leurs ouvrages comme dans leur correspondance, ils stigmatisent la conversion de la Ville en carrières qui alimentent la construction neuve et les fours à chaux. Poggio décrit à un ami la Rome de Nicolas V : « Il y a une abondance quasi infinie de bâtiments, parfois splendides, de palais, de résidences, de tombeaux et d'ornements divers, mais complètement ruinés. C'est une honte et une abomination que de voir les porphyres et les marbres arrachés à ces anciens édifices et transformés de façon continuelle en chaux. Les affaires présentes sont bien tristes et la beauté de Rome est en cours de destruction[46]. » Flavio Biondo lui fait écho et confirme ce tableau. Il dénonce « la main improbe de ceux qui transfèrent et intègrent les anciens marbres et les vieilles pierres dans d'autres constructions, sordides » et décrit les vignes qui poussent « là où l'on voyait autrefois des édifices superbes : leurs admirables pierres taillées ont été transformées en chaux. A côté du Capitole et en face du Forum, demeure le portique d'un temple de la Concorde que, lorsque je suis venu pour la première fois à Rome, j'ai vu à peu près entier, lui manquant seulement son revêtement de marbre. Ensuite, les Romains l'ont entièrement réduit en chaux et ont démoli le portique, en jetant à bas ses colonnes[47] ».

Les mêmes *topoï* du squelette dépouillé de ses chairs, de l'infamie qui succède à la gloire sont développés depuis le *Ruinarum descriptio urbis Romae* (1450-1452) de Poggio jusqu'à la lettre de Raphaël à Léon X (aux alentours de 1516), en passant par le poème (1453) que le cardinal Piccolomini, futur Pie II, adresse à Rome « déchue de son antique gloire » et dont « le peuple impie arrache les pierres de ses murs et transforme en chaux les marbres durs[48] ». D'un texte à l'autre, la violence des protestations est identique, qu'elle traduise des préoccupations d'ordre exclusivement historique (Pomponius Leto sous Sixte IV) ou que s'y ajoute le regret douloureux d'une beauté perdue (Fausto Maddalena dei Capo sous le même pontificat).

C'est aux papes qu'incombe, comme au temps de Grégoire le Grand, la tâche de préservation. Mais il s'agit, maintenant, d'une conservation moderne, non plus appropriative et lésante, mais distanciée, objective et assortie de mesures de restauration et de protection des édifices antiques contre les agressions multiples dont ils sont l'objet.

A partir du retour de Martin V, les bulles pontificales se succèdent à cette fin, parfois à plusieurs reprises sous un même pontificat. La bulle dite *Cum almam nostram urbem*, publiée le 28 avril 1462 par Pie II Piccolomini, est exemplaire. D'entrée de jeu, le pape distingue monuments et antiquités. Désirant conserver « la Ville mère dans sa dignité et sa splendeur », il entend « déployer le soin le plus vigilant » non seulement pour « l'entretien et la préservation » des basiliques, églises et tous autres lieux saints de cette ville, mais encore pour que les générations futures trouvent intacts les édifices de l'Antiquité et leurs vestiges. En effet, ceux-ci, tout à la fois « confèrent à ladite Ville sa plus belle parure et son plus grand charme », incitent à suivre les exemples glorieux des anciens et « surtout, ce qui est encore plus important, ces mêmes édifices nous permettent de mieux percevoir la fragilité des affaires humaines ».

« Ému par ces considérations » et sensible aussi aux adjurations de son entourage, le pape énonce alors, à l'égard des édifices antiques, un ensemble d'interdictions précises et formelles qui n'excepte aucune catégorie de contrevenants. Il proclame son accord total avec « ceux de [ses] prédécesseurs qui s'étaient expressément élevés contre la démolition et la dégradation des édifices antiques », il rappelle le décret, toujours en vigueur, qui interdit ces dégradations et les punit par des peines pécuniaires précises. Davantage, à son tour, avec « le poids de son autorité apostolique », et sous peine d'excommunication et de sévères amendes, il interdit « à tous, religieux ou laïcs, sans exception, quels que soient leur pouvoir, leur dignité, leur statut ou leur rang, quel que soit le lustre ecclésiastique (même pontifical) ou mondain dont ils sont parés, de démolir, de mettre en pièces, d'endommager ou de convertir en chaux, directement ou indirectement, publiquement ou secrètement, tout édifice public de l'Antiquité ou tous vestiges d'édifices antiques existant sur le sol de ladite Ville ou dans ses environs, même s'ils se trouvent dans des propriétés qui leur appartiennent en ville ou à la campagne [49] ».

Le propos pontifical est ferme et d'une précision exhaustive. Les mesures pénales visent « tous les artisans ou les ouvriers qui ont été pris en flagrant délit de démolition ou de dégradation, aussi bien que ceux au nom desquels ils ont agi ». Des agents *ad hoc* ont alors « pleine et entière autorité » pour « emprisonner [les contrevenants], confisquer leurs animaux, leurs instruments et autres biens [...], les forcer à payer leurs amendes [50] ». Aucune dérogation à ces mesures ne pourra être accordée, sauf par le souverain pontife, et une telle procédure devra nécessairement faire l'objet d'une bulle ou d'un bref apostolique. Enfin, pour que nul ne puisse prétendre ignorer ces dispositions, elles seront proclamées et affichées dans toute la Ville.

Les papes ne se contentent pas de mesures préventives. Ils déblaient, dégagent, restaurent les antiquités. Martin V rétablit la fonction de *Magister viarum*. Eugène IV (1447-1455) remet en état la toiture du Panthéon et en dégage les abords. Nicolas V fait dresser par Alberti le plan topographique de Rome, qui sera la base d'un grand projet de restructuration de la Ville, rétablissant une partie de ses axes antiques. Alberti est également chargé de la conservation et de la mise en valeur des grands monuments de l'Antiquité. L'aqueduc Acqua Virgineo [51] est remis en fonctionnement, la muraille d'Aurélien réparée, une restauration destructive permet de débarrasser le pourtour du Panthéon et le pont Saint-Ange des constructions parasites qui les encombrent.

Pie II (1458-1464) assure la crédibilité de sa bulle en faisant, pour la première fois, ouvrir à Carrare des carrières de marbre qui devraient relayer le Colisée. A son tour, Paul II (1464-1471) fait restaurer l'arc de Septime Sévère, le Forum romanum, le Colisée, la colonne Trajane. Sixte IV (1471-1484) restaure le temple de Vesta, fait dégager l'Arc de Titus, encore enchâssé dans les fortifications médiévales des Frangipani. Par ailleurs, il définit les règles d'expropriation pour utilité publique et publie le premier édit contre l'exportation des œuvres d'art.

L'énumération de toutes les mesures de sauvegarde prises à Rome jusqu'à la fin du Quattrocento serait fastidieuse. En revanche, ni la hauteur de vue des textes, ni l'ampleur des travaux conservatoires accomplis ne doivent dissimuler la démarche antithétique qui leur est, paradoxalement, coextensive : les mêmes protagonistes qui se décrivent et se montrent effectivement si impliqués dans la cause de la conservation n'en ont pas moins participé avec constance, lucidité et allégresse à la dévastation de Rome et de ses antiquités.

En fait, les monuments antiques n'ont jamais cessé d'être utilisés comme carrières pour alimenter la politique de constructions nouvelles des papes. Les conventions et les contrats passés avec les entrepreneurs ont été retrouvés dans les archives pontificales : on connaît le nom des deux entrepreneurs qui, sous Martin V, en 1425, avaient été chargés de trouver dans les monuments anciens les belles pierres nécessaires à la restauration du pavement de Saint-Jean-de-Latran. Sous Nicolas V, le Forum, le Circus maximus et l'Aventin produisaient deux mille cinq cents charrettes de marbre et de pierres taillées par an, sans compter le travertin et le tuf extraits du Colisée. On sait que trente mille ducats annuels étaient par ailleurs versés à un dénommé Beltramo de Varèse qui exploitait ses propres fours à chaux[52].

L'examen des comptes permet de constater que Pie II Piccolomini lui-même, en dépit de ses propres bulles et des carrières qu'il avait fait ouvrir à Carrare, puisa largement, pour ses constructions du Vatican et de Saint-Pierre, dans les blocs de marbre et de travertin du Colisée et du Capitole. Il mit également à sac le port d'Ostie et la villa Hadriana, et il reconnaît que « la construction d'une citadelle absorba presque entièrement les matériaux tirés des vestiges voisins du noble amphithéâtre de Tivoli ».

De même, le cardinal vénitien Pietro Barbo, futur Paul II, obtient la concession du Colisée pour édifier le célèbre Palazzo Venezia, qui abritera ses collections d'art antique. Quant à Sixte IV, le Colisée, encore, lui fournit les matériaux du pont qui porte son nom, et une demi-douzaine de temples et d'arcs de triomphe ont fait les frais de sa politique de construction[53].

Comment expliquer l'ambivalence de ces princes et de ces papes qui, vénitiens, florentins ou siennois, identiquement, au fil du temps, protègent d'une main et dégradent de l'autre les édifices antiques de la Ville ? C'est le plus souvent, d'ailleurs, contre leur rôle dans le massacre de Rome que s'élève la réprobation des humanistes : Poggio et Biondo visent Nicolas V ; Pomponius Leto et Fausto Maddalena, Sixte IV. Plus tard, après que Laurent de Médicis aura pillé Rome et Ostie (sous Innocent VIII), et qu'Alexandre VI aura fait mettre le Forum en adjudication par la Chambre apostolique, la lettre de Raphaël à Léon X[54] met à nouveau en cause la responsabilité des papes et de leurs familles.

Même l'attitude des protestataires, lettrés ou artistes, n'est pas toujours cohérente. Raphaël ne se contente pas de pleurer avec lyrisme sur « [le] cadavre [de] cette noble cité, autrefois la reine du monde, aujourd'hui pillée et déchirée si misérablement ». Il dénonce avec une audace singulière : « Toute cette nouvelle Rome que nous voyons actuellement dans sa grandeur et sa beauté, avec ses palais et ses églises, a été entièrement bâtie comme elle est là avec de la chaux faite de marbre antique. Je ne saurais penser sans un profond chagrin que depuis mon arrivée à Rome — il n'y a pas encore douze ans — on a détruit tant de beaux monuments, comme la Pietà, l'arcade à l'entrée des bains de Dioclétien, le temple de Cérès dans la Via sacra, une partie du Forum brûlée il y a peu de jours et dont les marbres ont été convertis en chaux [...]. C'est une honte pour cette époque d'avoir toléré de pareilles choses [...]. Hannibal et les autres ennemis de Rome n'auraient pu agir plus cruellement [55]. » Pourtant, le même Raphaël bénéficie d'un bref du même Léon X qui lui confie « en tant qu'architecte de Saint-Pierre, l'inspection générale de toutes les excavations et de toutes les découvertes de pierres et de marbre qui se feront désormais à Rome et dans une circonférence de dix milles, afin qu'[il puisse] acheter tout ce qui [lui] sera nécessaire pour la construction du nouveau temple [56] ».

En fait, ces hommes éblouis par la lumière de l'Antiquité et des antiquités ne pouvaient, du jour au lendemain, s'affranchir d'une mentalité ancestrale, oublier des comportements inscrits dans la longue durée et qui demeuraient ceux de la majorité de leurs contemporains, lettrés aussi bien qu'illettrés. La prise de distance vis-à-vis des édifices du passé demande un long apprentissage, dans une durée que le savoir ne peut contracter et qui est nécessaire pour que le respect se substitue à la familiarité.

Par ailleurs, le développement des collections et la boulimie des collectionneurs, qu'il s'agît d'inscriptions ou de sculptures, trouvaient un terrain privilégié dans les édifices auxquels ces pièces étaient arrachées sans vergogne. Ce type de dégradation devait croître avec le nombre des amateurs et l'essor du commerce de l'art.

Enfin surtout, l'attitude contradictoire des papes et de leur entourage est dictée par des politiques économiques et techniques liées à la nécessité d'embellir et de moderniser la Ville, d'en faire une grande capitale séculière. L'urgence de l'action exige des matériaux de construction dont ils ne disposent pas à suffisance, et des espaces libres pour réaliser leurs programmes et rivaliser avec l'œuvre de l'Antiquité. Comme plus tard, dans le cadre de la modernisation des territoires entreprise depuis les siècles classiques, ou encore à la suite de la vente des biens nationaux initiée en France par la Révolution, comme encore aujourd'hui devant nos yeux pour les mêmes raisons, les entrepreneurs et les promoteurs de travaux sont, bien souvent, les exécuteurs des basses œuvres de la destruction.

Car, et c'est peut-être le plus significatif, cette ambivalence des papes, qui ressemble à une duplicité, annonce une dimension importante du discours occidental sur la conservation et la protection en général, et celle des monuments historiques et des antiquités en particulier. Qu'il s'appuie sur la raison ou le sentiment, celui-ci deviendra souvent la bonne conscience du démolisseur et la caution de la démolition. En liant la notion d'antiquités à celle de leur préservation, et en mettant ainsi hors jeu le concept de destruction, les papes et leurs conseillers fondent une protection idéelle dont la nature, purement discursive, sert à masquer et autorise la destruction réelle, au ras des gestes, des mêmes antiquités.

C'est ainsi que sur la scène du Quattrocento italien, à Rome, les trois discours de la mise en perspective historique, de la mise en perspective artistique et de la conservation contribuent au surgissement d'un objet nouveau : réduit aux seules antiquités, par et pour un public limité à une minorité d'érudits, d'artistes et de princes, il n'en constitue pas moins la forme native du monument historique.

Chapitre II

Le temps des antiquaires. Monuments réels et monuments figurés

Après les humanistes italiens, accourus de Toscane, de Lombardie, de Vénétie, les lettrés de l'Europe entière firent et refirent à leur tour le voyage rituel de Rome pour découvrir ses monuments et s'approprier le concept d'antiquités.

A travers ces allées et venues, et sous l'effet de la mobilité qui, durant les XVIIe et XVIIIe siècles, caractérise l'Europe savante, le contenu de la notion d'antiquités ne cesse de s'enrichir et son champ de s'étendre. Les érudits européens explorent des lieux nouveaux. Aux confins du *limes*, ils cherchent les vestiges des civilisations-mères de la Grèce, d'Égypte et d'Asie Mineure. Ils recensent aussi les ruines romaines ou grecques demeurées sur le sol de leurs pays respectifs. De plus, la même soif d'information les pousse à enquêter sur leurs origines propres, attestées par d'autres témoins matériels, qu'ils appelleront les « antiquités nationales ». Jacob Spon, médecin et érudit lyonnais, poursuit son « voyage d'Italie » jusqu'en Anatolie, à la recherche d'inscriptions et de monuments gréco-romains. Il note cependant en traversant la Provence : « Notre France même peut nous fournir de belles pièces, aussi bien que la Grèce et l'Italie. On néglige quelquefois ce qu'on a pour courir après les curiosités étrangères qui ne valent pas mieux [1]. » Ailleurs, il indique qu'il ne faut pas relever seulement les inscriptions de « l'Antiquité païenne [mais aussi] celles de l'histoire de France [2] ».

Peu à peu, les antiquités acquièrent une nouvelle cohérence visuelle et sémantique que confirment le travail épistémique du XVIIIe siècle éclairé et son projet de démocratisation du savoir. Le Musée, qui reçoit son nom [3] à peu près au même moment que le monument historique, institutionnalise la conservation matérielle des peintures, des sculptures et des objets d'art anciens et prépare la voie à celle des monuments de l'architecture.

Entre la deuxième moitié du XVIe siècle et le deuxième quart du XIXe, les antiquités font l'objet d'un immense effort de conceptualisation et de recensement. Un appareil iconographique étaye ce travail et facilite sa mise en mémoire. Un corpus d'édifices, conservés par le seul pouvoir de l'image et du texte, est ainsi rassemblé dans un musée de papier.

La démarche inaugurale des humanistes est poursuivie par la recherche savante, méticuleuse et patiente des érudits qu'on appelle alors les *antiquaires*. Le mot, tombé en désuétude dans cette acception, mérite d'être conservé pour sa connotation précise et concrète. Selon la première édition du *Dictionnaire de l'Académie française*, il désigne celui qui est « savant dans la connaissance des antiques et qui en est curieux[4] ».

Pour les humanistes du XVe et de la première moitié du XVIe siècle, les monuments antiques et leurs vestiges confirmaient ou illustraient le témoignage des auteurs grecs et romains. Mais, dans l'ordre de la vérité, leur statut était inférieur à celui des textes qui conservaient l'autorité inconditionnelle de la parole. Les antiquaires, au contraire, se méfient des livres et tout particulièrement de ceux des « historiens » grecs et latins. Pour eux, le passé se révèle le plus sûrement à travers ses témoins involontaires, les inscriptions publiques et surtout l'ensemble des productions de la civilisation matérielle[5]. Non seulement ces objets ne peuvent avoir cherché à tromper sur leur temps, mais ils livrent des informations originales sur tout ce que les écrivains de l'Antiquité ont omis de nous relater, en particulier sur les mœurs et les coutumes. A condition d'être convenablement interprété, le témoignage des antiquités l'emporte sur celui du discours, à la fois par sa fiabilité et par la nature de son message. « Il est bien plus sûr de citer une médaille qu'un auteur, car alors vous ne vous reposez pas sur Suétone ou

Lampidus, mais sur l'empereur lui-même ou sur le Sénat romain et l'ensemble de ses membres», affirme Addison[6]. Même certitude chez son contemporain Montfaucon : «C'est une chose avérée que les marbres et les bronzes nous instruisent bien plus sur les funérailles que les anciens auteurs; et que les connaissances que nous puisons dans les monuments sont bien plus sûres que ce que nous apprenons dans les livres[7].» Le même confie au lecteur de son opus majeur[8] (1722) que ses recherches sur les antiquités ont eu pour point de départ la nécessité de mieux comprendre l'œuvre des Pères grecs dont il préparait l'édition.

Pendant plus de deux siècles, l'enquête fut menée par un réseau d'érudits appartenant à toutes les nations d'Europe. Étonnamment divers par leur naissance (de la moyenne bourgeoisie à la haute aristocratie), leur état (religieux et laïcs, oisifs et hommes de profession, hommes de lettres et hommes de science) et leur fortune, ils étaient unis par la même passion de l'Antiquité et des antiquités. Cette communauté de savants qui ignorait les frontières, et dont Rome était le centre symbolique de ralliement, rassemblait en effet des bénédictins comme l'helléniste français Bernard de Montfaucon[9], des jésuites comme l'Allemand Athanase Kircher établi à Rome, qui cherchait à déchiffrer les hiéroglyphes, des abbés séculiers comme l'Italien Paciaudi, fondateur de la bibliothèque de Parme, ou Barthélemy, l'auteur du *Voyage du jeune Anarcharsis en Grèce*, de nombreux pasteurs anglicans comme l'évêque Pococke[10]; des princes, tel Federico Cesi, le fondateur de l'Académie des Lincei, des hommes d'État et des diplomates comme lord Arundel dont la collection de marbres demeure à Oxford et le marquis de Nointel, ambassadeur de Louis XIV à Rome, qui fit dessiner la frise du Parthénon encore intacte; des professeurs et des hommes de science comme l'astronome italien Francesco Branchini ou Iselin de Bâle; des médecins comme Jacob Spon, agrégé de la Faculté de Lyon ou le Hollandais H. Meibomius; des juristes comme Cassiano dal Pozzo, des hommes de robe et de grands commis tels le président d'Aigrefeuille à Montpellier, Foucault, intendant de Normandie sous Louis XIV, Hollander, trésorier à Schaffouse.

A cette liste, seulement suggestive, il faut ajouter les artistes qui ont contribué à l'iconographie des antiquités et qui, dans certains cas, parfois difficiles à déterminer, étaient également d'authentiques érudits. Pas de contestation possible pour Rubens ou Piranèse. Sans doute non plus pour le graveur Pietro Santi Bartoli [11] qui nous a laissé la reproduction inégalée de la colonne Trajane. Mais parmi les architectes, formés à la technique du relevé, faut-il ou non compter au nombre des antiquaires Serlio, Pirro Ligorio, Desgodets, Mignard qui fit pour Colbert d'admirables relevés des antiquités d'Aix, ou encore Fischer von Erlach dont l'*Entwurf* [12] associe à l'imagination une intuition historique fondée sur un très vaste savoir ?

Il faudrait enfin mentionner tous ceux qui se prévalaient de leur seule qualité d'amateurs, depuis les grands mécènes anglais (Leicester, Burlington...) jusqu'au baron belge de Crassier qui correspondit vingt-sept ans avec Montfaucon [13]. La frontière est d'ailleurs souvent incertaine entre l'antiquaire et le lettré, dont l'étendue de son éducation classique fait un antiquaire en puissance.

Érudits et collectionneurs, les antiquaires accumulaient dans leurs cabinets non seulement des médailles et d'autres « débris » du passé, comme on disait alors, mais aussi, sous forme de « recueils » et de « portefeuilles », de véritables dossiers [14], associant descriptions et représentations figurées des antiquités. A travers l'Europe, ils correspondaient et se visitaient, échangeant souvent des objets, toujours des informations, discutant leurs trouvailles et leurs hypothèses. Les recherches de certains érudits, et non des moindres, demeuraient inédites dans leurs archives, mais étaient largement utilisées et citées dans les publications d'autres auteurs. Les ouvrages imprimés, dont les plus importants étaient aussitôt traduits [15], étaient diffusés dans l'Europe entière, commentés et parfois même contestés [16].

Ainsi est constitué un immense corpus d'objets qui englobe successivement dans son champ les inscriptions, les monnaies, les sceaux, le cadre, tous les accessoires de la vie quotidienne publique et privée, et les grands édifices religieux, prestigieux ou utilitaires.

Certains auteurs se spécialisent, en épigraphie ou en numismatique [17] par exemple, mais ils peuvent aussi limiter plus étroitement leur champ de recherche : « Tel était habile dans ce qui regardait la guerre, qui ne savait presque rien de ce qui concernait les habits... tel savait bien la marine qui était peu instruit sur les funérailles [18]. » *L'Antiquité expliquée et représentée en figures* (1722) de Montfaucon propose l'inventaire méthodique, sans doute le plus complet, de tous les genres d'antiquités [19], allant du monumental (temples, théâtres, amphithéâtres) au minuscule (monnaies et bijoux), des équipements publics (« grands chemins », aqueducs, thermes, etc.) aux ustensiles domestiques (vaisselles, lampes), des images des dieux aux parures des humains. Les monuments de l'architecture apparaissent particulièrement riches d'information dans la mesure où ils constituaient le cadre spatial des institutions. En outre, leurs inscriptions et leur décor (peint et sculpté) se référaient directement aux croyances, aux mœurs et aux coutumes de l'époque.

En même temps que leur nomenclature, le champ spatio-temporel des antiquités s'élargit avec les découvertes des grands sites d'Herculanum (1713), de Pompei (1748), de Paestum (1746), suivis des premières fouilles [20] d'Italie et de Sicile. Il s'enrichit aussi à mesure que s'étend le rayon des voyages érudits qui explorent le bassin méditerranéen jusqu'au Moyen-Orient et traversent l'Égypte jusqu'au Soudan. Serlio reconstituait le Sphinx d'après les descriptions d'Hérodote, Norden le dessine sur place, en 1737. Au gré de leurs itinéraires, ces voyageurs ne se laissent plus entièrement absorber par la recherche des monuments appartenant aux civilisations de la Haute Antiquité ou de l'Antiquité classique ; ils se familiarisent aussi avec des cultures jusque-là ignorées, négligées ou méprisées : Spon est émerveillé par les mosquées de Constantinople [21], Norden captivé par le « vieux Caire » et « l'ancienne Alexandrie » [22].

Antiquités nationales

En outre, le modèle [23] des antiquités classiques inspire aux érudits l'ouverture d'un champ nouveau de recensement, celui des antiquités nationales : anciens monuments érigés ou produits dans les différents pays européens avant, et essentiellement après, le colonat romain. Plusieurs facteurs ont contribué à développer cet intérêt : d'abord le rôle exemplaire et l'effet stimulant des investigations menées sur les territoires nationaux à la recherche de vestiges gréco-romains ; ensuite le désir de pourvoir la tradition chrétienne d'un corpus d'œuvres et d'édifices historiques, analogue à celui dont bénéficie la tradition antique (l'Italie sera la première à développer les études paléo-chrétiennes) ; enfin, le désir différent d'affirmer l'originalité et l'excellence de la civilisation occidentale : qu'il s'agisse de la différencier de ses sources gréco-romaines, dans un esprit qui commence à se manifester dès le maniérisme italien et qui est illustré en France par le *Parallèle* de Charles Perrault ; ou qu'il s'agisse, plus spécifiquement, d'affirmer des particularités nationales contre l'hégémonie des canons architecturaux italiens, selon la démarche des antiquaires anglais à laquelle J. Aubrey [24] donne une forme accomplie.

Ce projet nouveau commence à s'esquisser dès la fin du XVIe siècle, dans les monastères et dans les cabinets des érudits. Il prend des formes locales, monographiques, fragmentaires, incertaines dans leur repérage chronologique et morphologique d'édifices dont la seule connaissance était celle de l'usage. Il ne doit pas être confondu avec le propos d'ouvrages où le terme d'antiquités est pris dans une acception différente concernant les origines hagiographiques, légendaires, mythiques, historiques des villes : recherches généalogiques, souvent entreprises par des religieux [25], mais aussi littérature des guides qui, à la suite des éloges de villes médiévaux, associent encore au XVIe siècle, en un dosage subtil, récits de fondation, légendes et chroniques à la description sommaire de certains sites et monuments urbains, évoqués davantage comme curiosités et merveilles que pour une valeur de savoir ou d'art [26].

En 1729, Montfaucon commence la publication de ses *Monuments de la monarchie française*. La préface de *L'Antiquité expliquée* lui avait donné l'occasion, dès 1722 [27], de s'expliquer de façon exemplaire sur cette nouvelle entreprise et sur la méthode convenant à l'étude des antiquités nationales dont il définissait le concept avec sa clarté habituelle.

Pour lui, la recherche depuis longtemps entreprise avec succès sur « la belle antiquité » doit être continuée afin de combler un manque à peu près complet d'information sur les âges alors justement dits obscurs. Comme tous ses contemporains, il conserve le schéma tripartite de Pétrarque et de Vasari et il refuse aux « temps intermédiaires » toute contribution de valeur dans les Beaux-Arts. Les temps qui séparent le règne de Théodose du XVe siècle ne sont cependant pas sans accomplissements : « Il faut pourtant avouer que c'est à ces siècles de barbarie que nous devons plusieurs inventions des plus nécessaires à la vie, et que les anciens de la belle antiquité avoient ignorées ; les moulins à eau, les moulins à vent, les lunettes, la boussole, les vitres, les étriers, l'imprimerie, et d'autres choses toutes utiles et plusieurs tout à fait nécessaires. Ces hommes grossiers qui n'avoient nulle idée de la beauté de la peinture, de l'élégance de la statuaire, des proportions de l'architecture, ne laissoient pas de s'occuper à inventer d'autres choses utiles, qu'on a ensuite fort perfectionnées dans des siècles plus bas et plus polis [28]. » On ne peut mieux marquer la valeur exclusivement historique des antiquités nationales.

Cette différence de nature exige pour Montfaucon une différence de méthode dans l'étude des antiquités nationales : les érudits des différentes nations seront contraints de travailler exclusivement sur leurs sols respectifs [29] ; l'obscurité où sont demeurés les siècles intermédiaires prive les savants de repères mais leur réservera d'imprévisibles surprises ; pour ce qui est des vestiges historiques dont la destination est connue, en attendant l'organisation systématique du champ des antiquités nationales, les églises et les cathédrales (« les lieux où il faudra chercher sont principalement les églises [30] ») présentent une valeur documentaire privilégiée, en particulier grâce à l'iconographie fournie par les sculptures, vitraux, peintures et ornements divers ; de ce fait, les religieux sont les mieux préparés pour la constitution du nouveau corpus.

Effectivement, les portails et leurs statues, les bas-reliefs, les monuments funéraires, les verrières et les trésors des édifices cultuels sont largement exploités en raison de leur caractère figuratif. Mais leur interprétation ne repose généralement pas sur des bases solides : ainsi les personnages de l'Ancien et du Nouveau Testament, alignés dans les portails romans ou gothiques, deviennent rois et reines de France. Pour Montfaucon, les statues du portail royal de Notre-Dame-de-Chartres représentent la dynastie mérovingienne et il les date en conséquence [31]. L'architecture et les restes monumentaux posent des problèmes encore plus ardus d'identification, de datation et d'interprétation, auxquels la persistance de traditions orales fantaisistes contribue pour une large part.

Quant aux vestiges mégalithiques, parfois attribués aux Romains [32] ou intégrés dans l'héritage chrétien, ils attisent la curiosité par leur aspect insolite et mystérieux et commencent à être répertoriés dès le XVIIe siècle. A partir du troisième volume de son *Recueil d'antiquités* (1759), Caylus donne des mégalithes « gaulois » une typologie et un inventaire illustré qui peuvent rivaliser avec ceux de nos actuels guides touristiques.

Gothique

Tous les témoignages de l'architecture religieuse chrétienne du VIe au XVe siècle sont indistinctement rassemblés en un seul ensemble et sous un unique vocable, le *gothique*. La perception des différences stylistiques est occultée par les datations des chroniques qui cherchaient à faire remonter les édifices aux temps les plus reculés de Dagobert ou de Charlemagne [33] : la généalogie et l'histoire des édifices religieux étaient, pour les fidèles, bien plus importantes que leur aspect. Cette confusion entraîne une carence terminologique qui, à son tour, conditionne la perception de ces monuments.

Dans son *Recueil historique de la vie et des ouvrages des plus célèbres architectes* (1687), Jean-François Félibien distingue explicitement le *gothique ancien* et le *gothique moderne*. Le premier, dit aussi vieux et vilain gothique, englobe indistinctement tous les styles encore innommables (qui ne peuvent ni recevoir de nom ni être qualifiés par le goût), de l'Antiquité tardive à la période romane comprise. Le second, dit aussi nouveau et bon gothique, correspond au concept actuel du gothique. Cette terminologie sera encore celle de Laugier et de Quatremère de Quincy [34].

En fait, l'architecture appelée aujourd'hui gothique était devenue, hors d'Italie, depuis la fin du XVIe, le symbole des antiquités nationales, et c'est essentiellement sur elle que se portait l'attention des antiquaires : documentée par d'abondantes archives, elle était à la fois très ancienne et familière. Selon les pays, le processus qui transformait les monuments gothiques en antiquités nationales était favorisé ou freiné par des conditions particulières, accusant ainsi des différences bien illustrées par les exemples de la France et de l'Angleterre.

En France, l'introduction, après les guerres d'Italie, du goût et de l'architecture ultramontains, entraîne la désaffection du gothique. Aux yeux du public cultivé ou mondain ce style est désormais symbole d'archaïsme, de grossièreté et de mauvais goût. Les publications traitant des antiquités nationales, en particulier de l'architecture médiévale, reçoivent un accueil réservé et sont de ce fait peu nombreuses. Montfaucon lui-même ne parvient pas à réunir les fonds nécessaires pour la gravure des édifices religieux de ses *Monuments* [35].

Les érudits n'en poursuivent pas moins leurs recherches, monographiques ou générales. Les unes demeureront manuscrites : François-Roger de Gaignières [36], accompagné de son peintre, entreprend, à partir de 1695, un inventaire systématique et unique par son ampleur, des richesses monumentales de la France. Ses archives seront exploitées notamment par Montfaucon qui y puisera le tiers des illustrations de ses *Monuments*. D'autres recherches seront finalement éditées, mais avec un retard pouvant atteindre deux siècles dans le cas du *Monasticum Gallicanum* (1645-1694) de Michel Germain.

Parmi les religieux, les bénédictins de la congrégation de Saint-Maur [37] se signalent par la précision de leurs analyses et la ferveur de l'admiration qu'ils témoignent aux édifices gothiques. Ainsi, parmi d'autres qui l'ont précédé ou suivi, Dom Michel Félibien, auteur de l'*Histoire de l'Abbaye royale de Saint-Denys en France* (1706) : « Cette auguste basilique tire sa principale beauté de sa structure et de sa légèreté, capable de donner de l'étonnement... Ayant été bastie à plusieurs fois [...], il ne se peut qu'elle ne soit composée d'un goust proportionné à différents siècles [...]. Tout l'ouvrage est néanmoins gothique mais l'un de ces beaux gothiques qu'on a eu raison de comparer à ces ouvrages délicats qu'on nomme filigrane ou à ces feuilles d'arbres que l'on voit dans les bois. En effet, tout ce magnifique bastiment, quelque solide qu'il soit, semble ne se soutenir que par une infinité de colonnes fort menuës et de petits cordons qui, comme autant de rameaux et de tiges d'arbres paroissent sortir de chaque pillier [...]. Quoique l'église soit percée de tous costez avec une hardiesse surprenante, la peinture et l'épaisseur du verre tempèrent le grand jour de telle sorte qu'on y trouve toujours un certain sombre qui semble inviter au recueillement [...]. La hardiesse et la beauté du travail rendent cet ouvrage un des plus considérables qu'il y ait en ce genre [38]. »

L'approche structurale du gothique est, à l'époque, propre à la France. Elle s'inscrit dans la continuité d'une pratique stéréotomique et d'une analyse critique de l'architecture qui s'appuie sur les mathématiques et sur le savoir technique [39]. La perception des audaces gothiques n'est pas le privilège exclusif des religieux et de l'érudition : on la trouve également, aux XVIIe et XVIIIe siècles, chez des protagonistes du classicisme, théoriciens, architectes, ingénieurs, comme Cordemoy, Frézier, J.-F. Blondel, Laugier ou Quatremère. Mais à quelques exceptions près et avec la majorité des antiquaires, tous condamnent la grossièreté et la démesure de l'architecture gothique, à laquelle ils refusent toute valeur artistique. Ce double jugement contradictoire, qui ne laisse pas de surprendre le lecteur actuel, repose sur une dissociation artificielle entre le système constructif et son décor : l'admiration est sans réserve pour l'exploit technique, le dédain [40] complet pour le résultat artistique qui est évalué à l'aune des canons grecs.

Du « gothique moderne », Quatremère de Quincy reconnaît « sa légèreté, la hardiesse surprenante de ses voûtes [...] [qui] exigent beaucoup d'art et une intelligence infinie pour l'exécution aussi étonnante que bizarre ». Mais il s'agit là pour lui seulement de construction, abstraction faite de la disposition et de la décoration qui font de l'architecture un art. Or, la décoration gothique n'est « qu'un produit de la corruption du goût, de l'ignorance de toutes les règles, de l'absence de tout sentiment original [...], une sorte de monstre engendré dans le chaos de toutes les idées, dans la nuit de la barbarie [...]. Nous sommes donc fondés à regarder l'architecture *gothique* comme un mélange irrégulier des différents goûts des siècles précédents [...] [et ne présentant] qu'une sorte de chaos où l'analyse ne saurait s'introduire [41] ».

Cette attitude ne se retrouve pas chez les Anglais [42]. Pour eux, le gothique est un style national que ni l'évolution du goût ni la mode ne mettront en question. Deux facteurs originaux ont contribué à donner en Grande-Bretagne le statut d'antiquités nationales aux constructions gothiques du Moyen Age et, en particulier, aux édifices religieux : le triomphe de la Réforme et la pénétration tardive du « style italien » en architecture.

Contrecoups de la Réforme : le vandalisme qui s'exerce contre les anciens monuments du catholicisme continue après la victoire des réformés. Il appelle, par réaction, des mesures officielles de protection. En 1560, une proclamation d'Elisabeth Ire s'oppose « à la destruction et à la mutilation des monuments [43] ». Mais surtout, la *désaffection* des monastères et d'autres édifices religieux crée à leur endroit une distance historique que la familiarité de l'usage permet plus difficilement.

Résistance au classicisme : les antiquités britanniques sont doublement nationales : à leur valeur historique, intéressant l'histoire nationale, s'ajoute leur valeur artistique, pour l'art national. A la différence de la France, l'Angleterre conserve une architecture gothique bien vivante pendant toute la période classique. La Grande-Bretagne a résisté au « goût italien » jusqu'au milieu du XVIIe siècle, et celui-ci ne s'y est jamais imposé [44]. Lorsque, après l'incendie de Londres, sir Christopher Wren reconstruisit la cathédrale de Saint-Paul en style classique, ce parti ne marquait pas une exclusive : dans le même temps, il édifiait les petites églises paroissiales de Londres en style gothique, de la même façon qu'il restaurait ou achevait des ensembles architecturaux anciens commencés dans ce style[45].

Ces conditions expliquent que les études consacrées aux antiquités nationales aient été plus précoces, plus nombreuses, et mieux accueillies, par un public plus vaste, en Angleterre qu'en France. Les *Monumenta britannica* de J. Aubrey paraissent dès 1670 et le *Monasticum anglicanum* entre 1655 et 1673. La dimension publique de l'intérêt porté aux antiquités nationales est marquée, en outre, par la création de sociétés d'antiquaires : première du genre, la Society of antiquarians of London[46] est fondée en 1585 pour « faire progresser et illustrer l'histoire et les antiquités de l'Angleterre ».

Si les travaux des antiquaires britanniques, pour la plupart des ministres anglicans[47], sont loin d'atteindre la précision analytique des descriptions de Michel Germain ou de Frémin, ils n'en ont pas moins constitué un corpus incomparable par son étendue et sa cohérence. De plus, ils posaient pour la première fois avec ampleur et système, les grandes questions concernant les origines du gothique et la succession de ses différentes phases, et tentaient méthodiquement d'élaborer une terminologie[48] des différents styles médiévaux. Enfin, on le verra plus loin, ils ouvraient les premiers, dans des termes encore actuels, le débat sur la restauration des monuments historiques et la nature de ses interventions.

Avènement de l'image

L'importance accordée par les antiquaires aux témoignages de la culture matérielle et des beaux-arts n'est qu'un cas particulier du triomphe général de l'observation concrète sur la tradition orale et écrite, du témoignage visuel sur l'autorité des textes. Entre le

XVIe siècle et la fin des Lumières, l'étude des antiquités évolue selon une démarche comparable à celle des sciences naturelles : elle vise une même description, contrôlable et donc fiable, de ses objets.

D'où le rôle croissant de l'illustration dans le travail des antiquaires. Malgré leur dispersion, les antiquités doivent être rendues en permanence observables et comparables par la communauté des savants. Montfaucon (1722) : « Par ce terme d'antiquité, j'entends seulement ce qui peut tomber sous les yeux, et ce qui se peut représenter en images[49]. » Caylus (1752) : « Il faut juger seulement de ce qu'on voit et réfléchir sur la manière dont il a été exécuté. Cette voie est d'autant plus sûre que le degré de connaissance des Arts et les différentes pratiques se *démontrent* par les monumens mêmes[50]. » Thomas Warton (1762) : « Il nous faut une démonstration visuelle et des preuves clairement illustrées[51]. » Même dans les ouvrages épigraphiques[52], l'image reproductrice devient indispensable. *L'Antiquité expliquée* ne comprend pas moins de mille cent vingt planches et « trente à quarante mille figures » de « belle grandeur »[53].

En rassemblant leur corpus d'antiquités, « corps de lumière dont toutes les parties s'éclairent mutuellement[54] », le premier objectif des antiquaires est donc de donner à voir le passé, en particulier le passé silencieux ou non-dit. Ils ne se bornent cependant pas à une somme. L'image est mise au service d'une méthode comparative qui leur permet d'établir des séries typologiques, parfois même des séquences chronologiques et de réaliser ainsi une sorte d'histoire naturelle des productions humaines. La démarche, clairement énoncée par Montfaucon (« se donner le loisir de bien considérer les images, de les comparer entre elles[55] »), prend toute son ampleur sous la plume de Caylus : « La voie de comparaison [...] est pour l'Antiquité ce que les observateurs et les expériences sont pour le Physicien. L'inspection de plusieurs monuments rapprochés avec soin en découvre l'usage comme l'examen de plusieurs effets de la nature combinés avec ordre en dévoile le principe : et telle est la bonté de cette méthode, que la meilleure façon de convaincre d'erreur l'Antiquaire et le Physicien, c'est d'opposer au premier de nouveaux monuments et au second de nouvelles expériences. Mais au lieu que le Physicien, ayant pour ainsi dire toujours la nature à ses ordres et ses instruments sous la main, peut à chaque instant vérifier et multiplier ses expériences, l'Antiquaire est souvent obligé d'aller chercher au loin les morceaux de comparaison dont il a besoin », mais « la gravure rend communes [toutes les richesses] à tous les peuples qui cultivent les lettres [56] ». La reproduction iconique et sa multiplication réduisent la richesse du monde des antiquités comme celle du monde des vivants. Mais de même que la mesure en physique, elles donnent une assise à la réflexion et aux généralisations dont dépend le statut scientifique de l'antiquaire comme celui du naturaliste.

Tous les antiquaires s'accordent à reconnaître que la copie doit être exécutée d'après nature, *in situ* pour les œuvres d'architecture : condition nécessaire, comme dans le cas des sciences naturelles encore, pour que l'image et sa reproduction aient une valeur.

La constitution des musées d'images que sont les recueils d'antiquités ne va cependant pas sans difficultés considérables. Mentales, mais aussi, indissociablement, pratiques et techniques, ces difficultés retentissent sur la fidélité des représentations et ne seront surmontées, très progressivement, que durant les dernières décennies du XVIIIe siècle et le premier tiers du XIXe siècle.

Mentalement, l'antiquaire doit surmonter trois obstacles majeurs : *le poids de la tradition* qui conserve aux auteurs de l'Antiquité et aux chroniques médiévales une partie de leur autorité acquise dans la longue durée, ainsi que le pouvoir d'occulter le réel ; *l'impréparation à la méthode d'observation scientifique*, tenue en échec par les conceptions médiévales de la représentation et de la copie, qui privilégient un ou plusieurs éléments, parfois immatériels, au détriment de la forme globale [57] ; *l'insuffisance du matériel archéologique*, répertorié ou disponible, qui eût seul permis de mettre en place et en jeu un système de différences, générateur de sens et de séquences historiques.

Ces faiblesses ne pouvaient être vaincues que de haute lutte. Peiresc se défie par principe de tout témoignage non confirmé par ses propres yeux, ainsi que par la mesure et, le cas échéant, la pesée : « Comme il ne pouvait être présent partout, il demandait des mesures et des plans sur les mêmes choses à différentes personnes pour les comparer ensemble et prendre ensuite le plus sûr parti [58]. » Au reste, dans sa correspondance, il n'hésite pas à brocarder le père Kircher et sa crédulité ou à morigéner, parfois vertement, Cassiano dal Pozzo pour la légèreté ou l'imprécision de ses descriptions, et fidèle à l'enseignement de Girolamo Aleandro [59], il formule les principes directeurs d'une observation bien menée [60].

Le rapprochement s'impose avec la démarche des sciences naturelles qui, à l'époque, souffrent des mêmes difficultés et sont encombrées par le même pseudo-savoir légendaire : animaux fantastiques et temples fabuleux appellent la même critique. La même rigueur est requise pour l'étude des *naturalia* et celle des *artificia*. Les deux disciplines se prêtent appui et s'éduquent mutuellement. Elles sont d'ailleurs souvent pratiquées par un même savant : Peiresc et le chevalier dal Pozzo observent du même regard un camée ou un caméléon [61]. L'antiquaire provençal démystifie la représentation fantaisiste de hiéroglyphes couvrant un obélisque romain publiée par Kircher et dans le même temps il réfute la « théorie des géants » en démontrant que les dents qui leur sont attribuées sont en réalité des molaires d'éléphants [62].

Autre point commun aux naturalistes et aux antiquaires, leur dépendance à l'égard des illustrateurs de leurs recueils. Pour peu que l'enquête prenne une certaine ampleur, il devient nécessaire d'utiliser des documents d'époques antérieures, dont on ne peut vérifier la fiabilité. En outre, toute publication exige la médiation interprétative du graveur.

Mais à quelques exceptions près, et à moins que, tel Rubens, ils ne soient eux-mêmes antiquaires, on ne peut davantage faire confiance à l'objectivité des artistes contemporains : c'est la doléance permanente et unanime des savants, de Gaignières à Caylus, en passant par Peiresc et Montfaucon [63]. Dessinateurs et peintres n'ont pas l'habitude de prendre des mesures exactes, ils négligent les détails, attribuent à l'inhabileté les partis formels qu'ils ignorent, cherchent à améliorer leurs modèles, les reconstituent souvent de mémoire, les mettent en scène, les interprètent dans le style de leur temps, ou encore selon leur « manière » propre. A cet égard, les artistes habiles sont aussi dangereux que les médiocres. D'où la valeur documentaire supérieure des croquis, si maladroits soient-ils, exécutés sur le vif, par les antiquaires eux-mêmes : les meilleurs documents illustrés du *Voyage* de Spon sont les quelques dessins qu'il a lui-même «crayonnés» à Constantinople et à Ephèse [64]. Les savants font également appel à des ingénieurs pour lever des plans.

Quant aux dessins des architectes, ils sont généralement tout aussi inexacts que ceux des peintres. Si, depuis le XVe siècle, ils effectuent sur place des relevés précis des édifices antiques, jusqu'au milieu du XVIIIe siècle, ils se soucieront fort peu de l'exactitude des représentations qu'ils en publient. Dans la majorité des cas [65], ces images sont produites et diffusées à d'autres fins. Elles donnent à voir un beau idéal et illustrent des théories. Qu'ils soient présentés en plan, coupe ou élévation, les édifices antiques sont réduits, abstraits de tout contexte, selon une erreur de méthode dénoncée par Peiresc [66] et également fréquente dans la reproduction des *naturalia*. De plus, quels que soient leur époque et leur style, ils sont constitués en ensemble homogène et leurs différences sont effacées grâce à une grille abstraite de figuration, qui signifie leur fonction démonstrative et rhétorique. L'architecte ne se contente cependant pas d'idéaliser ou de normaliser les monuments antiques qu'il représente, il invente délibérément. Ou bien il reconstitue, sans autre appui que celui de son imagination [67] (cela s'appelle alors *restaurer*) les parties manquantes d'édifices ruinés : ainsi de Serlio à Rome ou, plus curieusement, d'Inigo Jones, lorsqu'il «restaure» les fameux mégalithiques de Stonehenge, devenus colonnes d'un vaste temple à ciel ouvert d'ordre mi-grec, mi-toscan. Ou bien, l'architecte imagine des bâtiments qu'il n'a jamais vus en personne : sept merveilles du monde, pyramides et Sphinx d'Égypte, ou encore le temple de Jérusalem, qui a fait l'objet d'innombrables «restaurations» dont celles du jésuite espagnol Villalpanda [68] sont demeurées les plus célèbres.

Prenons le cas du Parthénon [69] : entre la première image fantaisiste, exécutée *in situ* en 1444 et la représentation scientifique rapportée d'Athènes et publiée par David Le Roy dans la deuxième édition de ses *Ruines des plus beaux monuments de la Grèce* (1770), trois siècles et demi se sont écoulés, jalonnés par une succession de figures inexactes : long et difficile cheminement qu'on peut prendre pour paradigme du mode de constitution de la représentation exacte dans le domaine des antiquités. Qu'il aboutisse durant les années 1760 ou au tournant du XIXe siècle, le processus [70] est toujours le même, qui conduit de l'image subjective et fantaisiste à l'illustration scientifique. Les homologues des illustrations de l'ouvrage de Le Roy et des *Antiquités d'Athènes* de Stuart et Revett sont nombreux, de genre et d'importance variés. En font partie les planches dessinées et gravées par Soufflot et Major pour leurs modestes *Ruins of Paestum* [71] (1768) aussi bien que celles de la monumentale *Description d'Égypte* (1809-1824) réalisée sur ordre de Bonaparte, et qu'avaient précédées les images de Serlio, de Fischer von Erlach, de Pococke.

A mesure qu'elle se généralise, l'exactitude de la représentation des édifices étudiés contribue à l'achèvement du concept de monument historique qui acquiert, significativement, sa dénomination à la fin du XVIIIe siècle.

Les Lumières

Ce renouveau iconographique et conceptuel des antiquités est indissociable des mouvements du savoir à l'époque des Lumières. Les antiquaires établissent alors une relation différente avec la durée, qui n'est pas seulement induite par la prégnance de l'idée de progrès. Une nouvelle présence du temps est simultanément redevable à la géologie, notamment aux recherches sur l'âge du globe, à la paléontologie commençante et surtout à l'émergence de l'historiographie moderne.

Cette « histoire » enfin critique, Momigliano l'a définie avec perspicacité comme la synthèse [72] de la démarche analytique des antiquaires et de l'approche interprétative des philosophes-historiens des Lumières : Gibbon, avec son *Decline and Fall of the Roman Empire* (1776-1788), en a été le fondateur. L'histoire de l'art aurait, pour sa part, été fondée par une autre synthèse critique, dans laquelle la philosophie de l'art joue le rôle de la philosophie de l'histoire. Winckelmann, homologue de Gibbon, en serait l'instaurateur avec sa *Geschichte der Kunst des Altertums* (1767). Ce dernier jugement appelle cependant des réserves. Winckelmann a effectivement été le premier à proposer une périodisation générale de l'art antique, fondée sur des critères formels qui permettaient la critique des idées reçues. Nul ne le reconnut avec plus de force que Quatremère de Quincy [73]. Mais la portée de l'œuvre de Winckelmann est limitée par les *a priori* qui le conduisent à se reposer sur la tradition textuelle antique, à attribuer une valeur canonique au Ve siècle grec et à faire du classicisme le pivot de la démarche artistique. En outre, malgré l'ambition de son projet, l'auteur de *L'Histoire de l'art chez les anciens* est essentiellement concerné par la sculpture grecque, ou ce qu'il pense en connaître. Son ambitieuse mais incertaine synthèse est accompagnée déjà, et bientôt suivie par les travaux historiographiques sectoriels d'autres auteurs. On peut considérer la deuxième édition des *Plus Beaux Monuments de la Grèce* (1770) de Le Roy comme la première histoire, succincte, mais digne de ce nom, de l'architecture grecque [74].

La transformation du statut des antiquités repose pourtant sur l'importance et le statut nouveau que l'époque accorde à l'art. D'une part, le cercle des collectionneurs et des amateurs s'élargit et s'ouvre à de nouvelles couches sociales : de nouvelles pratiques s'institutionnalisent (expositions, ventes publiques, édition de catalogues des grandes ventes et des collections particulières), et apparaît dans les gazettes une littérature qui, depuis le symbolique article de La Font de Saint Yenne [75], associe une critique, d'abord timide, aux traditionnelles descriptions des œuvres exposées dans les salons. D'autre part, la réflexion sur l'art s'émancipe et dépasse les théories classiques de la *mimesis*. Burke (*A philosophical Inquiry into the Origin of the ideas of the Sublime and the Beautiful*, 1757) qui invente le *sublime* et Baumgarten qui donne son nom à l'esthétique (*Aesthetica*, 1750-1758) conduisent à Kant. La *Critique du juge-*

ment (1790) donne à l'art une identité et une dignité nouvelles en l'imputant à une faculté autonome de l'esprit.

Cependant des deux valeurs, historique ou artistique, que les humanistes avaient découvertes dans les antiquités, la majorité des antiquaires n'ont retenu que la première et négligé la seconde. On ne trouve quasiment pas d'appréciations sensibles et de jugements de goût dans leurs ouvrages. Et quand, d'aventure, l'admiration est exprimée, c'est en bloc, de façon convenue, en suivant les exemples et en adoptant la terminologie (superbe, magnifique) de la tradition textuelle antique. L'histoire de l'art qui, comme son nom l'indique, adopte la démarche historiographique, n'est pas tenue, en tant que telle, d'en appeler à la sensibilité artistique. La cécité esthétique des antiquaires s'est souvent retrouvée chez des historiens d'art.

Pourtant, dans la serre chaude qu'entretiennent les débats sur l'art et le développement contemporain de l'archéologie, un petit nombre d'antiquaires, en particulier Caylus, ont jeté les bases d'une autre histoire de l'art, différente de celle de Winckelmann, moins abstraite, plus sensible et attentive aux caractères proprement plastiques des œuvres. Paciaudi écrit à Caylus : « Vous réunissez deux qualités qui vous mettent au-dessus de tous les antiquaires : à la connaissance de l'Antiquité, vous ajoutez celle des arts. Ordinairement, ceux qui écrivent sur les anciens monuments ne connaissent que l'Antiquité et leur travail ne peut être d'aucune utilité pour les artistes. Vous avez ouvert une route nouvelle : peu de savants seront capables de vous suivre[76]. »

La formulation même de Paciaudi témoigne de l'indépendance des deux approches et invite à prendre la démarche de Caylus pour exemple des modalités selon lesquelles peut être alors analysée la valeur d'art des antiquités. Manière aussi de rendre justice à une personnalité dont les *Recueils d'antiquités* ont nourri Lessing et Winckelmann, et dont les intuitions sont, à bien des égards, plus proches que les leurs de la sensibilité du XXe siècle.

Ce grand seigneur fut un amateur et un artiste[77] avant de devenir un érudit, membre de l'Académie des inscriptions. Son objectif premier en tant qu'antiquaire était d'offrir les matériaux d'une histoire des formes et de leur traitement. C'est l'objet lui-même et non plus sa destination qui l'intéresse. D'où la nécessité d'un apprentissage de l'œil et de la main, qui arme contre la cécité esthétique et qui, seul, donne la possibilité de percevoir et de reproduire adéquatement les œuvres de l'art après en avoir compris les procédés d'exécution [78]. D'où aussi le rôle particulier, bien différent de celui défini par Peiresc ou Montfaucon, que Caylus attribue à la méthode comparative [79].

Ainsi s'expliquent la défiance de Caylus à l'égard du travail de ses collègues, la circonspection avec laquelle il se fait aider, la limitation des objets qu'il publie [80] et qui comprennent fort peu d'édifices. Contrepartie de cette réserve, il perçoit immédiatement les différences de style, dans leur lien avec la durée [81]. Son œil ne risque pas de confondre grec, étrusque, romain ou d'attribuer une quelconque romanité aux mégalithes bretons. Sans être allé en Égypte, la simple familiarité avec les objets de son cabinet lui fait spontanément rectifier les erreurs de Pococke et de Sicard [82]. Cette réceptivité bien cultivée, accueillante à la diversité des formes et des styles, lui permet de constater avec émerveillement, en anticipant les découvertes de l'historiographie de l'art de langue allemande, que l'art contribue par ses moyens propres à transmettre l'esprit des peuples et des civilisations [83].

Comme le note Paciaudi, Caylus travaille pour les artistes. Il est au service d'un savoir de l'art que la plupart des autres antiquaires négligent et que nous appelons histoire de l'art. Mais il va bien au-delà. On le décèle à la jubilation avec laquelle il décrit les monuments publics dans son *Recueil*. En tentant de donner à voir la dimension artistique des antiquités, il introduit au plaisir singulier, encore mal reconnu, dont celles-ci sont porteuses. Il désigne à la délectation sa place parmi les valeurs inhérentes au monument historique. Dès lors, s'indique une nouvelle philosophie de la trace, lourde de conséquences quant au mode de conservation des antiquités : la jouissance de l'art n'est pas médiatisable, elle demande la présence réelle de son objet.

Caylus fut l'un des premiers à s'interroger sur la valeur pour l'art des images qui reproduisent les monuments historiques et à souligner leur ambiguïté. Il leur reconnaît une destination incitative et didactique pour les novices. Indispensables à l'amateur érudit, elles ne sont cependant pour lui qu'un instrument de travail, dans la mesure où elles sont « destituées de cette *vie* même qu'on admire dans les originaux [84] ». Ce constat est lourd de sens pour le lecteur actuel. La métaphore de la vie marque, une fois encore, le parallélisme entre les travaux des naturalistes et des antiquaires, confrontés dans le même temps à deux concepts homologues et semblablement opaques, celui de vie pour les uns et celui d'art pour les autres. Quant à la notion d'original, elle est installée dans la réflexion sur les monuments historiques, à la place qu'elle continue d'occuper aujourd'hui malgré les progrès des techniques de reproduction.

Cet amour de l'art qui, depuis la Renaissance, exige pour se satisfaire la présence réelle de son objet, allait-il enfin mobiliser des forces socialement assez puissantes pour institutionnaliser une conservation matérielle systématique des antiquités ? Les temps semblaient venus. Un marché de l'art en expansion constante, associé à l'approfondissement de la réflexion sur l'art et aux découvertes archéologiques, créait une mentalité nouvelle chez un public d'amateurs recrutés dans des couches sociales plus étendues, et qui disposait d'une autorité intellectuelle et d'un pouvoir économique sans précédent. Tandis que se multipliaient les collections privées dont la naissance au Quattrocento avait été contemporaine de celle des « antiquités » et qui appartenaient à la même constellation de savoirs et de pratiques, étaient créés les premiers musées d'art : conservatoires officiels de peinture, sculpture, dessin, gravure, destinés à l'usage public [85]. Ces institutions, inspirées par les deux modèles du musée d'images et de la collection d'art étaient issues du grand projet philosophique et politique des Lumières : volonté dominante de « démocratiser » le savoir, de le rendre accessible à tous par la substitution d'objets réels aux descriptions et aux images des recueils d'antiquités, volonté, moins générale et moins affirmée, de démocratiser l'expérience esthétique.

Rien d'analogue, en revanche, en ce qui concerne les antiquités architecturales. La littérature d'art et le modèle muséal ont même plutôt exercé des effets pervers en favorisant une fragmentation prédatrice des grands monuments dont les dépouilles viennent enrichir les collections publiques et privées. L'affaire des marbres d'Elgin, qui d'ailleurs avaient aussi été convoités par Choiseul-Gouffier pour la France, n'est que le paradigme d'opérations qui, à des fins scientifiques et pédagogiques, ont constitué le fonds archéologique des grands musées européens dans un temps où, malgré les protestations de Quatremère de Quincy, la démarche semblait légitime.

Le développement d'une forme de loisir, déjà ancienne, qui n'a pas encore reçu le nom de tourisme, n'aura d'effet sur la conservation qu'à long terme. A l'opposé des recueils d'antiquités, les guides touristiques ont pourtant une valeur opératoire liée à la présence matérielle des édifices. Ils institutionnalisent la topographie des conduites touristiques. De même les *vedute* que multiplie là demande des voyageurs. Les peintures exécutées pour des privilégiés par les Panini ou les Hubert Robert et les gravures produites pour une clientèle plus modeste dans les ateliers des Piranèse [86], appellent ou rappellent une expérience vécue sur les lieux mêmes représentés. Elles contribuent à intégrer les monuments historiques dans le paysage vivant et mouvant de la vie quotidienne, mais sans inviter ni à les conserver ni à les protéger. Au contraire. Qu'il s'agisse d'édifices antiques ou même médiévaux, ces images tout imprégnées du goût et de l'idéologie de la ruine ne proposent pas d'intermédiaire entre cette ruine, transitive valeur en soi et les monuments préservés par un usage social (Panthéon, grandes basiliques et cathédrales).

Conservation réelle et conservation iconographique

Après presque trois siècles d'études consacrées aux antiquités, la forme dominante de leur conservation demeure donc le livre avec son iconographie gravée. Pendant toute cette période, sauf partiellement en Angleterre, l'architecture historique n'a été protégée et restaurée qu'à la faveur de circonstances exceptionnelles et à l'instigation de personnalités hors du commun. Rome elle-même n'a pas réussi à poursuivre l'action pionnière qu'elle avait inaugurée dans ce domaine [87].

Le cas de la France est typique. Depuis le XVIe siècle, antiquaires et architectes ont étudié avec passion les vestiges gréco-romains, en particulier ceux de Provence. Cependant, s'ils déplorent à l'occasion leur dégradation, leur état d'abandon ou leur démolition, seule une infime minorité se préoccupe de leur protection *in situ*. On compte les rares projets de conservation et de dégagement des ruines antiques, ponctuels et jamais actualisés [88], on ne compte pas les destructions ordonnées par l'administration dans le cadre de l'aménagement territorial du royaume. Et si d'aventure le pouvoir royal lui-même s'émeut, son intervention demeure sans lendemain. La légende veut que François Ier, de passage à Nîmes en 1583, se soit agenouillé devant l'amphithéâtre et ait décidé la démolition des maisons qui en occupaient le centre. Rien ne fut fait. Au siècle suivant, c'est à seule fin d'information, et sans projet conservatoire, qu'en 1668 Colbert dépêche Girardon à Nîmes « où il observera l'amphithéâtre et la Maison carrée, où il observera particulièrement la construction des architectures pour savoir si elles sont tout d'une pièce d'une colonne à l'autre et de la colonne au mur de derrière et ce qui regarde la coupe [...], si leurs colonnes sont renflées ou non [89] ». Même visée purement documentaire, quand il charge Pierre Mignard [90] de dessiner et mesurer les grands monuments anciens des provinces méridionales de la France selon « la méthode employée par Desgodets dans son ouvrage *Les Édifices anciens de Rome* (1682) [91] ». En 1747, J.-J. Rousseau déplore la dégradation de l'édifice et stigmatise l'incurie des Français [92]. A la demande de la ville, Louis XVI ordonne la mise en valeur des monuments romains et la restauration de l'amphithéâtre : interrompu par la Révolution, le chantier est rouvert par Napoléon en 1805 et le dégagement de l'amphithéâtre, commencé en 1811, n'est achevé que cinquante ans plus tard.

Les antiquités nationales ne se voient pas réserver un sort meilleur. Après sa tournée de repérage dans les provinces, Gaignières tente en 1703 de convaincre le secrétaire d'État Pontchartrain de faire prendre en charge la sauvegarde des anciens monuments français par l'État. Il se heurte à une fin de non-recevoir.

Tout se passe comme si des enjeux affectifs, autrement puissants que l'amour du savoir ou l'amour de l'art, étaient nécessaires pour que soit instaurée une conservation matérielle et systématique des monuments historiques, avec les stratégies réglées de défense et de restauration qui en sont le corollaire.

La réaction anglaise déjà signalée le montre bien. Les antiquaires anglais ne se sont pas limités à l'observation et à la description de leurs monuments gothiques, comme c'était le cas des Français. Le vandalisme religieux de la Réforme éveille chez eux l'indignation en heurtant à la fois leur sens pratique, c'est un « gaspillage insensé [93] », et surtout leur nationalisme. Les dommages causés aux monuments religieux légués par le Moyen Age sont ressentis comme une atteinte aux œuvres vives de la nation. Les sociétés d'antiquaires s'érigent en gardiennes de cet héritage. Elles mettent en place une structure de protection, privée et civique, qui allait être propre à la Grande-Bretagne jusqu'au début du XXe siècle. Avec l'aide des journaux et de la presse non spécialisée, qui leur fut acquise dès l'origine, elles ont joué pour la protection du patrimoine historique un rôle qui, en France, a été plus tard, assumé par l'État.

Parallèlement, pour la première fois, avec un bon demi-siècle d'avance sur les Français, les antiquaires anglais posaient en termes clairs, doctrinaux et polémiques, la question de la restauration de leurs monuments nationaux. Restauration conservative ou restauration interventionniste ? Ce débat sur la nature et la légitimité [94] de l'intervention, encore brûlant aujourd'hui, fut ouvert par la Société des antiquaires de Londres, bientôt suivie par d'autres sociétés, à l'occasion des campagnes de restauration menées par l'architecte J. Wyatt sur un ensemble de cathédrales anglaises entre 1788 et 1791 [95].

Au nom de la transparence, de la symétrie et de l'unité de style, celui-ci, dans ses restaurations, supprime les jubés et autres obstacles à la traversée du regard d'Ouest en Est, déplace les monuments funéraires, démolit les porches « trop anciens », remplace inversement des éléments tardifs par des éléments anciens réinventés, telle une rose à la cathédrale de Durham. Le danger est d'autant plus grand qu'il se dissimule sous les apparences de l'expertise [96].

Le révérend Milner, auteur d'ouvrages savants, le dessinateur Carter, en particulier, multiplient les appels et les articles dénonçant « la dévastation continuellement commise dans nos cathédrales » et prêchent une croisade contre « les personnes occupées à effacer les traits de notre ancienne magnificence qui, demeurés encore intacts, ne peuvent être que dérisoirement imités et ne seront sans doute jamais égalés [97] ».

Leur argumentation [98], tout entière fondée sur les notions de qualité et d'authenticité, réfute point par point les thèses de Wyatt. Elle invoque la valeur nationale des édifices gothiques, dénonce les errements du goût et l'irrémédiabilité de leurs conséquences (« le caprice et le mauvais goût du XVIIIe siècle ont été plus destructeurs que le zèle aveugle des XVIe et XVIIe siècles ») ; évalue les dommages qui seraient causés à « la science de l'Antiquité » si on laissait faire Wyatt et ses semblables [99].

Ces combats ont plus d'un demi-siècle d'avance sur ceux de Ruskin et de Morris contre un nouveau Wyatt, Gilbert Scott. Ils montrent que la conservation et la restauration concrètes, effectives, exigent la conjonction d'une forte motivation d'ordre affectif et d'une connaissance qui s'affinera à mesure des progrès de l'histoire de l'art. Cependant, cette épopée anglaise demeure unique à l'époque. A cette importante exception près, l'immense travail d'érudition et de recensement effectué par les antiquaires demeure pratiquement sans effet sur la conservation réelle des monuments historiques.

Chapitre III

La Révolution française

Églises incendiées, statues renversées ou décapitées, châteaux saccagés : depuis que le mot vandalisme fut lancé par l'abbé Grégoire, le lourd bilan des destructions révolutionnaires [1] n'est plus à faire et l'historiographie de son approche historiographique a été établie en détail [2].

En revanche, l'œuvre de sauvegarde du patrimoine français accomplie par la Révolution demeure généralement méconnue. Elle a cependant été analysée avec minutie, d'après les archives et les documents officiels, par F. Rücker [3] qui y voit « les origines de la conservation des monuments historiques en France ». En effet, l'invention de la conservation du monument historique avec son appareil juridique et technique, généralement portée au crédit de la monarchie de Juillet, a été anticipée par les instances révolutionnaires : leurs décrets et leurs « instructions » préfigurent, dans la forme et le fond, la démarche et les procédures mises au point durant les années 1830 par Vitet, Mérimée et la première Commission des monuments historiques.

Rücker a collationné l'ensemble des documents publiés entre 1790 et 1795 aux fins de conserver et de protéger les monuments historiques. Discours de circonstance ou textes officiels, il les situe, à juste titre, eux et leurs auteurs, dans la tradition pré-révolutionnaire de la philosophie éclairée. Mais ce point de vue continuiste l'empêche de souligner suffisamment la discontinuité essentielle, introduite par les instances révolutionnaires en matière de conservation des monuments historiques : le passage à l'acte. Du jour au lendemain, la conservation iconographique abstraite des antiquaires cédait la place à une conservation réelle. La description littéraire et la planche gravée s'effaçaient devant la matérialité propre des objets ou des bâtiments à conserver.

Un contre-exemple contemporain fait mesurer l'ampleur de l'innovation. Le 11 décembre 1790, l'antiquaire-naturaliste Aubin-Louis Millin, qui paraît être l'inventeur du mot « monument historique[4] », présente à l'Assemblée nationale constituante le premier volume de ses *Antiquités nationales ou Recueil de monuments.* « La réunion des biens ecclésiastiques aux domaines nationaux, la vente prompte et facile de ces domaines vont procurer à la nation des ressources qui, sous l'influence de la liberté, la rendront la plus heureuse et la plus florissante de l'univers ; mais on ne peut disconvenir que cette vente précipitée ne soit pour le moment très funeste aux arts et aux sciences, en détruisant des produits du génie et des *monuments historiques* qu'il serait intéressant de conserver [...]. Il y a une foule d'objets intéressants pour les arts et pour l'histoire qui ne peuvent être transportés [dans des dépôts], et qui seront infailliblement bientôt détruits ou dénaturés. » Il poursuit : « Ce sont ces monuments précieux que nous avons formé le dessin [*sic*] d'enlever à la faux destructrice du temps [...]. Nous donnerons la représentation des divers monuments nationaux, tels qu'anciens châteaux, abbayes, monastères, enfin, tous ceux qui peuvent retracer les grands événements de notre histoire[5]. »

Le projet de Millin demeure celui d'un antiquaire. Son propos est de sauver par l'image des objets promis à la destruction et d'en offrir une description[6]. Leur représentation est nécessaire, mais aussi suffisante, pour remplir leur fonction historiographique, maintenant que, domaine jusque-là réservé aux lettrés, « l'histoire est devenue une des principales études des vrais citoyens ». Et c'est à l'aune de cette dimension figurée que Millin évalue et réduit la contribution précoce des Anglais qui, « depuis la destruction du clergé et du monachisme dans leur île, [...] ont publié sur le même sujet des ouvrages importants et décrit avec soin toutes leurs antiquités civiles, militaires et ecclésiastiques[7] ».

Millin demeure prisonnier d'une mentalité qui, au reste, survivra à la Révolution. En revanche, les élus chargés des monuments historiques par les Assemblées successives et leurs Comités, se verront engagés dans un corps à corps avec la réalité rugueuse, et devront mener, sans préparation, un combat inédit et multiforme.

L'œuvre conservatrice des Comités révolutionnaires est issue de deux processus distincts. Le premier dans le temps est le transfert à la nation des biens du clergé, de la couronne et des émigrés. Le second est la destruction idéologique dont une partie de ces biens a fait l'objet, à partir de 1792, en particulier sous la Terreur et sous le gouvernement de Salut public. Ce processus destructeur suscite une réaction de défense immédiate, comparable à celle qu'avait provoquée le vandalisme des réformés en Angleterre. Toutefois, dans la France en révolution, la démarche réactionnelle prend une autre ampleur et une autre signification, politique. Elle ne vise plus seulement la conservation des églises médiévales, mais, dans sa richesse et sa diversité, la totalité du patrimoine national.

Le classement du patrimoine

Un des premiers actes juridiques de la Constituante, le 2 octobre 1789, avait été de mettre les biens du clergé « à la disposition de la nation ». Suivirent ceux des émigrés [8] puis ceux de la Couronne. Ce fabuleux transfert de propriété et cette perte brutale de destination étaient sans précédent. Ils allaient poser des problèmes également sans précédent.

La valeur primaire du trésor ainsi échu au peuple entier est économique. Les responsables adoptent immédiatement pour le désigner et le gérer la métaphore successorale. Mots clés : héritage, succession, patrimoine et conservation [9]. Ils ont transformé le statut des antiquités nationales. Intégrées parmi les biens patrimoniaux sous l'effet de la nationalisation, celles-ci sont métamorphosées en valeurs d'échange, en possessions matérielles que, sous peine de dommage financier, il va falloir préserver et entretenir. Elles ne relèvent plus d'une conservation iconographique.

Pouvoir magique de la notion de patrimoine. Elle transcende les barrières du temps et du goût. Dans la catégorie des biens immeubles, elle rassemble, avec les antiquités nationales, les antiquités gréco-romaines et surtout un héritage architectural moderne, parfois même contemporain. Kersaint « rappelle au souvenir de la France entière [...] la Bibliothèque nationale, le Jardin des Plantes, les Invalides, l'Observatoire, la Monnaie, le superbe palais où la nation loge ses rois, les académies et l'université [10] ». Plus tardives, l'église Sainte-Geneviève ou la Madeleine inachevée appellent la même sollicitude. Si les antiquités sont devenues richesse, de leur côté les œuvres architecturales récentes acquièrent les significations historique et affective des antiquités nationales. Le concept de patrimoine induit alors une homogénéisation du sens des valeurs qui s'est reproduite, selon un processus différent, quand, après la Seconde Guerre mondiale, les architectures des XIXe et XXe siècles ont été progressivement intégrées dans la catégorie des monuments historiques.

Certains éléments de la succession devaient, on le verra, être contestés au sein des comités révolutionnaires. Néanmoins, dans l'immédiat, un ensemble de mesures furent prises, qui confirment la métaphore successorale, tant au plan juridique qu'au plan pratique, appliquant « les principes d'ordre que les héritiers sages mettraient dans le recouvrement d'une succession qui leur laisserait un mobilier immense, mais épars, dans un grand nombre de châteaux [11] ».

Il fallait élaborer une méthode pour dresser l'inventaire de l'héritage et définir ses règles de gestion. Sur la proposition de Mirabeau et de Talleyrand, une commission dite « des Monuments », fut créée à cette fin. Il lui faut d'abord *classer* les différentes catégories de biens recouvrés par la Nation [12]. Ensuite, chaque catégorie est elle-même *inventoriée* et l'*état* est dressé des biens qui la composent (décret du 13 octobre 1790 [13]). Enfin et surtout, avant toute décision sur leur destination future, ceux-ci sont protégés et provisoirement mis hors circuit, soit par leur regroupement dans des « dépôts » gardés, soit par l'apposition de scellés, notamment dans le cas des bâtisses.

Gardiennage et contrôle ne vont pas sans difficultés pratiques. Mais le problème de fond est posé par la nécessité de statuer, dans l'urgence et au mieux de l'intérêt collectif, sur la destination des objets hétérogènes devenus patrimoine de la nation. Solution de facilité : la vente à des particuliers permet de récupérer des espèces dont l'État révolutionnaire a un besoin endémique. Les autres solutions réclament détermination, ingéniosité et imagination. Il s'agit, aux moindres frais, d'adapter les biens nationalisés à leurs nouveaux usagers ou de leur découvrir de nouvelles fonctions. Selon une distinction encore aujourd'hui à la base de la législation française sur les monuments historiques, ce patrimoine est réparti en deux catégories, meubles et immeubles, appelant deux types de traitement différents.

Les premiers [14], en effet, seront transférés de leur dépôt provisoire au dépôt définitif ouvert au public, que consacre alors le nom récent de muséum ou de musée [15]. Celui-ci a pour fonction de servir à l'instruction de la nation. Réunissant œuvres d'art, mais aussi, conformément à l'esprit encyclopédiste, objets des arts appliqués et machines, les musées enseigneront le civisme, l'histoire, ainsi que les savoir-faire artistiques et techniques. Cette pédagogie est d'emblée conçue à l'échelle nationale. Dès 1790, Bréquigny, président de la Commission pour la création de dépôts, prévoit une répartition homogène des musées sur l'ensemble du territoire français [16], anticipant le grand projet européen de Napoléon.

Les événements politiques, la pénurie financière, l'inexpérience et l'immaturité en matière muséologique empêchèrent la réalisation de ces grandes ambitions. Échoua également la décision, qui avait pourtant été approuvée le 6 avril 1791, de créer à Saint-Denis un musée lapidaire où seraient recueillis « tous les monuments sculptés et peints ayant rapport aux rois et à leurs familles ». Paris, seul, fait exception. Le Louvre est le lieu symbolique où sont dirigées et rassemblées la plupart des richesses artistiques sous la Révolution. L'histoire de son ouverture, ou plutôt de ses ouvertures, illustre l'ensemble des conflits doctrinaux et idéologiques, ainsi que les difficultés techniques et financières auxquelles se heurte alors le projet muséal [17].

Quant au Musée des monuments français d'Alexandre Lenoir, il convient de réduire à ses justes proportions la légende, encore vivace aujourd'hui, qui lui prête une valeur anticipatrice [18]. Il eut pour origine le dépôt créé en 1790, sur la proposition du Comité des affaires ecclésiastiques, par le peintre Doyen, au « ci-devant » couvent des Petits-Augustins, pour recueillir les œuvres d'art des « maisons religieuses ». Son élève Lenoir en devint « garde général » le 3 juin 1791 [19]. Le 8 avril 1796, Lenoir ouvrait au public la collection rassemblée et organisée par ses soins et devenait conservateur officiel du dépôt, désormais appelé « Musée des monuments français [20] ». Celui-ci consistait en une formidable accumulation de fragments d'architecture et de sculpture « arrachés des mains de la destruction ». Une partie de ces morceaux avait été transportée aux Petits-Augustins sur l'initiative de Lenoir : tantôt ils provenaient d'édifices endommagés par les révolutionnaires, tantôt ils avaient été prélevés et démontés préventivement sur des monuments demeurés intacts, tels les châteaux d'Ecouen et d'Anet. Sous la Terreur, d'autres fragments furent directement envoyés au dépôt de Lenoir par les comités révolutionnaires qui les y faisaient souvent reprendre en vue d'autres destinations.

Deux documents nous éclairent sur le contenu et la présentation des salles du musée. Le *Journal* de Lenoir dresse un inventaire des « débris » exposés dont il précise généralement l'origine, mais jamais l'époque, ni la forme ou la fonction. Quant au catalogue ou « Notice historique des monuments des arts réunis au dépôt national des monuments », il révèle l'« ordre » selon lequel cet hétéroclite butin a été aménagé. Tout acquis aux valeurs classiques, Lenoir ignorait en bloc le reste de l'art français. Mais soucieux avant tout de pédagogie civique et de l'éducation historique des citoyens, il a disposé ses fragments selon une chronologie qui lui paraît vraisemblable. En outre, il « a eu soin, chaque fois que possible, de réunir [...] tout ce qui peut donner des idées des anciens costumes, soit civils, d'hommes et de femmes, soit militaires, selon les grades. Les monuments ainsi réunis ne doivent être regardés que comme un rassemblement de modèles, vêtus selon les époques auxquelles ils appartiennent, et selon les places qu'occupaient ceux qu'ils représentent[21] ». Il n'en fallut pas davantage à L. Courajod, pour affirmer, près d'un siècle plus tard, dans sa biographie de Lenoir que celui-ci, « malgré sa profonde ignorance, était doué de l'esprit scientifique au suprême degré[22] ».

Animé, en fait, par un désir de préservation du patrimoine national que n'étayaient aucun savoir historique ni aucun principe sélectif, Lenoir opposait à l'« orgie de destruction » révolutionnaire une véritable orgie conservatoire qu'il alimentait grâce aux moyens stupéfiants mis à sa disposition par l'armée. Il est donc injuste de considérer comme une calomnie de l'idéologie réactionnaire le jugement de Quatremère de Quincy et de Deseine sur « ce prétendu conservatoire où s'entassent journellement tous les débris des temples, [...] véritable cimetière des arts où une foule d'objets sans valeur pour l'étude, désormais sans rapport avec les idées qui leur donnaient la vie, formeraient le plus burlesque, s'il n'était le plus insolent, des recueils[23] ».

Si l'entreprise de Lenoir n'a pas la valeur novatrice que lui attribue la légende, elle n'en présente pas moins l'intérêt de révéler, de façon presque caricaturale, les difficultés de la mentalité muséale naissante. Ne s'improvise pas conservateur de collection publique qui veut, notamment en matière de sculpture et de morceaux d'architecture. Le savoir et le regard antiquaires demeurent l'apanage d'une minorité, l'histoire de l'art national, en particulier médiéval, reste à élaborer, les critères d'élection des œuvres à établir, leur technique de présentation à inventer.

Les biens immeubles, couvents, églises, châteaux, hôtels particuliers posaient d'autres problèmes, à une autre échelle, et les commissions révolutionnaires préposées à leur conservation étaient encore plus démunies pour y faire face que dans le cas des dépôts. Du strict point de vue de l'entretien, elles ne disposaient pas des infrastructures techniques et financières qui leur permissent de se substituer aux anciens propriétaires ecclésiastiques, royaux ou féodaux. Mais surtout, il leur fallait inventer de nouveaux usages pour des édifices qui avaient perdu leur destination originelle : réemploi dont on peut mesurer les problèmes qu'il soulevait alors, par comparaison avec ceux auxquels, malgré une longue expérience, il continue de nous confronter aujourd'hui.

Exemple : que pouvait-on faire d'une église ? L'annexer pour le culte de l'Être suprême ? Cette solution n'eut guère plus de succès que n'en avait eu dans l'Antiquité tardive la conversion des temples païens en églises chrétiennes. Son style néo-classique, en accord avec les idéaux de la Révolution, valut à l'église Sainte-Geneviève de devenir, sur la proposition de Quatremère de Quincy, le « Panthéon français ». Kersaint devait proposer, sans succès, des plans détaillés pour la transformation de la Madeleine en siège de l'Assemblée nationale. Bréquigny, lui, suggérait l'utilisation systématique des églises désaffectées comme musées [24]. Mais les cathédrales et les églises qui, dans bien des cas, avaient perdu leurs toitures furent plutôt converties en dépôts de munitions, de salpêtre ou de sel, le cas échéant en halles, cependant que les couvents et les abbayes étaient transformés en prisons comme Fontevrault ou en casernes.

Vandalisme et conservation : interprétations et effets secondaires

Les mesures immédiates, prises dès le début de la Révolution, pour la sauvegarde du patrimoine nationalisé, relèvent d'une conservation que j'appelle primaire ou préventive. Par opposition, j'appelle secondaire ou réactionnelle une conservation dont les procédures plus méthodiques, plus fines, plus performantes et mieux argumentées, ont été explicitement élaborées pour lutter contre le vandalisme idéologique qui a sévi à partir de 1792.

Comprendre cette démarche réactionnelle demande que le vandalisme idéologique soit distingué des autres formes de destruction du patrimoine historique, apparues avec la Révolution, parallèlement à la conservation primaire. Il ne doit, en effet, être confondu ni avec les destructions résultant d'actes privés ni avec les destructions ordonnées par l'État révolutionnaire, mais à des fins purement économiques et non idéologiques. Les actes privés de vandalisme appartiennent, le plus souvent, au cortège traditionnel des déviances qui accompagnent les périodes de guerres et de troubles sociaux : vols, pillages, dégradations, dictés par la violence, la concupiscence, permises par le vide juridique. Il existe cependant une autre forme de dégradation privée du patrimoine, d'autant plus perverse qu'accomplie en toute légalité. Ainsi, à travers la France, dans les villes et dans les campagnes, les acquéreurs de biens nationaux ont pu, impunément, raser, pour en lotir le terrain ou pour les convertir en carrières de matériaux de construction, quelques-uns des plus prestigieux monuments : le sort subi par l'abbaye de Cluny [25] témoigne de la longévité de ce comportement.

De plus, l'État révolutionnaire avait lui-même ordonné par décrets des destructions destinées à subvenir aux dépenses et à l'équipement militaire et qui, à une autre échelle, s'inscrivaient dans une tradition familière à l'Ancien Régime. Combien de guerres n'ont-elles pas contraint les rois de France à faire fondre leur vaisselle plate et leurs objets d'orfèvrerie ? L'Assemblée législative aux abois n'a pas seulement décrété la fonte des argenteries et des reliquaires, mais fait transformer en « bouches à feu » les toitures de plomb ou de bronze de cathédrales (Amiens, Beauvais, Chartres, Strasbourg), de basiliques (Saint-Denis) et d'églises (Saint-Gervais, Saint-Sulpice, Saint-Louis-des-Invalides à Paris).

Cependant, au décret sur la fonte succède, un mois plus tard (3 mars 1791), une *Suite d'instructions* qui le tempère par des exceptions. Parmi les neuf conditions [26] ou critères motivant chacun la conservation des biens condamnés, l'intérêt pour l'histoire, la beauté du travail, la valeur pédagogique pour l'art et les techniques sont pour la première fois énumérés ensemble et constituent une définition implicite des monuments ou du patrimoine historique. On peut y voir l'amorce de la conservation réactionnelle.

Cette dernière répond, en fait, à la vague de vandalisme provoquée par la fuite du roi, arrêté à Varennes le 20 juin 1792. C'est alors seulement que le pouvoir révolutionnaire a cautionné et encouragé la destruction ou la dégradation du patrimoine national historique pour des raisons idéologiques. Le 4 août 1792, la Législative promulgue un décret sur la « suppression des monuments, restes de la féodalité et notamment des monuments en bronze existant à Paris». Un mois plus tard, le 18 vendémiaire an II, la Convention décrète que «tous les signes de royauté et de féodalité» seront détruits «dans les jardins, parcs, enclos et bâtisses». Le décret le plus radical ordonne le 1er novembre 1792 que tous les monuments de la féodalité soient «convertis en bouches à feu ou détruits».

On pourrait à propos de ces mesures paraphraser le constat fameux de Vasari sur les destructions médiévales de monuments antiques : «Cela ne se fit pas par haine des arts, mais pour insulter et abattre les dieux païens.» Un historien d'aujourd'hui l'a dit autrement : «Beaucoup plus que vandales, les destructions [de la Révolution] sont civiques et patriotiques[27].» Les monuments démolis, brisés ou défigurés sur ordre ou avec le consentement des comités révolutionnaires le sont en tant qu'expression de pouvoirs et de valeurs honnis, incarnés par le clergé, la monarchie et la féodalité : manifestation de rejet à l'égard d'un ensemble de biens dont l'inclusion souillerait le patrimoine national en lui imposant les emblèmes d'un ordre révolu.

Qu'il adopte une forme juridique ou exprime des positions individuelles, le discours incitatif ou justificatif du vandalisme est sans ambiguïté. Quand le peintre David soumet à la Convention des projets de monuments commémoratifs pour Lille et pour Paris, il veut que leurs socles soient constitués par les débris des anciennes statues royales. Ainsi, le 29 brumaire an II, il fait voter par la Convention l'érection d'«une statue colossale en l'honneur du peuple français». Celle-ci «placée à la pointe occidentale de l'Ile de Paris, sera élevée sur les débris amoncelés des idoles de la tyrannie et de la superstition[28]». Le 16 brumaire an II, un citoyen anonyme annonce à la «Société des amis de la liberté et de l'égalité» que la Commune de Paris a «pris [le] matin [même] l'arrêt que tous les hochets des églises de Paris seraient transférés à la Monnaie pour être convertis en espèces républicaines». Il demande que «cette mesure soit étendue à tout le département», tandis qu'un autre membre indique que «plusieurs de ces communes qui avoisinent Paris ont déjà exécuté cet ordre» et que «bientôt, il ne restera plus un seul de ces restes de notre ancienne folie dans tout le département[29]».

La province emboîte le mouvement. Accusé, un peu plus tard, de vandalisme par la Commission temporaire des arts, un nommé Deschamps, membre du directoire du district de Langeais, se justifie en toute ingénuité : « Plusieurs citoyens s'étant plaints de voir encore exister dans un siècle de raison des signes de superstition, je me chargeai auprès de l'administration de les faire disparaître [30]. » Bien d'autres lui feront écho : « Si c'est avoir l'esprit vandalique, je vous avouerai que je l'ai eu sans le savoir [31]. » Comme on l'a justement noté, la destruction idéologique de la Révolution est iconoclaste.

Paradoxalement, la conservation réactionnelle n'émane pas des mêmes hommes, mais du même appareil révolutionnaire que le vandalisme idéologique. Le comité d'Instruction publique et les commissions des Arts ont publié presque simultanément des décrets contradictoires dont les premiers (destructeurs) sont annulés ou tempérés par les seconds (conservateurs). Un mois après le décret du 18 vendémiaire an II, paraît le décret du 3 brumaire qui interdit « d'enlever, de détruire, de mutiler et d'altérer en aucune manière, sous prétexte de faire disparaître les signes de féodalité et de royauté dans les bibliothèques, dans les collections [...] ou chez les artistes, les livres, les dessins [...], les tableaux, les statues, les bas-reliefs [...], les antiquités [...] et autres objets qui intéressent les arts, l'histoire ou l'enseignement [32] ». Au décret du 1er novembre 1792 succèdent le décret pénal du 13 avril 93 [33], puis les soixante-dix pages méthodologiques et techniques de l'*Instruction sur la manière d'Inventorier* [34]. Nul doute que, discours, arrêtés, décrets ou instructions, les textes relatifs à la conservation, que j'ai appelés secondaires ou réactionnels, anticipent par leur logique, leur finesse et leur clarté les doctrines et les procédures de protection des monuments historiques élaborées aux XIXe et XXe siècles. On peut, en revanche, s'interroger sur la nature et la signification de la relation qui les lie au vandalisme idéologique.

L'interprétation de D. Hermant a le mérite de rompre avec les explications des historiens classiques de la Révolution. Pour lui, les « destructions républicaines » sont dues à l'initiative de l'opinion publique et il en fait « l'esquisse d'un langage authentiquement révolutionnaire et populaire[35] » : il s'agirait d'en finir avec une culture élitique et de la remplacer par la dynamique d'une culture égalitaire. Dès lors, le discours et les décrets protecteurs deviennent les instruments d'une tactique honteuse ou perverse : écrans logomachiques destinés à masquer les contradictions de l'action révolutionnaire, à dissimuler les conflits idéologiques surgis au sein des commissions révolutionnaires, à édulcorer les excès de l'iconoclasme et à refuser d'en assumer la responsabilité. La violence anti-vandale de Grégoire contraste avec le silence qu'il a observé sur les destructions jusqu'à la chute de Robespierre. La preuve du caractère symbolique et incantatoire des textes conservateurs serait, selon le même auteur, leur quasi complète inefficacité.

L'argumentation est en partie fondée. J'ai moi-même indiqué que, du moment où la notion de monument historique est constituée, la forme et les attendus du discours protecteur sont souvent empruntés par les politiques visant la destruction de ce type de bien.

On ne peut davantage contester les divergences de points de vue qui régnaient dans les différentes commissions et à l'Assemblée. Le 4 août 1792, Dussaulx prend la parole devant la Convention : « Les monuments du despotisme tombent dans tout le royaume, mais il faut épargner, conserver les monuments précieux pour les arts. Je suis instruit par des artistes célèbres que la porte Saint-Denis est menacée. Sans doute consacrée à Louis XIV [...] elle mérite la haine des hommes libres, mais cette porte est un chef-d'œuvre [...]. Elle peut être convertie en monument national que les connaisseurs viendront admirer de toute l'Europe. Il est question aussi que le parc de Versailles (une voix : "qu'on le laboure" !)... [36]. » Le 18 décembre 1793, la Commission des arts, créée le 15 août 1793 pour gérer les biens confisqués aux Académies, et animée par David, obtenait la suppression par décret de la Commission des monuments, jugée trop libérale[37]. Quant aux fameux *Rapports* sur le vandalisme, il est bien vrai qu'ils ont été composés par Grégoire *in extremis*, après Thermidor, en s'inspirant d'une littérature qui ne lui devait rien[38]. Enfin, il est exact que les effets du discours protecteur ne furent pas à la mesure de ses ambitions déclarées.

Cependant, les textes révolutionnaires sur et pour la protection du patrimoine monumental ne peuvent être réduits à un discours de la mauvaise foi. Ils sont, on le verra, trop précis, trop manifestement orientés par un souci opératoire. On ne peut davantage les assimiler à une dérive réactionnaire, « face idéologique d'un processus d'exclusion politique [39] ». A moins de faire aux rédacteurs éclairés de ces textes un procès en contre-révolution. Mais est-ce réaliste ? N'est-ce pas projeter sur leur comportement des catégories dont ils avaient dépassé l'archaïsme ? Devaient-ils forcément admettre qu'une nation peut se donner le droit de détruire les fondements matériels de son histoire ? Postuler des commencements absolus et penser qu'une nouvelle vision du monde puisse être institutionnalisée de toutes pièces revient à s'installer au cœur de l'utopie qui abolit le temps, au profit du pur instant et non de l'éternité, comme elle le prétend. L'urgence de l'action impose parfois une *mens momentanea* dans la conduite des affaires humaines. Les anthropologues nous ont aussi appris que les sociétés traditionnelles pouvaient, cycliquement, pour une durée très brève, ritualisée, faire abstraction de leur passé et de leurs coutumes pour vivre dans l'immédiateté du présent [40]. Mais ces parenthèses ne font que confirmer la règle : individus et sociétés ne peuvent préserver et développer leur identité que dans la durée et par la mémoire.

Ces vérités ont été tôt comprises par les hommes qui ont organisé contre les décrets vandales la protection de l'héritage monumental de la nation. Il ne semble pas nécessaire d'interpréter leur maturité politique à l'aide de critères robespierristes. Ils avaient pour objectif un double dépassement, expression d'une pensée minoritaire, et que sa portée même condamnait à n'être qu'une anticipation sans lendemain.

Dépassement de la violence utopique d'abord : ils savaient que la violence ne peut être légitime que si elle est temporaire, que les destructions doivent demeurer blessures qui, plus tard, seront lues comme cicatrices. Vicq d'Azyr : « Lorsque le peuple, armé de sa massue, vengeur de ses propres injures, et défenseur de ses propres droits, a rompu sa chaîne et terrassé ses oppresseurs, plein alors d'un juste courroux, il a pu tout frapper ; mais aujourd'hui qu'il a remis le soin de sa fortune et de ses vengeances à des législateurs, à des magistrats auxquels il se confie [...], ne lui suffit-il pas de surveiller leur conduite [41] ? » Rompre avec le passé ne signifie ni abolir sa mémoire ni détruire ses monuments, mais conserver l'une et les autres dans un mouvement dialectique qui, à la fois, assume et dépasse leur signification historique originelle, en l'intégrant dans une nouvelle strate sémantique. Kersaint évoque « ces places célèbres qui, en nous rappelant que nous n'avons pas toujours été libres, relèvent encore à nos yeux le prix de la liberté [42] ». L'attitude de Romme, de Vicq d'Azyr, de Kersaint et d'autres, qui se gardent d'assimiler l'art et le savoir à l'idéologie, est comparable à celle des révolutionnaires soviétiques qui, depuis 1917, ont conservé intacte la ville symbole du pouvoir des tsars, Saint-Pétersbourg et ses palais, où le peuple soviétique est venu défiler rituellement devant les témoins de son histoire et les trésors accumulés par les souverains, fondateurs de la nation.

Ensuite, dépassement éclairé de la conservation « primaire » : il ne s'agit plus seulement de prévenir un monstrueux gaspillage de richesse. Les mesures de préservation « secondaires » ou réactionnelles du patrimoine historique dépassent, en les associant en une totalité originale, la démarche conservatoire pratique de sa première phase révolutionnaire ainsi que la conservation savante, mais iconographique, des antiquaires.

Les textes de la conservation secondaire affirment, souvent avec éloquence, leurs objectifs politiques et matériels : « Tous ces biens précieux qu'on tenoit loin du peuple ou qu'on ne lui montroit que pour le frapper d'étonnement et de respect ; toutes ces richesses lui appartiennent. Désormais, elles serviront à l'instruction publique ; elles serviront à former des législateurs philosophes, des magistrats éclairés, des agriculteurs instruits, des artistes au génie desquels un grand peuple ne commandera pas en vain de célébrer dignement ses succès [...] [43]. » Cette profession de foi ne relève cependant pas de la sophistique. Elle est légitimée par un discours scientifique et technique.

Ainsi, l'*Instruction sur la manière d'inventorier*. Elle s'ouvre par une brève apologie de la raison et de l'éducation et s'achève par une non moins brève condamnation du vandalisme [44].

Entre ces deux morceaux de bravoure totalisant six pages, les soixante-quatre autres pages de l'*Instruction* sont entièrement consacrées à la définition des différentes catégories de biens à conserver et à la description des procédures techniques propres à chacune d'entre elles. Le principal rédacteur de ce texte étonnant n'est ni un homme politique, ni un historien, ni un artiste. C'est Félix Vicq d'Azyr [45], successeur de Buffon à l'Académie française (1788), auteur du *Discours sur l'anatomie considérée sous ses rapports avec l'histoire naturelle, sur sa nomenclature, sur ses descriptions et sur la manière de perfectionner ce langage*. Ce savant, spécialiste de l'anatomie du cerveau et l'un des créateurs de l'anatomie comparée, a transposé dans le domaine des monuments historiques la terminologie ainsi que les méthodes descriptive [46] et taxinomique qui l'avaient rendu célèbre dans sa discipline. Il a également mis au service de la protection du patrimoine national son savoir pédagogique [47] et l'expérience du quadrillage territorial de la France qu'il avait développée dans ses recherches sur les épizooties [48]. Le rôle joué par Vicq d'Azyr à la Commission temporaire des arts pendant les années 1792 et 1793, illustre une nouvelle figure, pour la première fois pratique, des relations fécondes entretenues par les sciences naturelles avec l'étude des monuments historiques. En matière d'architecture, la fiche type, établie un demi-siècle plus tard sous la direction de Mérimée, ne sera pas plus précise que celle de la XIe section de l'*Instruction* [49]. Le cadre construit par les artisans de la conservation réactionnelle pour inventorier les biens immeubles de l'héritage national libère le concept de monument historique de toute restriction idéologique ou stylistique. Le corpus théorique ou virtuel des monuments historiques comprend désormais, outre les vestiges gréco-romains demeurés sur le sol français, les antiquités nationales (celtiques, « intermédiaires [50] » et gothiques), et, on l'a vu, les œuvres de l'architecture classique et néo-classique.

Valeurs

Les valeurs attribuées à ces monuments sont révélées autant à travers la sécheresse des décrets et instructions publiés depuis sa création par le Comité d'instruction publique que dans les envolées des fameux *Rapports* de Grégoire, qui rassemblent l'argumentation développée antérieurement par Lakanal, Romme, Vicq d'Azyr et d'autres fondateurs de la conservation secondaire.

La valeur nationale est première, fondamentale. C'est elle qui, de bout en bout, a inspiré les mesures conservatoires prises par le Comité d'instruction publique, elle qui a justifié l'inventaire et le collationnement de toutes les catégories hétérogènes de la « succession ». Curieusement, elle sera passée sous silence par Aloïs Riegl qui fut cependant, en 1907, le premier historien à interpréter la conservation des monuments anciens par une théorie des valeurs. Omission éclairante. Riegl raisonne en termes de monument historique, notion qui a prévalu pendant tout le XIXe siècle et jusqu'aux années 1960, et non en termes de patrimoine : ce dernier concept, forgé pour désigner des biens appartenant à la nation et susceptibles d'un type nouveau de conservation, perd une partie de sa pertinence et tombe en désuétude lorsque la Révolution prend fin. Dans la France révolutionnaire, la valeur nationale est celle qui a légitimé toutes les autres, dont elle est indissociable et à l'ensemble hiérarchisé desquelles elle communique sa puissance affective.

A commencer par la valeur cognitive, également éducative, qui se ramifie en une série de branches concernant des savoirs abstraits et de multiples savoir-faire. Relisons le début, déjà cité, de l'*Instruction sur la manière d'inventorier*. On ne peut dire plus lapidairement [51] que les monuments historiques sont porteurs de valeurs de savoir spécifiques et générales, pour toutes les catégories sociales. A quelque siècle qu'ils appartiennent, rappelle ailleurs Kersaint, les monuments sont « témoins irréprochables de l'histoire ». Ils permettent ainsi de construire une multiplicité d'histoires, politique, des mœurs, de l'art, des techniques, et de servir à la fois la recherche intellectuelle et la formation des professions et des artisanats. Ils introduisent, en outre, à une pédagogie générale du civisme : les citoyens sont dotés d'une mémoire historique qui jouera le rôle affectif d'une mémoire vivante dès lors que la mobilisera le sentiment de fierté et de supériorité nationales.

Après les valeurs cognitives, vient la valeur économique des monuments historiques. D'une part, ils offrent des modèles à l'« industrie [52] », entendez aux manufactures. D'autre part, au siècle qui institutionnalisa le « grand tour », dont la haute société anglaise avait fait un rite d'initiation, presque tous les textes font état de l'intérêt, pour attirer les visiteurs étrangers, du patrimoine monumental : « Les arènes de Nîmes et le pont du Gard ont peut-être plus rapporté à la France qu'ils n'avaient coûté aux Romains [53]. » L'exploitation des monuments français par le tourisme est imaginée sur le modèle que l'Italie, seule en Europe, a réalisé depuis longtemps à la faveur d'un ensemble d'atouts exceptionnels, dont Rome, avec ses antiquités, n'est que le plus prestigieux. C'est au XXe siècle seulement que ce rêve touristique fera en France l'objet d'une politique.

La valeur artistique du patrimoine monumental est hiérarchiquement la dernière : statut compréhensible en un temps où, sauf dans un milieu cultivé et éclairé, le concept d'art reste imprécis et où la notion d'esthétique vient de faire son entrée. Le terme beauté apparaît rarement, et comme à la sauvette dans les textes relatifs à la conservation. L'*Instruction* traite les « chefs-d'œuvre de l'art » du seul point de vue de leur rôle pédagogique, pour la formation des artistes. Kersaint, qui insiste sur « la beauté des édifices » de Paris « capitale des arts [54] », fait surtout jouer en leur faveur l'image de la France qu'ils offrent à l'envie de ses voisins. Les envolées de Grégoire sur les beautés de l'art gothique apparaissent seulement dans ses deuxième et troisième *Rapports* [55] où elles occupent une place réduite.

En faisant des monuments historiques la propriété par héritage du peuple tout entier, les comités révolutionnaires les dotaient d'une valeur nationale dominante et leur attribuaient des destinations nouvelles, éducatives, scientifiques et pratiques. Ce passage à l'acte de la pratique conservatoire ainsi que l'ensemble de dispositions et de procédures sans précédent élaboré pour la gérer marquent, pour la première fois, une intervention novatrice de la France dans la genèse du monument historique et de sa préservation.

Le rôle instaurateur, on l'a vu, avait été joué par l'Italie. Puis, à l'époque classique, les antiquaires avaient donné leur unité aux études européennes sur les antiquités : d'un pays à l'autre, les musées iconographiques ne différaient que par le style de leurs représentations. C'est, à l'opposé, une innovation radicale qu'introduisaient les Comités révolutionnaires. En outre, par la médiation de cette différence, ils mettaient en place une structure de conservation centralisée qui allait devenir, jusqu'à la récente déconcentration des pouvoirs de l'État au niveau des régions, la caractéristique de la gestion française des monuments historiques.

La recherche des antiquaires, comme leur travail de recensement, pouvaient être menés librement par des individus, groupés ou non en sociétés savantes. On a même vu que celles-ci avaient spontanément pris en charge la protection des grands monuments religieux en Grande-Bretagne. En France, la conservation d'un patrimoine promu égalitairement propriété de tous, devient, en revanche, affaire de l'État. Dans la tourmente révolutionnaire, la grande succession nationale est administrée par des comités *ad hoc* auxquels le gouvernement révolutionnaire délègue son pouvoir. La politique de conservation est un rouage du dispositif général de centralisation : elle est élaborée à Paris, sous la responsabilité du ministre de l'Intérieur. Dans les départements, c'est le préfet, représentant de l'administration d'État, qui est chargé de son application. La structure administrative est mise en place, qu'il suffira à Guizot, en 1830, de réactualiser.

Ainsi, sur la lancée de 1789, tous les éléments requis pour une authentique politique de conservation du patrimoine monumental de la France semblaient réunis : création du terme monument historique dont le concept est élargi par rapport à celui d'antiquités ; corpus en cours d'inventaire ; administration préposée à la conservation et disposant d'instruments juridiques (dispositions pénales comprises[56]) et techniques alors sans équivalent.

La conservation du patrimoine historique ne fut donc, sous la Révolution, ni une fiction ni un faux-semblant. Cette expérience a duré six années et elle a déterminé dans la longue durée l'évolution de la conservation monumentale en France. On ignore, bien entendu, quelle aurait été l'étendue des destructions si elle n'avait pas été mise en place [57].

La fin de la Révolution mit un terme aux travaux des commissions responsables. Leur œuvre ne fut pas officiellement poursuivie. L'intérêt de Napoléon Ier allait se porter essentiellement sur les musées. Le Louvre (musée Napoléon) devenait grâce à Vivant Denon le premier musée moderne et, malgré Vivant Denon, les musées de province recevaient leur part du fabuleux butin amassé par le pillage judicieux et systématique des grands musées et collections d'art européens. Tout à ce projet de transfert et d'appropriation, Napoléon ne se préoccupa guère du sort des monuments historiques nationaux. La dénationalisation d'une partie des biens aliénés contribuait à la mise en sommeil d'un appareil de gestion né prématurément. Les mentalités n'étaient d'ailleurs pas mûres pour qu'elle se généralisât hors d'un contexte révolutionnaire.

Le concept de patrimoine était, comme aujourd'hui, affecté d'une forte connotation économique qui contribuait à son ambivalence. Quant à la notion de monument historique, elle devait demeurer très floue pour la majorité du public pendant encore de nombreuses décennies. Si Kersaint, chargé par le Conseil du département de Paris de concevoir les nouveaux monuments publics, oppose lumineusement monuments historiques [58] et monuments, la différence semble difficilement perceptible par le public non averti, y compris par les responsables municipaux. Les réponses à deux enquêtes respectivement lancées par la Commission temporaire des arts en ventôse an II (février-mars 1794) et par la commission des travaux publics, le 12 messidor an II (30 juin 1794), témoignent d'une grande confusion dans le maniement du terme monument [59].

Par ailleurs, l'histoire de l'architecture était encore à peu près inexistante et on ne disposait pas de critères d'analyse qui permissent un traitement systématique des édifices à conserver. De plus, sans compter les difficultés propres à la situation économique et politique, la gestion de l'héritage représentait une tâche rendue surhumaine par le nombre des édifices dont l'entretien était antérieurement assuré par des instances abolies. Les recherches préparatoires des antiquaires, si utiles pour la constitution du corpus des monuments historiques, étaient en revanche dépourvues de finalité pratique. Elles ne préparaient donc en aucune façon aux tâches matérielles de conservation, encore accrues par le délabrement auquel le patrimoine immobilier se trouvait réduit par défaut d'entretien et à la suite des dépradations qu'il avait subies.

Malgré ces difficultés et malgré la démission de l'administration d'État, la période comprise entre 1796 et 1830 ne se solde pas, en matière de conservation des monuments historiques, par un vide complet ni même par une régression, comme on l'admet généralement [60]. Il a été récemment montré [61] que l'œuvre des conservateurs éclairés avait été en partie continuée sous le Directoire et l'Empire par le Conseil des bâtiments civils, institué en 1795 pour remplacer le Conseil des bâtiments du roi. Avec discrétion, persévérance et des moyens limités, cet organe sut même innover. Grâce à la présence dans ses rangs d'architectes qui, tel A. F. Peyre [62], étaient aussi des antiquaires, il posa, en France, les premiers jalons d'une doctrine de la restauration des édifices antiques [63] et se mit au service de l'art gothique [64]. Par le biais de leur lutte contre le vandalisme des spéculateurs [65], les architectes du Conseil firent en outre, pour la première fois, prévaloir la qualité esthétique des édifices médiévaux et contribuèrent à préparer la reconnaissance [66] dont, à partir de la seconde décennie du XIXe siècle, la valeur d'art des monuments du passé allait être l'objet.

Chapitre IV

La consécration du monument historique

1820-1960

« Les monuments de l'ancienne France ont un caractère et un intérêt particuliers ; ils appartiennent à un ordre d'idées et de sentiments éminemment nationaux et qui, cependant, *ne se renouvellent plus* » : première ligne du premier volume des *Voyages pittoresques et romantiques dans l'ancienne France*, publié en 1820 par Charles Nodier et le baron Taylor. Ce constat d'un tarissement irrémédiable, et la précision bientôt ajoutée que les auteurs ne parcourent pas la France « en savants [...], mais en voyageurs curieux des aspects intéressants et avides de nobles souvenirs », bref qu'il s'agit d'« un voyage d'impressions [1] » traduisent un changement de mentalité. Nodier pressent, l'un des premiers, que le XIXe siècle va attribuer un nouveau statut aux antiquités. Le monument historique entre alors dans sa phase de consécration dont on peut fixer le terme vers les années 1960 ou, si l'on veut une autre borne symbolique, en 1964, date de la rédaction de la Charte de Venise [2].

Cette tranche chronologique peut, à première vue, paraître trop large. Elle recouvre des événements, des faits et des différences qui auraient pu, semble-t-il, fonder une périodisation plus fine. Ainsi, par exemple, les contributions originales et successives des différents pays européens à la théorie et aux pratiques de conservation du monument historique : l'avance de la réflexion britannique se maintient jusqu'aux dernières décennies du XIXe siècle, où l'Italie et les pays germaniques prennent le relais de l'innovation. Ainsi, les découvertes des sciences physiques et chimiques, les inventions des techniques ou encore les progrès de l'histoire de l'art et de l'archéologie, qui ont, ensemble, scandé le développement de la restauration des monuments comme discipline autonome. Ainsi, l'évolution et les révolutions de l'art et du goût, dont les exclusives et les engouements ont déterminé des phases distinctes dans le traitement et la sélection des monuments historiques à protéger, allant même, dans le cas des avant-gardes architecturales du XXe siècle[3], jusqu'à militer activement contre la conservation des monuments anciens : le plan Voisin de Le Corbusier (1925) rasait le vieux Paris, ne laissant subsister qu'une demi-douzaine de monuments. Ce manifeste du mouvement moderne fit école après la Deuxième Guerre mondiale et inspira les rénovations[4] destructrices menées jusqu'aux années 1960 et au-delà.

Les critères nationaux, mentaux ou épistémiques, techniques, esthétiques ou éthiques permettent bien de repérer des temps forts et des moments significatifs dans l'histoire du monument historique. Les divisions chronologiques qu'ils introduisent n'ont cependant qu'une portée relative et secondaire par comparaison avec l'unité de la période (1820-1960) qui les englobe : unité souveraine qu'impose par sa reconnaissance, sa cohérence et sa stabilité le statut acquis par le monument historique avec l'avènement de l'ère industrielle. Ce statut peut être défini par un ensemble de déterminations nouvelles et essentielles, concernant la *hiérarchie des valeurs*, dont le monument historique est investi, *ses contours spatio-temporels*, son *statut juridique* et son *traitement technique*.

En effet, l'avènement de l'ère industrielle comme processus de transformation mais aussi de dégradation de l'environnement humain a contribué avec d'autres facteurs moins importants, comme le romantisme, à inverser la hiérarchie des valeurs attribuées aux monuments historiques et à privilégier pour la première fois les valeurs de la sensibilité, notamment esthétiques. La révolution industrielle comme rupture avec les modèles traditionnels de production ouvrait une irréductible fracture entre deux périodes de la création humaine. Quelles qu'aient été ses dates, variables selon les pays, la coupure de l'industrialisation est demeurée, pendant toute cette phase, l'infranchissable ligne de partage entre un avant où se trouve cantonné le monument historique et un après, avec lequel débute la modernité. Autrement dit, elle marque la frontière qui borne en aval le champ temporel du concept de monument historique : celui-ci peut, au contraire, s'étendre indéfiniment en amont, à mesure que progressent les connaissances historique et archéologique.

La révolution industrielle comme processus en développement planétaire donnait virtuellement au concept de monument historique une dénotation universelle, applicable à l'échelle mondiale. En tant que processus irrémédiable, l'industrialisation du monde a contribué d'une part à généraliser et à accélérer la mise en place des législations de protection du monument historique, d'autre part à faire de la restauration une discipline à part entière, solidaire des progrès de l'histoire de l'art.

Les années 1820 marquent l'affirmation d'une mentalité qui rompt avec celle des antiquaires comme avec l'attitude de la Révolution française. Dès les années 1850, malgré les décalages de leur industrialisation, la plupart des pays européens ont consacré le monument historique. Consécration qui pourrait être définie pour l'ensemble de la période à partir de deux textes symboliques et complémentaires, l'un officiel et administratif, l'autre contestataire et poétique : le *Rapport* « présenté au Roi, le 21 octobre 1830, par M. Guizot, ministre de l'Intérieur, pour faire instituer un inspecteur général des monuments historiques en France » et le pamphlet, publié en 1854 par John Ruskin, sur « L'ouverture du Crystal Palace envisagée du point de vue de ses rapports avec l'avenir de l'art ».

Le tournant du XIXe siècle est marqué, essentiellement en Italie et en Autriche, par un questionnement complexe des valeurs et des pratiques du monument historique, dont la lucidité a rarement été égalée depuis. Toutefois, lorsque, en 1964, l'assemblée de l'Icomos [5] rédige la *Charte internationale sur la conservation et la restauration des monuments et des sites*, le cadre théorique et pratique, à l'intérieur duquel s'inscrit le monument historique, est resté sensiblement celui qu'a construit le XIXe siècle.

Le concept de monument historique tel qu'en lui-même

Valeur cognitive et valeur artistique

Portée par la longue durée, la valeur cognitive du monument historique lui demeure solidement attachée durant toute la période qui nous occupe. Symbole éclatant de la permanence du lien qui unissait l'historiographie et les études d'antiquités, c'est François Guizot, auteur des *Essais sur l'histoire de France*, et l'un des historiens notoires de l'époque, qui crée en France la charge d'inspecteur des monuments historiques.

Il faut cependant observer qu'au XIXe siècle l'économie des savoirs a recentré la fonction cognitive du monument historique dans le champ, récemment circonscrit et en cours d'organisation, de l'histoire de l'art.

En effet, en dépit de résistances locales, le siècle de l'histoire a pris ses distances à l'égard des antiquaires [6]. L'histoire politique et celle des institutions accordent toute leur attention au document écrit, sous toutes ses formes, et se désintéressent du monde foisonnant des objets qu'interrogeaient les érudits des XVIIe et XVIIIe siècles. Le lien avec l'univers du faire se distend. Au XIXe siècle, les historiens qui voulaient et savaient regarder les monuments anciens étaient des exceptions et le sont demeurés longtemps. Dans son *Rapport au roi*, Guizot marque bien l'importance nouvelle accordée à l'art et à son étude scientifique, il souligne la valeur des monuments pour des spécialistes parmi lesquels il ne prétend pas se ranger. Ses connaissances personnelles en la matière ne traduisent pas de progrès par rapport à Grégoire. Le gothique demeure pour lui synonyme d'art national. Il est précédé par des styles « bâtard[s] et dégradé[s] », qu'il qualifie globalement d'« intermédiaire[s] » : cinq ans plus tôt, le jeune Victor Hugo parlait déjà d'art *roman* [7]. En revanche, dès la première ligne du *Rapport*, « le sol de la France [8] » est symbolisé par ses monuments. Paradoxalement, pour Guizot, comme pour la plupart des historiens de son temps, les édifices anciens ne contribuent plus à fonder un savoir, celui que construit leur discipline, mais à l'illustrer et à servir ainsi un sentiment, le sentiment national.

De fait, la relève des antiquaires est prise par les nouveaux venus sur la scène du savoir que sont les historiens d'art. Pour eux, les créations de l'architecture ancienne vont désormais faire l'objet d'une enquête systématique concernant leur chronologie, leur technique, leur morphologie, leur genèse et leurs sources, leur décor de fresques, sculptures et vitraux ainsi que son iconographie.

Fondé sur l'étude des monuments historiques un nouveau corps de savoir est donc en voie de constitution. Il est, en outre, nourri et souvent orienté par la réflexion sur l'art qui se développe dans le sillage de la *Critique du jugement*. J'ai déjà souligné la distinction opérée lors de la Renaissance entre la valeur informatrice et la valeur hédonique des antiquités qui, dans un cas, s'adresse à la raison historienne et, dans l'autre, à la sensibilité esthétique. Il faut y revenir car la conceptualisation du champ de l'art, à partir de la Renaissance, n'a pas seulement retenti sur les modalités de la création artistique. Elle a, par le biais de la terminologie, entraîné des confusions importantes à déceler pour la sémantique des monuments historiques.

Les mots antiquités et antiquaires étaient dénués d'ambiguïté, connotés par le savoir. Les locutions *histoire* et *historien de l'art* sont connotées par *art* plus que par *histoire*; elles facilitent une assimilation et une confusion du savoir de l'art et de l'expérience de l'art qui demeurent courantes aujourd'hui.

C'est contre cette confusion que réagit Riegl dans son analyse axiologique du monument. Il reprend à son compte la dissociation radicale entre valeurs de savoir et valeur d'art posée par K. Fiedler dans les manifestes des années 1870 où celui-ci décrit le développement croissant, mal perçu par les contemporains, d'une appréciation intellectuelle des monuments de l'art[9]. Devant l'attention critique témoignée aux créations des arts plastiques et particulièrement de l'architecture, devant la multiplication des travaux historiographiques qui leur étaient consacrés, Fiedler s'effrayait pour le destin même de l'art et de sa vitalité. Il y voyait le signe de l'hégémonie à venir de la raison et de son triomphe, prévu par la philosophie hégélienne, sur les puissances créatrices de la sensibilité et de l'instinct [10].

Sans participer d'une philosophie de l'art aussi élaborée, les mêmes inquiétudes ont été exprimées en France par Mérimée et Viollet-le-Duc. Elles attestent la permanence et la consolidation des liens qui unissent le monument historique au monde du savoir intellectuel. Les deux hommes ont assez prouvé qu'ils avaient l'un et l'autre vécu l'immédiateté de l'expérience artistique, telle que la décrit Fiedler : Mérimée était, l'un des premiers, ainsi entré de plain-pied dans le monde roman [11]. Pourtant, dans leur confrontation avec les monuments historiques, l'un et l'autre recourent à la voie indirecte de l'analyse rationnelle : le premier pour convaincre les Français de conserver leur héritage monumental et pour pallier leur manque de sensibilité esthétique [12], le second pour tenter de fonder un nouvel art de construire en venant en aide à un « vouloir d'art [13] » et à une sensibilité architecturale affaiblis.

L'antagonisme des activités de la raison et de l'art est demeuré au cœur du débat philosophique occidental. La mort de l'art annoncée par Hegel n'en finit pas de s'accomplir, tandis que l'expérience privilégiée par Fiedler est devenue dévoilement de l'être chez Heidegger.

L'expérience de l'œuvre d'art en tant que telle ne saurait être que difficile, précaire, sans cesse à recommencer. Le monument historique n'échappe pas à la règle. Mais il peut, en revanche, s'adresser à la sensibilité et au sentiment par des voies moins ardues, larges, aisées, accueillantes à tous, et dans lesquelles le XIXe siècle s'est résolument engagé.

Préparation romantique : le pittoresque, la déréliction et le culte de l'art

La sensibilité romantique avait, en effet, découvert dans les monuments du passé un champ de délectations plus facilement accessibles. Des réseaux de liens affectifs multiples et nouveaux étaient alors tissés avec ces vestiges. Je n'en évoquerai, trop rapidement, que quelques aspects.

La peinture et la gravure romantiques font jouer à la représentation figurée des monuments anciens un rôle quasiment inverse de celui qui lui était attribué précédemment dans les ouvrages d'érudition. A une iconisation muséale et abstraite où l'image tend à se substituer à la réalité concrète des antiquités, succède une iconisation supplétive qui enrichit, au contraire, la perception concrète du monument historique par la médiation d'un plaisir nouveau. Le regard de l'antiquaire construisait du monument une image indépendante et aussi analytique que possible. Le regard de l'artiste romantique inscrit le monument dans une mise en scène synthétique qui le dote d'une valeur picturale supplémentaire, sans lien avec sa qualité esthétique propre.

La différence entre les deux approches est parfois illustrée par un seul et même artiste. Ainsi de Turner dans son œuvre gravé. D'une part, il exécute durant les années 1790, pour l'antiquaire Whitaker, des planches analytiques présentant des objets décontextualisés, dissociés les uns des autres et rigoureusement définis par leurs caractères morphologiques et décoratifs [14]. D'autre part, il livre à divers *Annuals* ses premières « topographies pittoresques [15] », vues synthétiques dans lesquelles le monument est partie d'un ensemble dans lequel il est mis en scène : présenté, éclairé, coloré, en fonction de cet environnement, dans le but de produire un effet.

Les ouvrages illustrés de ce type se sont multipliés pendant les premières décennies du XIXe siècle. Monuments et édifices anciens, devenus le contrepoint nécessaire des paysages naturels et ruraux ou des panoramas urbains, accueillaient des déterminations nouvelles : implantation, patine, formes fantasmatiques, signes d'une nouvelle valeur pittoresque. Et la recherche attentive et amoureuse de ce pittoresque s'appliquait à tous les genres de bâtisses anciennes, si obscures, secrètes ou modestes fussent-elles. Aujourd'hui, les illustrations des *Voyages* de Nodier et Taylor, qui se voulaient libres de toute préoccupation scientifique, demeurent néanmoins, dans bien des cas, la seule source documentaire dont disposent les historiens sur la France urbaine et rurale au début du XIXe siècle.

Par-delà l'immédiat et pur plaisir de la vue, l'image pittoresque peut aussi engendrer un sentiment de trouble ou d'angoisse dont se délecte l'âme romantique, quand elle transforme en stigmates les marques apposées par le temps sur les constructions des hommes. Désignées comme symbole du destin humain, celles-ci prennent alors une valeur morale : double emblème de l'*archè* créatrice et de la transitivité des œuvres humaines. La ruine médiévale, moins ancienne, plus répandue et familière, témoigne alors de façon plus dramatique que la ruine antique. Le château fort réduit à ses murailles, l'église gothique dont seule subsiste l'ossature révèlent, mieux qu'intacts, la puissance fondatrice qui les fit édifier à l'origine; mais les mousses rongeuses, les herbes folles qui démantèlent les toitures et descellent les pierres des murailles, les visages érodés des apôtres au porche d'une église romane rappellent que la destruction et la mort sont le terme de ces merveilleux commencements.

Émotion esthétique engendrée par la qualité architecturale ou par le pittoresque, sentiment de déréliction imposé par la perception de l'action corrosive du temps : la montée de ces valeurs affectives intègre le monument historique dans le nouveau culte de l'art, appelé à se substituer à celui d'un Dieu qui sera donné pour mort par un penseur de la fin de ce siècle. Dans l'Europe du Nord, l'église gothique se prête à la transition d'un culte vers l'autre : haut-lieu tout à la fois des célébrations d'une religion encore vivante et d'une quête esthétique de l'absolu. Le très catholique Montalembert témoigne, sans le vouloir, de cette contamination lorsque, se rangeant aux côtés de Victor Hugo dans son combat contre « le vandalisme officiel et municipal », il dit sa double « passion ancienne et profonde », « sans cesse grandissante », pour l'architecture du Moyen Age comme création du catholicisme et de l'art [16].

Écrivains et peintres cherchaient identiquement à transcrire dans des formes littéraires différentes, accordées aux tempéraments individuels et aux sensibilités nationales, la dimension mystique de l'architecture gothique. Si dissemblables soient-elles, les cathédrales de Hugo, de Ruskin ou de Huysmans servent semblablement le culte de l'art. De même, qu'il capte et absorbe la lumière chez

Turner, qu'il introduise à un monde nocturne et fantastique chez Doré illustrateur de Hugo, qu'il soit l'énigme jetée par Friedrich et Carus dans une nature muette, parmi les blancheurs de la neige ou le vert sombre de l'*Uhrwald*, dans tous les cas, le monument gothique introduit à la transcendance de l'art.

Mais après s'être laissé ravir par les sortilèges des monuments anciens, après les avoir dûment célébrés, nombre d'écrivains étaient conduits à en devenir les défenseurs attitrés. Dans le texte déjà cité, écrit en 1833, trois ans après la création de l'Inspection des monuments historiques, c'est à Victor Hugo et non à Guizot que Montalembert octroie la priorité et la prééminence dans la défense de cette cause [17]. L'esthétisme et la souffrance de l'âme romantique ne suffisent pas à expliquer pourquoi Hugo et les écrivains de son temps ont milité si ardemment pour la conservation des monuments historiques.

Révolution industrielle : la frontière de l'irrémédiable

Hommes de plume, intellectuels et artistes furent mobilisés par une autre force : la prise de conscience d'un changement d'ère historique, d'une rupture traumatique du temps. Sans doute l'entrée dans l'ère industrielle, la brutalité avec laquelle elle vient diviser l'histoire des sociétés et de leur environnement, le « jamais plus comme avant » qui en résulte sont-ils une des origines du romantisme, au moins en Grande-Bretagne et en France. Toutefois, le choc de cette rupture déborde largement le mouvement romantique. Même si ses ondes se sont répercutées sur l'œuvre entière d'auteurs comme Hugo ou Balzac, il doit faire l'objet d'une analyse particulière. En effet, la conscience de l'avènement d'une ère nouvelle et de ses conséquences a créé à l'égard du monument historique une médiation et une distance secondes, en même temps qu'elle libérait des énergies dormantes en faveur de sa protection.

La mise en scène du monument historique tel que le consacre le XIXe siècle, joue sur le contraste, mot clé que A. W. Pugin sut donner pour titre à l'un de ses livres [18]. A l'arrière-plan, un paysage pittoresque dans lequel l'édifice ancien est intégré. Au premier plan, le monde en cours d'industrialisation, dont il subit l'agression de plein fouet. Poésie de l'ancienneté, drame de sa confrontation à ce qu'on désigne comme la « civilisation nouvelle » : ces deux perspectives sur le monument ancien sont simultanément construites par Balzac dans *Béatrix* où, tout à la fois, la petite ville de Guérande fait resurgir un passé enchanteur dans une page presque proustienne [19] et symbolise l'anachronisme d'un groupe social qui n'a pas su ou pas voulu s'adapter à la civilisation nouvelle des communications, des échanges et de l'industrie.

Le monde révolu du passé a perdu sa continuité et l'homogénéité que lui conférait la permanence du faire manuel des hommes. Le monument historique acquiert de ce fait une nouvelle détermination temporelle. La distance qui nous en sépare est désormais dédoublée. Il est cantonné dans un passé du passé. Un passé qui n'appartient plus à la continuité du devenir et que ne viendront plus grossir aucun présent ni aucun futur. Et, quelle que soit la richesse des filons archéologiques encore inexploités, cette fracture du temps marque le champ des monuments historiques au coin d'une finitude sans appel. Depuis la Renaissance, les antiquités, source de savoirs et de plaisirs, apparaissaient également comme des repères pour le présent, des œuvres qu'on pourrait égaler ou surpasser. A partir des années 1820, le monument historique est inscrit sous le signe de l'irremplaçable, les dommages qu'il subit sont irréparables [20], sa perte irrémédiable.

C'est ainsi que, succédant au Nodier des *Voyages*, Hugo, Guizot, Balzac, Mérimée opposent à « l'ancienne » ou à « la vieille » France « la nouvelle France » et résument leur différence dans des formules saisissantes. Hugo : « L'industrie a remplacé l'art [21]. » Balzac : « En travaillant pour les masses, l'industrie moderne va détruisant les créations de l'Art [...]. Nous avons des *produits*, nous n'avons plus d'œuvres [22]. » En Angleterre, Carlyle trace la voie à William Morris en définissant cette opposition comme celle de l'organique et du mécanique : « Rien n'est plus maintenant fait directement ou manuellement ; tout est effectué selon des règles et obéit au calcul. Ce n'est pas seulement notre entourage extérieur et le monde physique qui est maintenant organisé par la machine, mais bien aussi notre monde intérieur et spirituel[23]. » Ruskin souligne l'opposition, de part et d'autre de la fatidique ligne de partage entre l'*architecture* traditionnelle et la *construction* moderne[24]. Publique ou domestique, la première avait pour vocation d'affirmer la permanence du sacré tout en égrenant dans la durée les différences[25] des hommes. La seconde, anonyme et standardisée, refuse la durée et ses marques : l'architecture domestique est remplacée par des logements précaires où l'on passe comme dans des auberges, et l'architecture publique cède la place à des espaces de fer et de verre, à la surface desquels le temps n'est pas autorisé à se poser.

La consécration du monument historique apparaît donc directement liée, en Grande-Bretagne comme en France, à l'avènement de l'ère industrielle. Mais cet avènement et ses conséquences ne sont pas identiquement interprétés dans les deux pays en ce qui concerne leurs incidences sur le destin des sociétés occidentales. Des différences en résultent quant aux valeurs attribuées de part et d'autre aux monuments historiques. En France, pourtant pays de tradition rurale, le processus d'industrialisation est légitimé par la conscience de la modernité, quels qu'en soient les effets, négatifs ou pervers. C'est la marche de l'histoire, l'idée de progrès et la perspective de l'avenir qui déterminent le sens et les valeurs du monument historique : dans son manifeste contre le vandalisme, Hugo appelle à la création d'« une loi pour le passé », « ce qu'une nation a de plus sacré, *après l'avenir*[26] ».

En revanche, l'Angleterre, pourtant terre natale de la révolution industrielle, reste davantage attachée à ses traditions, plus orientée vers le passé : l'idée de *revival*, qui ne s'acclimata jamais en France, y inspire un mouvement florissant[27]. Et, en dépit de son adhésion aux idées de Karl Marx, William Morris ne laissa pas de croire à une réversibilité de l'histoire et de prôner des retrouvailles avec le travail manuel comme fondement d'un art populaire. Aussi n'est-il pas surprenant que les Anglais aient donné au monument historique des significations plus diversifiées et plus en prise sur le présent.

Confrontés à l'industrialisation, les Français s'intéressent essentiellement à la valeur nationale et à la valeur historique des édifices anciens, et tendent à en promouvoir une conception muséologique. Victor Hugo donne le ton : « S'il est vrai, comme nous le croyons, que l'architecture, seule entre tous les arts, n'ait plus d'avenir, employez vos millions à conserver, à entretenir, à éterniser les monuments nationaux et historiques qui appartiennent à l'État, et à racheter ceux qui sont aux particuliers [28]. » Le culte du monument passé coexiste avec celui, bientôt nommé, de « la modernité ». Le pessimisme de Balzac va plus loin. Il prévoit la destruction complète du patrimoine ancien qui, à terme, ne subsistera plus que dans « l'iconographie littéraire », dont il donne l'exemple dans *La Comédie humaine*. A la différence des antiquaires, il conçoit le monument ancien, avant tout, comme un précieux objet concret dont la conservation physique fait le prix, mais, à la différence de ses contemporains anglais, il le pense condamné à terme par la marche de l'histoire [29].

Les défenseurs anglais des monuments historiques ignorent ce fatalisme. Ils ne se résignent pas à la disparition des édifices anciens au profit de la nouvelle civilisation qui, incarnée par l'Amérique, construit « un monde sans un souvenir ni une ruine [30] ». Pour eux, les monuments du passé sont nécessaires à la vie du présent, ni ornement aléatoire, ni archaïsme, ni seulement porteurs de savoir et de plaisir, mais partie de la quotidienneté.

La valeur de piété

Ruskin a ainsi rapporté à la mémoire une destination et une valeur nouvelle du monument historique. « Nous pouvons vivre sans [l'architecture], adorer notre Dieu sans elle, mais sans elle nous ne pouvons nous souvenir. » Cette affirmation du célèbre chapitre VI (« La lampe de la mémoire ») des *Sept Lampes de l'architecture* conserve à l'architecture une fonction et un sens qui sont en contradiction avec les idées de Hegel et du Victor Hugo de « Ceci tuera cela ». Surtout, elle procède d'une autre intentionnalité.

Pour l'auteur des *Pierres de Venise*, l'architecture est le seul moyen dont nous disposions pour conserver vivant un lien avec un passé auquel nous sommes redevables de notre identité, et qui est constitutif de notre être [31]. Mais plutôt que par l'histoire ou une histoire, ce passé est d'abord et essentiellement défini par les générations d'humains qui nous ont précédés. S'il arrive parfois à Ruskin de faire interroger les monuments par la mémoire objective de l'histoire, il lui préfère une approche affective. Cependant, le puritain se défie toujours, chez lui, de l'esthète [32] et craint de tomber dans les pièges hédonistes de l'art. Aussi est-ce par l'entremise de sentiments moraux, la piété et le respect, qu'il entre de plain-pied dans le passé. Que rappellent alors les édifices anciens ? La valeur sacrée des travaux que des hommes de bien, disparus et inconnus, accomplirent pour honorer leur Dieu, aménager leurs foyers, manifester leurs différences. En nous faisant voir et toucher ce que virent et touchèrent les générations disparues, la plus humble demeure [33] possède, au même titre que l'édifice le plus glorieux, le pouvoir de nous mettre en communication, presque en contact, avec elles. Ruskin utilise une métaphore avec laquelle Bakhtine nous a, depuis, familiarisés : les édifices du passé nous parlent, ils nous font entendre des voix [34] qui nous impliquent dans un dialogue.

Il importe, toutefois, de se rappeler que les monuments historiques ne sont pas le point de départ de la réflexion de Ruskin sur l'architecture. Dans *Les Sept Lampes* comme dans *Les Pierres de Venise* ou dans les multiples conférences qu'il donna à partir des années 1850, il s'interroge sur la construction de son époque, en particulier, et sur la nature de l'architecture, en général. Il se demande comment, dans la crise ouverte par la révolution industrielle, elle pourrait retrouver la valeur de piété qui lui est consubstantielle. Autrement dit, comment, selon une formule en apparence sibylline, « l'architecture du présent [pourrait être] rendue historique [35] » ? Ce qualificatif ne peut être mérité, selon Ruskin, que si l'architecture se réapproprie son essence et son rôle mémorial par la qualité du travail et de l'investissement moral dont elle aura fait l'objet.

On voit que Ruskin, rapprochant ainsi les édifices du présent et du passé, n'est pas loin de redonner au monument historique la valeur et la fonction du monument originel[36]. En effet, abstraction faite de la valeur historique qui lui est inhérente, le premier ne se distingue plus du second que par le caractère imprécis, général, et même générique, de ce que, par le sentiment diffus de piété, il rappelle à la mémoire : la figure intacte de l'œuvre, solidairement et manuellement accomplie par les générations humaines.

Les idées de Ruskin ont enrichi le contenu typologique du concept de monument historique, en y faisant entrer de plein droit l'architecture domestique. De plus, en critiquant ceux qui s'intéressent exclusivement à « la richesse *isolée* des palais[37] », il songe aussi à la *continuité* du tissu formé par les demeures plus humbles : il est le premier, bientôt suivi par Morris, à inclure les « ensembles urbains[38] », au même titre que les édifices individuels dans le champ de l'héritage historique à préserver.

En rappelant à la mémoire affective la dimension sacrée des œuvres humaines, le monument historique acquiert, en outre, une universalité sans précédent. Le monument traditionnel, sans qualificatif, était universellement répandu, mais il faisait revivre les passés particuliers de communautés particulières ; le monument historique faisait jusqu'alors référence à une conception occidentale de l'histoire et à ses dimensions nationales. En revanche, dans la conception ruskinienne, quels que soient la civilisation ou le groupe social qui l'ont érigé, il s'adresse également à tous les hommes.

Ruskin et Morris sont ainsi conduits, les premiers, à concevoir la protection des monuments historiques à l'échelle internationale et à militer en personne pour la défense de cette cause. Dans la presse et sur place, ils enquêtent et combattent pour les monuments et pour les villes anciennes de France, de Suisse, d'Italie. Ruskin s'inquiète : « Faut-il que cette petite Europe, ce coin de notre globe enchâssé dans la grisaille de tant d'antiques églises, doré par le sang de tant de batailles, faut-il que ce petit fragment du pavement du monde, usé par les pas de tant de pèlerins, soit intégralement balayé et orné de neuf pour la mascarade du Futur[39] ? » Il propose même, dès 1854, la création d'une organisation européenne de protection, dotée des structures financières et techniques adéquates, et il lance la notion de « bien européen [40] ». Quant à Morris, après s'être élevé contre la destruction d'un quartier populaire à Naples [41], il mène le combat au-delà des frontières européennes, jusqu'en Turquie et en Égypte où il cherche à faire protéger les architectures arabe et copte [42].

Dans tous ces domaines, les Britanniques ont été des pionniers. Leur relève a été prise ensuite par les Italiens, en particulier Gustavo Giovannoni [43]. Celui-ci, dès 1913, a élaboré le concept d'architecture mineure qui, dans une perspective plus générale, moins morale, plus historienne et plus esthète, déborde et englobe celui d'architecture domestique. L'architecture mineure devient partie intégrante d'un nouveau monument, l'ensemble urbain ancien : « Une ville historique constitue en soi un monument, par sa structure topographique comme par son aspect paysager, par le caractère de ses voies comme par l'ensemble de ses édifices majeurs et mineurs ; aussi, comme pour un monument individuel, il conviendra de lui appliquer identiquement les lois de protection et les mêmes critères de restauration, de dégagement, de réfection et d'innovation [44]. » On verra la nouveauté des idées et des partis de Giovannoni dans le chapitre que nous a paru mériter l'histoire complexe de l'invention du patrimoine urbain historique depuis les premiers combats de Ruskin.

Pratiques : législation et restauration

La consécration du monument historique ne mériterait pas son nom si elle se limitait à la reconnaissance de contenus et de valeurs nouveaux. Elle est, en outre, fondée sur un ensemble de pratiques dont l'institutionnalisation a été catalysée par la puissance des forces destructives, non plus délibérées et idéologiques, mais inhérentes à la logique de l'ère industrielle, qui menacent désormais les monuments historiques. La mutation qui transforme à la fois les modes de vie et l'organisation spatiale des sociétés urbaines européennes frappe d'obsolescence les tissus urbains anciens. Les monuments qui s'y insèrent apparaissent soudain comme des obstacles et des entraves à renverser ou briser pour faire place nette au nouveau mode d'urbanisation, à son système et ses échelles viaires et parcellaires. En outre, l'entretien des édifices anciens est de plus en plus négligé et leur restauration n'obéit plus à des savoir-faire réglés. On est ainsi confronté à deux types de vandalisme, qui ont été, à l'époque, désignés, en France et en Angleterre, par les mêmes qualificatifs : *destructeur* et *restaurateur*.

Montalembert a dressé pour chacun d'eux le piquant palmarès de leurs promoteurs. Il attribue le premier prix de « vandalisme destructeur » au « gouvernement », le second aux « maires et [aux] conseils municipaux », le troisième aux « propriétaires », le quatrième aux « conseils de fabrique et [aux] curés ». « En cinquième lieu, et à une très grande distance des précédents, [vient] l'émeute. » En ce qui concerne le « vandalisme restaurateur », la palme revient au clergé, suivi par le gouvernement, les conseils municipaux et les propriétaires. L'émeute a au moins l'« avantage de ne rien restaurer [45] ».

Tels sont bien, et pratiquement dans cet ordre d'importance, les protagonistes qu'affrontera Mérimée lors de ses tournées d'inspection, dans la Vienne [46] par exemple, où vingt ans durant il mènera un combat homérique pour préserver de la démolition (baptistère Saint-Jean, tour Saint-Porchaire de Poitiers) ou de la dégradation (Saint-Savin, Notre-Dame de Poitiers) les pièces majeures du patrimoine poitevin.

Dans le contexte du XIXe siècle, l'action des défenseurs du patrimoine ne pouvait être efficace qu'à prendre les deux formes spécifiques et complémentaires d'une législation de la protection et d'une discipline de la conservation.

Origine de la législation française des monuments historiques

Quel qu'en soit l'intérêt, je ne peux ici entrer dans le contenu et les particularités des différentes législations nationales[47]. J'évoquerai seulement les travaux qui ont précédé la mise en place de la législation française, longtemps demeurée une référence, d'abord en Europe, puis dans le reste du monde, pour la clarté et pour la rationalité de ses procédures.

La voie avait été ouverte par le Comité d'instruction publique sous la Révolution. Pourtant, le chemin est laborieux qui aboutit à la promulgation en 1887 de la première loi sur les Monuments historiques. Entre 1830, où Guizot créa par décret la charge d'inspecteur des monuments historiques, et 1887 se situe une phase d'expérimentation et de réflexion longue et héroïque : tout le dispositif (centralisé) de protection repose alors sur la foi et le dévouement de quelques hommes qui assistent bénévolement l'inspecteur. Ils ne disposent ni d'instruments spécifiques ni de services spécialisés pour les aider à accomplir la mission dont ils se sont chargés.

Le poste d'inspecteur revint d'abord à Ludovic Vitet. Celui-ci s'en démit en 1834, au profit de Mérimée, après avoir décidé de se consacrer à une carrière de député qui allait lui permettre d'orienter la politique budgétaire de l'État en faveur des monuments. L'inspecteur a pour mission de déterminer, autrement dit, désormais, de « classer » les édifices ayant droit au statut de monument historique. Il est bientôt assisté, dans cette tâche et dans la répartition des crédits d'État[48] alloués à l'entretien et la restauration des bâtiments classés, par la Commission des monuments historiques, créée par circulaire du 10 août 1837. Les membres bénévoles de cette Commission et du Comité de travaux historiques créé en 1830[49] devaient pendant des décennies accomplir avec passion, compétence et régularité un travail discriminatif, à la fois réflexif et pratique, dont ils furent les premiers véritables professionnels. A côté de Victor Hugo, Montalembert, Victor Cousin, le baron Taylor[50] en fut une des figures les plus originales et les plus actives.

Avantages du système : la procédure de classement, investie de l'autorité de l'État, et complètement centralisée sous la dépendance immédiate du ministre de l'Intérieur, devient un formidable instrument de repérage et de contrôle. Le nombre de monuments classés passe de 934 à 3000 entre 1840 et 1849 [51]. Les règles de leur sélection ne sont pas dictées par les critères de l'érudition, mais par les impératifs pragmatiques et économiques d'une politique de conservation et de protection [52]. Elles permettent ainsi une unité d'action inaccessible aux sociétés anglaises, que divisent leurs idéologies et leurs positions doctrinales. Inconvénient du système : la tâche de l'inspecteur est écrasante. En témoigne assez, moins d'un an après sa nomination, le premier *Rapport* de L. Vitet au ministre de l'Intérieur sur « les monuments, les bibliothèques, les archives et les musées des départements de l'Oise, de l'Aisne, de la Marne, du Nord et du Pas-de-Calais ». Les conditions dans lesquelles s'effectuent les voyages d'inspection sont détestables. Dans sa correspondance, Mérimée laisse deviner les répercussions de l'état des routes et de la carence hôtelière sur sa santé [53].

Les travaux incombant à la commission sont tout aussi considérables. En outre, comme l'a bien montré F. Bercé [54], cette centralisation s'accomplit au détriment des sociétés locales d'antiquaires et des sociétés d'archéologie, nouveau-nées [55] sous l'impulsion d'Arcisse de Caumont. Au lieu d'en développer les compétences et d'en stimuler les initiatives dans un travail de collaboration, la structure centrale mise en place par Guizot marginalise ces institutions. Malgré la pénurie de leurs moyens, les hommes de Paris sont jaloux de leur pouvoir. Ils redoutent les intervenants locaux, les cantonnent dans des tâches d'érudition qu'ils voudraient subalternes. Et, au risque d'inconséquence, ils leur reprochent, à l'occasion, de n'être pas engagés dans les circuits pratiques de la conservation et de la restauration des monuments, qu'ils ont contribué à leur fermer. C'est l'inverse de la situation anglaise où les sociétés de protection [56] continuent de prospérer et de s'impliquer directement dans les tâches conservatoires. Exemple : W. Morris crée en 1877 la Society for the protection of ancient buildings. Un an plus tard, il a rassemblé une documentation sur 749 églises intactes. Dernier handicap français, par rapport aux sociétés de protection britanniques, privées et locales, la maigreur des financements étatiques que ne soutient aucun mécénat. L'inspecteur et la Commission sont contraints de sacrifier de nombreux monuments. Ceux qui sont sauvés sont généralement soustraits aux aléas de l'usage vivant et destinés à la même « visite » que les objets de musée.

Une première loi a finalement été promulguée en 1887. Un règlement la complète en 1889. Une forme définitive leur est donnée en 1913, qui constitue aujourd'hui le texte législatif de référence de la loi sur les monuments historiques [57] : c'est la mise en place d'un appareil d'État centralisé, doté d'une puissante infrastructure administrative et technique, le Service des monuments historiques, et d'une grille de procédures juridiques adaptées à l'ensemble des cas prévisibles.

Cette législation confirme la centralisation, l'unité et la cohérence de la politique française de conservation des monuments historiques, qui se voit ensuite dotée de moyens d'action propres. En accord avec la tradition centralisée de la France, elle n'en a pas moins fait figure de modèle dans d'autres pays où le rôle de l'État était moins prépondérant et la décentralisation traditionnelle (Allemagne, Italie). En Angleterre, l'étatisation de l'administration et de la conservation des monuments historiques a été très progressivement et fragmentairement réalisée depuis l'*Ancient monuments protection Act* de 1882 [58].

La loi de 1913 n'allait cependant pas se révéler sans inconvénients : pesanteur de la bureaucratie ; effacement progressif du rôle actif, stimulant et anticonformiste joué par les acteurs bénévoles, remplacés par des fonctionnaires : la Commission des monuments ne conserve plus qu'un pouvoir consultatif et, dans bien des cas, ses avis ne sont pas suivis ; enfin, faiblesse majeure, le vide doctrinal sur lequel repose le cadre administratif, technique et juridique des procédures. En fait foi la définition du monument historique : meuble ou immeuble « dont la conservation présente, au point de vue de l'histoire ou de l'art, un intérêt public [59] ». Elle n'est assortie ni d'une analyse de la notion, ni de critères de discrimination pratique. Cette carence, dont les causes mériteraient d'être cherchées et analysées, est sans doute responsable du retard pris par la France dans ce domaine durant le XXe siècle.

En 1825, Victor Hugo s'indignait du sort précaire auquel étaient abandonnés les monuments français. Et il ajoutait : « Il faut arrêter le marteau qui mutile la face du pays. Une loi *suffirait*. Qu'on la fasse. *Quels que soient les droits de la propriété*, la destruction d'un édifice historique ne doit pas être permise[60]. » Lignes significatives. Chaînon dans la longue durée, elles anticipent les restrictions que le législateur français, héritier de la Révolution de 1789, apportera au droit de propriété des détenteurs privés du patrimoine historique. Mais elles font preuve d'un bel optimisme : même assortie de mesures pénales, une loi ne suffit pas. On le constate aujourd'hui. La préservation des monuments anciens est d'abord une mentalité.

La restauration comme discipline

Vouloir et savoir « classer » des monuments est une chose. Savoir ensuite les conserver physiquement et les restaurer est une autre affaire qui repose sur d'autres connaissances. Elle appelle une pratique spécifique et des praticiens spécialisés, les « architectes des monuments historiques » que le XIXe siècle dut inventer.

Ce fut, en France, l'œuvre de Vitet et de Mérimée. Évoquer, même rapidement, leur aventure particulière, fait apparaître un ensemble de problèmes généraux, encore actuels et qui engagent à leur manière le sens du monument historique. Reprenons l'exemple de la Vienne. Dès sa première tournée, Mérimée fait classer l'église de Saint-Savin. L'édifice, dont la voûte est fissurée, demande des réparations et des consolidations d'urgence. Mérimée n'est pas architecte. A la différence des antiquaires et des historiens d'art, dont il fait cependant partie, sa charge le confronte à des questions pratiques et techniques qui ressortissent à la construction et à l'architecture. Il sert de courroie de transmission entre le savoir des historiens et le savoir-faire des praticiens et se heurte, dans ce rôle, à trois obstacles majeurs.

Le premier est commun à l'ensemble des pays européens, à l'exception relative de l'Angleterre : c'est l'ignorance des architectes, et en particulier des architectes départementaux et communaux, en matière de constructions médiévales [61]. Depuis l'âge classique, l'étude de la construction antique fait partie de la formation des architectes. Mieux, ceux-ci ont activement contribué à l'avancement de l'archéologie gréco-romaine. Dans la foulée des Soufflot et des Le Roy, Hittorf et Garnier, par exemple, ont apporté les preuves de la polychromie de l'architecture antique. En revanche, tout est à apprendre dans le domaine du gothique. La situation de l'architecture romane est encore pire : celle-ci est méprisée et jugée sans valeur non seulement par les praticiens, mais même par des historiens d'art de la stature de Caumont [62].

Mérimée fait exemplairement les frais de cette méconnaissance lors de ses tournées en Poitou. Grâce aux subventions attribuées par l'État en 1835 et 1837, Dulin, architecte du département de la Vienne, a bouché au ciment la fissure longitudinale de la voûte de Saint-Savin, sans s'occuper des fresques dont elle est ornée. « Ce crime, écrit Mérimée à Vitet, est l'œuvre du dernier architecte démissionnaire. Son successeur ne m'inspire aucune confiance. Il a le malheur d'être horriblement bête et très ignorant [63]. » Même déconvenue au baptistère Saint-Jean de Poitiers où les Antiquaires de l'Ouest ont encouragé la destruction de massifs romans au profit d'une reconstitution hasardeuse de l'édifice paléo-chrétien originel [64].

Deuxième obstacle, propre à la France, l'antagonisme entre Paris et la province. La volonté centralisatrice des inspecteurs et de la Commission des monuments historiques leur fait choisir des architectes formés à l'École des beaux-arts de Paris. Ceux-ci se heurtent à l'hostilité, voire à la malveillance locale [65].

Obstacle plus grave enfin, le travail de consolidation et de restauration n'apparaît pas gratifiant aux yeux des praticiens. Il n'est pas prestigieux, ne sollicite pas le « génie créateur » de l'artiste et il n'est pas davantage rémunérateur. E. Labrouste, l'auteur célèbre de la salle de lecture de la Bibliothèque nationale, a été choisi, en raison de sa compétence et de sa culture éclectique, pour restaurer la collégiale de Mantes. Quelques mois plus tard, le clocher de celle-ci s'effondre. On apprend que Labrouste, occupé à des tâches plus glorieuses, avait sous-traité l'affaire à un collègue local [66].

Les inspecteurs ne devaient pas seulement faire preuve de psychologie pour détecter, dans le milieu parisien et mondain des prix de Rome, ou lors de leurs tournées en province, les quelques hommes susceptibles d'investir leur activité professionnelle dans la conservation du passé. Il fallait aussi les former : les initier à l'histoire de l'art et à l'histoire de la construction, alors en gestation, leur faire ériger en méthode la circonspection et l'humilité. Cette pédagogie, Mérimée et Vitet furent contraints de la dispenser eux-mêmes, à défaut d'une institution spécialisée ou, au minimum, d'un cours d'histoire de l'architecture médiévale qu'ils ne parvinrent pas à imposer à l'École des beaux-arts [67].

Au cours du XXe siècle, les études préparatoires à la conservation et à la restauration des monuments historiques ont demandé l'acquisition supplémentaire de nombreux savoirs scientifiques et techniques nouveaux, liés en particulier à la pathologie des matériaux [68]. Mais l'histoire de l'architecture est demeurée tout aussi fondamentale. Elle a représenté, on le verra, un atout majeur en Italie et dans les pays de langue allemande où elle a été souvent intégrée dans l'enseignement des Écoles d'architecture. En France, cet enseignement a toujours manqué à l'École des beaux-arts.

L'intervention sur les monuments historiques de praticiens spécialisés n'exige pas seulement des connaissances positives, historiques, techniques, méthodologiques. Elle engage aussi une doctrine qui peut articuler très différemment ces savoirs et ces savoir-faire en modifiant les objectifs et la nature de l'intervention architecturale. La discipline nouvelle qui s'est constituée à partir des années 1820, la conservation des monuments anciens, est nécessairement solidaire des valeurs et du sens nouveaux alors attribués au monument historique.

Les apories de la restauration : Ruskin ou Viollet-le-Duc

C'est ainsi que le débat sur la restauration qui avait précocement divisé les antiquaires et les architectes anglais à la fin du XVIIIe siècle se trouve enrichi et élargi aux dimensions de la scène européenne. Schématiquement, deux doctrines s'affrontent : l'une, interventionniste, prédomine dans l'ensemble des pays européens, l'autre, anti-interventionniste, est surtout propre à l'Angleterre. Leur antagonisme peut être symbolisé par celui des deux hommes qui les ont respectivement défendues avec le plus de conviction et de talent, Viollet-le-Duc et Ruskin.

En Grande-Bretagne, les termes de la polémique se sont durcis. Du côté des interventionnistes, Wyatt, la bête noire de Carter et Milner, a été remplacé par Gilbert Scott (1811-1878), l'homme à abattre de Ruskin et Morris. Une connaissance de l'architecture médiévale très supérieure à celle de son prédécesseur n'en autorise pas moins Scott à défendre, au nom de la fidélité historique, des positions « correctives ». Il publie en 1850 *Plaidoyer pour la restauration fidèle de nos églises anciennes*[69] après avoir déclaré en 1842 qu'il souhaiterait voir expurger le mot « restauration » du vocabulaire architectural[70]. Il s'offre même le luxe de critiquer la démarche de Viollet-le-Duc dont sa propre doctrine est pourtant une réplique plus radicale, d'ailleurs soutenue par la Société des ecclésiologistes[71]. Cet appui lui a permis d'intervenir sur la plupart des grandes cathédrales anglaises et ses idées ont fait autorité en Grande-Bretagne jusqu'aux années 1890.

De son côté, Ruskin, suivi par Morris, défend un anti-interventionnisme radical, jusqu'alors sans exemple, et qui est la conséquence de sa conception du monument historique. Le travail des générations passées confère aux édifices qu'elles nous ont laissés un caractère sacré. Les marques que le temps a imprimées sur eux font partie de leur essence. Morris développe ce thème selon une argumentation personnelle, laissant ouverte l'hypothèse optimiste d'un *revival* de l'art ancien : le prix des monuments du passé résulte moins de la grande cassure des savoir-faire provoquée par la révolution industrielle que d'une prise de conscience propre au XIXe siècle. Le développement des études historiques a permis à ce siècle de penser, pour la première fois, le caractère unique et irremplaçable de tout événement comme de toute œuvre appartenant au passé [72].

Conclusions : il nous est interdit de toucher aux monuments du passé. « *Nous n'en avons pas le moindre droit*. Ils ne nous appartiennent pas. Ils appartiennent en partie à ceux qui les ont édifiés, en partie à l'ensemble des générations humaines qui nous suivront [73]. » Toute intervention sur ces « reliques [74] » est un sacrilège. La violence des imprécations ruskiniennes contre la restauration éclate dans la deuxième partie de la « Lampe de mémoire », se répercute dans les conférences ultérieures du critique et trouve des échos vibrants dans une partie de la presse anglaise [75]. Au vrai sens du terme, restauration signifie « la destruction la plus totale qu'un bâtiment puisse subir », « la chose est un mensonge absolu ». Le projet restaurateur est absurde. Restaurer est impossible. Autant que redonner la vie à un mort.

Morris, mieux peut-être encore que Ruskin, dénonce l'inanité de la reconstitution ou de la copie. Elles supposeraient qu'on puisse à la fois se réimmerger dans l'esprit des temps où fut construit l'édifice et s'identifier complètement avec l'artiste [76]. Pour Ruskin et Morris, vouloir restaurer un objet ou un bâtiment est porter atteinte à l'authenticité qui en constitue le sens même. Il semble que pour eux le destin de tout monument historique soit la ruine et la désagrégation progressive.

Cependant, on s'aperçoit que cette issue peut, en réalité, être différée, et que les deux champions de l'anti-interventionnisme préconisent l'entretien des monuments et admettent qu'on les consolide, à condition que ce soit de façon invisible [77]. En fait, l'intransigeance avec laquelle ils condamnent la restauration s'explique par leur foi inconditionnelle dans la pérennité de l'architecture en tant qu'art, d'où l'affirmation dogmatique d'une nécessaire « architecture historique », chez Ruskin, et d'un *revival* nécessaire, chez Morris. Pour ce dernier, les monuments anciens font « partie du mobilier de notre vie quotidienne [78] ». Le mot est beau. Il désigne bien la précarité qui les insère dans la grande chaîne temporelle et les situe à l'inverse des objets de musée sur le même plan que les édifices du présent, appelés à jouer le même rôle et à rencontrer le même destin.

Du côté français, la doctrine et la pratique de la restauration sont dominées par la figure de Viollet-le-Duc. A partir de ses écrits sur le sujet et de ses interventions sur les monuments français, il est facile de tirer une image de son œuvre qui l'oppose, point par point, à celle de Ruskin. Depuis près d'un siècle, la contribution de Viollet-le-Duc est généralement réduite à une définition célèbre de son *Dictionnaire* : « Restaurer un édifice, c'est le rétablir dans un état complet qui peut n'avoir jamais existé à un moment donné [79] », et à une conception « idéale » des monuments historiques, qui fondent dans la pratique un interventionnisme militant dont il est devenu convenable de rituellement dénoncer l'arbitraire : façade gothique inventée de la cathédrale de Clermont-Ferrand, flèches ajoutées à Notre-Dame de Paris et à la Sainte-Chapelle, sculptures détruites ou mutilées remplacées par des copies, reconstitutions fantaisistes du château de Pierrefonds, reconstitutions composites des parties supérieures de l'église Saint-Sernin à Toulouse.

Ce portrait charge doit cependant être estompé, ne serait-ce qu'en le replaçant dans le contexte intellectuel de l'époque et en rappelant l'état de dégradation dans lequel se trouvaient alors en France la plupart des monuments incriminés. Il faut aussi se souvenir des textes où Viollet-le-Duc décrit la diversité des édifices religieux du XIIIe siècle, « tous issus du même principe », grande famille dont chaque membre possède cependant « un caractère d'originalité bien tranchée » où l'« on sent la main de l'artiste, on reconnaît son individualité [80] ». On ne doit pas davantage ignorer son intérêt pour l'histoire des techniques et des chantiers, ses méthodes d'enquête *in situ*, le rôle que, l'un des premiers, il attribua aux relevés photographiques, et la façon dont il sut, avant l'heure, déposer les sculptures trop fragiles ou trop menacées des façades. En outre,

L. Grodecki [81] a bien montré que Pierrefonds, dont il ne restait que des fragments ruinés, avait été pour Viollet-le-Duc l'occasion d'un divertissement : « énorme joujou [82] » déploré par Anatole France, il apparaît aujourd'hui comme une anticipation des « Disneylands ».

Il faut surtout s'interroger sur le sens réel des restaurations « agressives » ou « historicisantes » de Viollet-le-Duc. Il faut mettre en évidence les préoccupations qui inspirent ses interventions correctives et que Mérimée était loin de pouvoir imaginer durant les années 1840. La lecture des *Entretiens sur l'architecture* révèle que l'incomparable dessinateur des antiquités romaines, le médiéviste formé par le *Cours d'antiquités* d'Arcisse de Caumont, le fin connaisseur de la Renaissance italienne voua la seconde partie de sa carrière à un pari sur le présent et à la recherche d'une hypothétique architecture moderne. Contrairement aux hypothèses continuistes de Ruskin et de Morris, mais conformément à sa propre approche structurale de l'histoire, cette architecture naîtra pour lui d'une rupture. Elle se présentera sous la forme d'un système inédit dont les monuments anciens, témoins des systèmes historiques périmés, ont pour intérêt essentiel de marquer la place vide. Il est irrémédiablement mort, ce passé que, selon Ruskin et Morris, il nous incombe de conserver vivant. La démarche de Viollet-le-Duc restaurateur s'explique par ce constat de décès.

Viollet-le-Duc a la nostalgie de l'avenir et non celle du passé. Cette obsession explique le durcissement progressif de sa démarche de restauration dont on n'a peut-être pas assez souligné certains archaïsmes, curieusement associés à un esprit d'avant-garde. Ainsi, Viollet faisait siennes les analyses structurales de Caumont et il fut, en outre, l'un des premiers à souligner l'importance des dimensions sociale et économique de l'architecture. Toutefois, la notion de structure le conduisait à retrouver, lorsqu'il entreprenait la restauration réelle d'édifices médiévaux, la même attitude idéaliste qui avait présidé aux « restaurations » des monuments classiques dessinées par les antiquaires et que prolongeaient les « restitutions » de l'École des beaux-arts. En reconstituant un type, il se donne un outil didactique qui restitue à l'objet restauré une valeur historique, mais non son historicité. De même, la brutalité de ses interventions tient souvent au fait que, requis par ses préoccupations didactiques, il tend à oublier la distance constitutive du monument historique. Un édifice ne devient « historique » qu'à condition d'être perçu comme appartenant à la fois à deux mondes, l'un présent et immédiatement donné, l'autre passé et inappropriable. Vitet a consacré à cette nécessaire prise de conscience des lignes dont la vivacité montre qu'elle n'était pas encore, à l'époque, devenue une habitude mentale [83]. Malgré son expérience, Viollet-le-Duc lui-même en apporte souvent la preuve. Ainsi, par exemple, l'avertissement qu'il adresse aux inspecteurs diocésains en 1873 : « Il serait puéril de reproduire [dans une restauration] une disposition éminemment vicieuse. » Un tel jugement de valeur met en question à la fois la notion de monument historique, qui devient une abstraction, et la notion de restauration, qui ne prend plus en compte l'authenticité de l'objet restauré.

La France et l'Angleterre

A côté des positions radicales de Viollet-le-Duc, l'attitude beaucoup plus nuancée de Vitet et de Mérimée, comme de la plupart de leurs contemporains français associés à la défense des monuments historiques, semble proche de celle des Anglais rassemblés autour de Ruskin et de Morris.

Dès sa première tournée dans l'Ouest, Mérimée note au sujet du « temple Saint-Jean » de Poitiers, restauré ou plutôt reconstitué selon la tradition des antiquaires : « J'aurais voulu que, dans la restauration nouvelle, on n'ajoutât rien à ce que le temps nous a laissé, qu'on se bornât à nettoyer et à consolider. Dans quelques endroits, on a recouvert les murs d'un enduit nouveau, et c'est un tort grave, car il importait de conserver religieusement l'apparence ancienne des murailles qui ont été réparées autrefois à différentes reprises [84]. » Réduire au strict minimum l'intervention de l'architecte réparateur a pour lui valeur de principe, chaque fois que l'état du monument le permet. Sans cesse, il le rappelle à Viollet-le-Duc comme à ses autres interlocuteurs. C'est d'ailleurs là aussi le seul moyen de conserver une qualité essentielle des monuments historiques, leur patine. Victor Hugo défend la même position pour les monuments qui, « vieillis ou mutilés, ont reçu du temps ou des hommes une certaine beauté » et auxquels « sous aucun prétexte, il ne faut toucher parce que les effacements dont le temps et les hommes sont les auteurs importent pour l'histoire et quelques fois pour l'art. Les consolider, les empêcher de tomber, c'est tout ce qu'on doit se permettre [85] ». Vitet, lui aussi, préconise un respect qu'il compare à celui exigé par des bijoux de famille. Et, aux Français, il désigne l'exemple anglais : il faudrait envoyer les jeunes architectes en Angleterre, comme on les envoie à Rome, pour apprendre la conservation et la restauration [86].

La parenté de certaines formules ne doit cependant pas tromper. L'accord des Français avec les positions ruskiniennes est limité. Pour les Français, les monuments auxquels « il ne faut pas toucher » sont peu nombreux. Victor Hugo indique bien que la majorité est, au contraire, constituée par la catégorie de « ceux qui ont perdu, loin de gagner, à la vieillesse et aux dégradations [87] ». En effet, en France, un monument historique n'est conçu ni comme une ruine ni comme une relique qui s'adresse à la mémoire affective. Il est d'abord un objet historiquement déterminé et susceptible d'une analyse raisonnée, ensuite seulement objet d'art. Un postulat, impensable pour Ruskin, sous-tend généralement l'approche française : la restauration est l'autre face, obligée, de la conservation ; nécessaire, elle doit et peut être fidèle ; c'est là une question de méthode et de savoir-faire.

Il faut, dit Hugo, que les travaux « soient faits avec soin, avec science et avec intelligence [88] ». Vitet est plus précis : « Il faut se placer à un point de vue exclusif, il faut se dépouiller de toute idée actuelle et oublier le temps où l'on vit pour se faire contemporain du monument qu'on restaure, des artistes qui l'ont construit, des hommes qui l'ont habité. Il faut connaître à fond tous les procédés de l'art, non seulement dans ses principales époques, mais dans telle ou telle période de chaque siècle, *afin de rétablir, s'il le faut, toute une partie d'un édifice sur la vue de simples fragments, non par caprice ou par hypothèse, mais par une sévère et consciencieuse induction*[89]. »

On ne peut mieux refuser de poser le problème de l'authenticité esthétique, conférée à un monument par sa singularité et par son âge, et qui, plus tardivement reconnue, ne coïncide pas avec son authenticité historique et typologique. Peut-on vraiment faire abstraction de son temps ? La méthode inductive de reconstitution est-elle transposable du domaine des sciences naturelles à celui de l'art ? Ces questions ne sont pas abordées. En postulant la possibilité d'une restauration fidèle et d'une copie que sa perfection rende indécelable, les Français érigent en vérité le mensonge dénoncé par Ruskin et Morris et révèlent le privilège qu'ils accordent aux valeurs de la mémoire historique[90] par rapport à celle de la mémoire affective et de l'usage pieux. Dans le même esprit, s'ils critiquent avec pertinence certains réemplois des édifices anciens, les Français tendent, plus volontiers que les Anglais, à favoriser la muséification des monuments historiques. Vitet résume sans arrière-pensées la logique de cette attitude quand il regrette que nos cathédrales continuent de servir au culte car « l'usage est un genre de vandalisme lent, insensible, inaperçu, qui ruine et détériore presque autant qu'une brutale dévastation[91] ».

Cette analyse des attitudes et des comportements qui opposent la France et la Grande-Bretagne en matière de restauration n'a qu'une valeur générale. J'ai cherché à repérer des types idéaux et des tendances. J'ai volontairement négligé les exceptions et les cas limites. Il a existé en Angleterre des rivaux de Viollet-le-Duc, comme l'a d'ailleurs montré l'exemple de G. Scott et de ses partisans ecclésiologistes. De même, en France, Montalembert (peut-être seul) défend une idéologie *revivalist* dans des pages aux accents ruskiniens[92]. Viollet-le-Duc, que Ruskin et Morris n'ont jamais manqué une occasion d'égratigner ou de vilipender[93], a été défendu publiquement, avec subtilité, par certains architectes anglais[94] tandis que Morris était taxé de fétichisme et brocardé sans ménagement par l'éditorialiste du *Builder*[95]. De façon homologue, la lettre adressée d'Alexandrie (18 mars 1851) à l'*Athenaeum* par William Morris a été immédiatement traduite et publiée par la *Revue générale de l'architecture*[96] et les restaurations de Viollet-le-Duc ont été analysées et critiquées sans aménité, dès 1844, par Didron dans ses *Annales archéologiques*, bien avant que ne s'y emploie Anatole France[97].

Il n'en demeure pas moins que la doctrine de Ruskin est née et s'est épanouie en Angleterre, non ailleurs, et que la France, dans la mesure où elle protégeait ses monuments, suivait majoritairement les préceptes de Viollet-le-Duc. Comme Ruskin lui-même l'avait compris[98], le destin de cet antagonisme doctrinal était prévisible. Que pouvaient la thèse sentimentale du laisser vieillir (et périr), et ses attendus complexes sur la consolidation, contre le projet rationalisé et spectaculaire des architectes et des historiens interventionnistes ? L'Europe entière était prête à adhérer aux idées de Viollet-le-Duc. Celles-ci rejoignaient en particulier les aspirations historicistes des restaurateurs formés dans les pays de langue allemande et de l'Europe centrale.

Synthèses

Tout savoir en cours de constitution appelle la critique de ses concepts, de ses démarches et de ses projets. Les disciplines jumelles de la conservation et la restauration des monuments historiques n'y ont pas échappé. Après le travail fondateur de la première génération, vint, à la fin du siècle, une réflexion seconde, critique et complexe.

Au-delà de Ruskin et de Viollet-le-Duc, Camillo Boito

Dès le dernier quart du XIXe siècle, l'hégémonie de la doctrine de Viollet-le-Duc commence à être ébranlée par une démarche plus questionnante, plus nuancée, mieux informée aussi, grâce aux progrès de l'archéologie et de l'histoire de l'art. Cette orientation est passée dans la pratique lentement, de façon anonyme et presque subreptice. Elle fut cependant définie, mise en œuvre et défendue avec éclat par un homme dont l'œuvre anticipatrice est aujourd'hui à peu près ignorée, sauf dans son pays d'origine, l'Italie [99].

Camillo Boito [100] (1835-1914) est un de ces architectes italiens qui, comme Giovannoni à la génération suivante, doivent l'originalité de leur œuvre et de leurs idées à une formation sans égale en France et dans la plupart des autres pays. Ingénieur, architecte et historien d'art, ses compétences lui permettent de se situer à l'articulation de deux mondes devenus étrangers : monde de l'art, passé et actuel, monde de la modernité technicienne.

En Italie, les principes de Viollet-le-Duc avaient, comme ailleurs, inspiré la plupart des grandes restaurations, notamment à Florence, à Venise et à Naples où Ruskin et Morris les avaient directement attaquées. Confronté à ces deux doctrines antagoniques, Boito emprunte le meilleur de chacune pour en tirer, dans ses écrits, une synthèse subtile qu'il n'appliquera d'ailleurs pas toujours dans ses propres restaurations.

C'est à l'occasion de trois congrès d'ingénieurs, réunis à Milan et à Rome entre 1879 et 1886, que Boito fut conduit à formuler un ensemble de directives pour la conservation et la restauration des monuments historiques [101]. Celles-ci ont été intégrées dans la loi italienne de 1909. G. Giovannoni s'y réfère et y adhère sans réserve lorsque, en 1931, il dresse le bilan de « la restauration italienne des monuments en Italie », dans le cadre de la Conférence d'Athènes. Toutefois, la démarche dialectique de Boito ne se révèle nulle part mieux que dans un essai écrit sous forme de dialogue, « Conservare o restaurare », qui parut dans son recueil *Questioni pratiche di belli arti*, en 1893 [102].

L'auteur y donne alternativement la parole à deux praticiens dont l'un défend les idées de Viollet-le-Duc, qu'il invoque et cite littéralement à plusieurs reprises, et l'autre, *alter ego* de Boito, les critique en se servant d'arguments empruntés à Ruskin et Morris (dont les noms ne sont pas mentionnés). Boito construit progressivement sa propre doctrine sur cette opposition.

A Ruskin et Morris, il doit sa conception de la conservation des monuments, fondée sur la notion d'authenticité. On ne doit pas seulement préserver la patine des édifices anciens, mais les additions successives dont les chargea le temps : véritables stratifications, comparables à celles de l'écorce terrestre, que Viollet-le-Duc condamnait sans scrupule. Le respect de l'authenticité doit également faire récuser la conception « paléontologiste », selon laquelle Viollet reconstitue les parties disparues des édifices, et davantage encore la typologie stylistique qui, malgré certaines déclarations contraires, finira par méconnaître le caractère singulier de chaque monument [103].

Mais avec Viollet-le-Duc, contre Ruskin et Morris, Boito soutient la priorité du présent sur le passé et affirme la légitimité de la restauration. Certes, celle-ci n'est qu'un pis-aller. Elle n'a lieu d'être pratiquée qu'*in extremis*, quand tous les autres moyens de sauvegarde (entretien, consolidation, réparations non exposées à la vue) ont échoué. Alors, elle se révèle le nécessaire et indispensable complément d'une conservation dont le projet même ne peut subsister sans elle.

Affirmer la solidarité de deux notions que Ruskin et Morris jugeaient incompatibles et que Viollet-le-Duc tenait pour synonymes, conduit à une conception complexe de la restauration. La plus grande difficulté consiste à savoir d'abord évaluer avec justesse, la nécessité ou l'opportunité de l'intervention, à la localiser, à déterminer sa nature et son importance. Le principe de la restauration une fois admis, celle-ci doit acquérir sa légitimité. Pour cela, il faut et il suffit de la faire reconnaître en tant que telle. Le caractère rapporté, adventice, orthopédique du travail refait doit être ostensiblement marqué. Il ne doit en aucun cas pouvoir passer pour original. L'inauthenticité de la partie restaurée doit pouvoir être immédiatement distinguée des parties originelles de l'édifice, grâce à une mise en scène ingénieuse recourant à des artifices multiples : matériaux différents, de couleur différente de ceux du monument originel, apposition sur les parties restaurées d'inscriptions et de signes symboliques précisant les conditions et les dates des interventions, diffusion, locale et dans la presse, des informations nécessaires, et en particulier de photographies des différentes phases des opérations, conservation à proximité du monument des parties éventuelles auxquelles la restauration s'est substituée [104].

Par ailleurs, Boito ne reconnaît pas seulement que toute intervention architecturale sur un monument est nécessairement datée et marquée par le style, les techniques et les savoir-faire de l'époque où elle est entreprise. Il déplore, en outre, l'identité du traitement appliquée à la diversité des monuments et propose trois types d'interventions selon le style et l'âge des édifices concernés : pour les monuments de l'Antiquité, une restauration *archéologique* qui se préoccupe essentiellement d'exactitude scientifique et, en cas de reconstitution, considère seulement la masse et le volume, laissant en quelque sorte en blanc le traitement des surfaces et de leur ornementation ; pour les monuments gothiques, une restauration *pittoresque* qui fait exclusivement porter son effort sur le squelette (ossature) de l'édifice, abandonnant les chairs (statuaire et décor) à leur délabrement ; enfin, pour les monuments classiques et baroques, une restauration *architecturale* qui prend en compte les édifices dans leur totalité.

Les concepts d'authenticité, de hiérarchie d'interventions, de style restauratif ont permis à Boito de poser les fondements critiques de la restauration comme discipline. Il a énoncé un ensemble de règles qui ont été modulées et affinées à la suite des destructions causées par les conflits armés, depuis la Première Guerre mondiale, et à mesure de l'évolution des techniques constructives, mais qui demeurent valables pour l'essentiel.

Alois Riegl : une contribution majeure

Un travail réflexif plus ambitieux, concernant l'ensemble des attitudes et des conduites liées à la notion de monument historique fut accompli au début du XXe siècle par le grand historien d'art viennois Alois Riegl (1858-1905) [105]. Celui-ci y était préparé par sa triple formation de juriste, de philosophe et d'historien et par l'expérience concrète qu'il avait acquise en tant que conservateur de musée [106].

En 1902, Riegl avait été nommé président de la Commission autrichienne des monuments historiques, et chargé d'ébaucher une nouvelle législation pour la conservation des monuments. Un an plus tard paraissait, en guise d'introduction à ces mesures juridiques, *Der moderne Denkmalkultus* (*Le Culte moderne des monuments* [107]). Ce mince opuscule est un ouvrage fondateur. Il mobilise tout le savoir et l'expérience de l'historien d'art et du conservateur de musée pour entreprendre une analyse critique de la notion de monument historique. Celui-ci n'est pas abordé seulement dans une optique professionnelle, comme celle de Boito. Il est traité comme un objet social et philosophique. L'investigation du ou des sens attribués par la société au monument historique permet seule de fonder une pratique. D'où une double démarche historique et interprétative.

Le premier, Riegl pose sans ambiguïté la distinction que j'ai tenté de développer entre le monument et le monument historique dont, en quelques lignes, il situe l'apparition en Italie, au XVIe siècle. Le premier aussi, il définit le monument historique par les valeurs dont celui-ci a été investi au cours de l'histoire, il en dresse l'inventaire et en établit la nomenclature.

Son analyse est structurée par l'opposition de deux catégories de valeurs. Les unes, dites « de remémoration » (*Erinnerungswerte*), sont liées au passé et font intervenir la mémoire. Les autres, dites de « contemporanéité » (*Gegenwartswerte*), appartiennent au présent.

A cette structure duelle correspond la distinction, que j'ai largement utilisée, entre valeurs pour l'histoire et l'histoire de l'art d'une part et valeurs d'art de l'autre [108]. Mais Riegl ne s'est pas arrêté là. Parmi les valeurs de remémoration, il a, en outre, décrit, et aussitôt inscrit une valeur nouvelle qu'il voit émerger dans la deuxième moitié du XIXe siècle et qu'il nomme « d'ancienneté ». Celle-ci tient à l'âge du monument et aux marques que le temps ne cesse de lui imprimer : ainsi se trouve rappelée à la mémoire, par un sentiment « vaguement esthétique », la transitivité des créations humaines dont le terme est l'inéluctable dégradation qui demeure néanmoins notre seule certitude. A la différence de la valeur historique qui renvoie à un savoir, l'appel de la valeur d'ancienneté est immédiatement perceptible par chacun. Elle peut donc s'adresser à la sensibilité « de tous, être valable pour tous sans exception ». Riegl ne mentionne pas le nom de Ruskin. Il est clair cependant que sa valeur d'ancienneté, qui suscite à l'égard des monuments historiques une « pieuse attention [109] », est très proche de la valeur ruskinienne de piété. Toutefois, leur signification est bien différente : Ruskin milite pour une éthique et cherche à imposer sa conception morale du monument à une société que ses tendances propres entraînent en sens inverse. Riegl part, au contraire, d'un constat. Autre regard sur la société industrielle : historien, non normatif. La valeur d'ancienneté du monument historique n'est pas pour lui un vœu, mais une réalité. L'immédiateté avec laquelle cette valeur se présente à tout un chacun, la facilité avec laquelle elle s'offre à l'appropriation des masses (*Massen*), la séduction facile qu'elle exerce sur celles-ci laissent prévoir qu'elle sera la valeur dominante du monument historique au XXe siècle.

La deuxième catégorie (*Gegenwartswerte*) n'est pas moins riche et différenciée que la première. A côté de la transcendante « valeur d'art », Riegl y place en effet une terrestre valeur « d'usage », tenant aux conditions matérielles d'utilisation pratique des monuments. Consubstantielle au monument sans qualificatif, selon Riegl, cette valeur d'usage est également inhérente à tous les monuments historiques, qu'ils aient conservé leur rôle mémorial originel et leurs fonctions anciennes, ou qu'ils aient reçu des affectations nouvelles, y compris muséographiques. L'absence de valeur d'usage est le critère qui distingue du monument historique *les* ruines archéologiques dont la valeur est essentiellement historique et *la* ruine dont l'ancienneté fait essentiellement le prix. Quant à la valeur d'art, Riegl la décompose en deux genres. La première, qualifiée de « relative », concerne la part de la création artistique ancienne demeurée accessible à la sensibilité moderne [110]. La seconde appelée valeur « de neuf » (*Neuheitswert*) concerne l'apparence fraîche et inentamée des œuvres. Elle « ressortit à une attitude millénaire qui attribue au neuf une incontestable supériorité sur le vieux [...]. Aux yeux de la foule, seul ce qui est neuf et intact est beau [111] ». Cette valeur est d'autant plus intéressante que, malgré l'universalité que lui prête sans doute à juste titre Riegl, elle n'avait jamais été mise en évidence, ni clairement désignée auparavant.

L'analyse de Riegl révèle donc les exigences simultanées et contradictoires des valeurs dont le monument historique a été chargé au fil des siècles. En toute logique, la valeur d'ancienneté, dernière venue, exclut la valeur de nouveauté et menace également la valeur d'usage et la valeur historique. Mais la valeur d'usage contrarie bien souvent la valeur d'art relative et la valeur historique. Ces conflits, esquissés déjà par Boito dans le domaine de la restauration, se manifestent encore dès qu'il s'agit de réemploi et, de façon plus générale, dès le classement des monuments historiques. Riegl montre qu'ils ne sont cependant pas insolubles et relèvent en fait de compromis, négociables dans chaque cas particulier, en fonction de l'état du monument et du contexte social et culturel dans lequel il se présente. L'analyse axiologique de l'historien viennois fonde une conception non dogmatique et relativiste du monument historique, en harmonie avec le relativisme qu'il a introduit dans les études d'histoire de l'art.

Mais *Der moderne Denkmalkultus* n'apporte pas seulement un outil critique à l'administrateur et au restaurateur. En évaluant le poids sémantique du monument historique, il en fait un problème de société, une clé d'un questionnement sur le devenir des sociétés modernes. L'institution d'où il parle interdit à Riegl des formulations trop précises et explicites. Il ne peut, en particulier, affirmer que, dans la société en transition où il vit, la valeur d'ancienneté tend à investir l'espace social qui était traditionnellement occupé par la religion. Tel est pourtant le sens que porte le mot culte dans le titre de son ouvrage.

Pourquoi les faux-semblants esthétiques de la valeur d'ancienneté [112], pourquoi cette ferveur massive et montante autour des monuments anciens ? Pour le lecteur actuel, Riegl [113] semble anticiper, à la même échelle sociétale, mais dans son champ mémorial propre, les analyses de *Malaise dans la civilisation*, le petit livre écrit vingt ans plus tard par son contemporain viennois, Sigmund

Freud. Riegl n'a sans doute pas été lu ainsi à l'époque, ni d'ailleurs plus tard. C'est pourtant, on le verra plus loin, à partir des pistes symptomatiques ouvertes par lui dans le *Moderne Denkmalkultus* qu'on peut chercher aujourd'hui à penser le patrimoine historique.

L'œuvre de Boito et, plus amplement celle de Riegl, montrent qu'à la charnière du XIXe et du XXe siècle la conservation des monuments historiques avait conquis le statut disciplinaire que seule une interrogation sur ses concepts et ses procédures pouvait lui conférer.

Cette approche critique achevait un balisage du champ spatio-temporel des monuments historiques qui, dès la fin des années 1860, présentait, au moins en théorie et virtuellement, presque les mêmes contours qu'aujourd'hui. *L'aire typologique* incluait déjà l'architecture mineure et le tissu urbain. *L'aire chronologique* demeurait bornée, en aval, par la frontière de l'industrialisation. Mais en amont, ses limites étaient constamment repoussées par le travail des archéologues et des paléographes. Les découvertes de Champollion permettaient de donner un état civil et une identité aux monuments de l'Égypte dont l'énigme avait vainement fasciné les antiquaires. C'était ensuite le tour de ceux de la Mésopotamie. Le temple de Jérusalem quittait également le monde de la légende pour celui de la réalité historique, et il en était de même pour les vestiges des civilisations proto-hellènes. *L'aire de diffusion* était devenue mondiale. D'une part, le plus souvent à l'occasion de l'expansion coloniale (Inde, Indochine, Amérique latine), l'archéologie et l'ethnographie occidentales annexaient les monuments de civilisations lointaines qui n'appartenaient pas à l'Antiquité méditerranéenne. D'autre part, le concept de monument historique et son institutionnalisation s'étaient introduits hors du domaine européen ou des territoires soumis à son obédience.

Il ne faut cependant pas exagérer la portée de certaines idées et de certaines expériences anticipatrices, mais ponctuelles, apparues durant la période de consécration du monument historique : elles n'ont pas affecté en profondeur des pratiques conservatoires demeurées sensiblement identiques pendant environ un siècle, entre 1860 et 1960.

En effet, jusque vers les années 1960, la conservation des monuments historiques continue de concerner essentiellement les grands édifices religieux et civils (à l'exclusion de ceux du XIXe siècle). La restauration demeure le plus souvent fidèle aux principes de Viollet-le-Duc à moins que, sous l'influence de certains archéologues, elle ne s'oriente vers une reconstitution, telle que la pratique dessinée des architectes et des antiquaires en avait traditionnellement offert le modèle pour les antiquités classiques. La valeur d'ancienneté ne subjugue pas les foules aussi rapidement que l'avait présumé Riegl. Certes, le grand tour se démocratise en Angleterre. Il s'y crée la première agence touristique, Cook's, qui exploite notamment les sites légendaires de l'Égypte où, en 1907, Pierre Loti [114] se plaint de l'implantation intempestive d'hôtels au voisinage des pyramides, et de l'abondance indiscrète des touristes. Mais tout est relatif et il s'agit de monuments historiques exceptionnels. En Europe, malgré les campagnes nationales menées depuis le début du siècle par des associations privées, comme le Touring Club en France, malgré la création par l'État italien, dans les années 1930, d'un réseau d'exploitation des œuvres de l'art ancien dans un pays qui avait été la terre natale du monument historique, le « tourisme culturel » n'a pas encore reçu son nom ; il demeure le privilège élitiste d'un milieu social limité, aisé et cultivé, rassemblant ceux qui, plus tard, seront appelés « les héritiers [115] ». La mondialisation institutionnelle du monument historique, tant souhaitée par Ruskin et Morris, ne progresse guère. Si, exception remarquable, le concept et la pratique s'introduisent au Japon dès les années 1870, dans le cadre de l'ouverture Meiji aux institutions et aux valeurs de l'Europe [116], ils n'acquièrent droit de cité aux États-Unis qu'après la Deuxième Guerre mondiale, avec la création du National Trust for historic preservation [117].

La première conférence internationale concernant les monuments historiques se tint à Athènes, seulement en 1931. Deux ans avant celle des CIAM qui, sur les mêmes lieux, élabora la célèbre Charte d'Athènes, elle fut l'occasion de soulever la question des relations entre les monuments anciens et la ville, et de développer à ce sujet des idées et des propositions opposées et cependant à bien des égards plus avancées [118] que celles de la Charte. Mais ces conceptions novatrices reçurent une publicité limitée. Elles furent formulées dans les marges du congrès, qui était, en principe, consacré aux problèmes techniques de la conservation et de la restauration et dont les participants étaient tous européens. Quant à l'organisation appelée par les vœux de Ruskin dans son article de 1854 sur le Crystal Palace, elle vit le jour sous une autre forme, exactement cent ans plus tard, le 19 décembre 1954, avec la Convention culturelle européenne du Conseil de l'Europe.

Enfin, la critique et le relativisme de Riegl sont loin de régir les pratiques du patrimoine historique et notamment sa pédagogie, dont ils auraient pu constituer la base.

Dans l'affirmation sereine de ses certitudes intellectuelles et de sa vision de l'histoire universelle comme dans l'ampleur de ses réalisations, la longue période de consécration du monument historique contenait donc seulement en germe les orientations et les interrogations qui caractérisent la période actuelle.

Chapitre V

L'invention du patrimoine urbain

Haussmann, qui eut de son temps autant d'ennemis et aussi divers qu'aujourd'hui, récusait l'accusation de vandalisme que portaient contre lui certains amoureux du vieux Paris : « Mais, bonnes gens, qui, du fond de vos bibliothèques, semblez n'avoir rien vu [de l'état d'insalubrité de l'ancien Paris et de la métamorphose apportée], citez, du moins, un ancien monument digne d'intérêt, un édifice précieux pour l'art, curieux par ses souvenirs, que mon administration ait détruit, ou dont elle se soit occupée, sinon pour le dégager et le mettre en aussi grande valeur, en aussi belle perspective que possible[1]. » Le baron était de bonne foi et on lui doit effectivement la conservation de nombreux édifices qui, comme Saint-Germain-l'Auxerrois, étaient promis à la démolition. En ce sens, ce bourgeois éclairé était bien le contemporain de Mérimée qu'au reste il rencontrait chez l'empereur.

Pourtant, il a détruit, au nom de l'hygiène, de la circulation et même de l'esthétique, des pans entiers du tissu ancien de Paris. Mais, là encore, il était homme de son temps : la majorité de ceux qui, à l'époque, défendaient en France les monuments du passé avec le plus de conviction et d'énergie s'accordaient aussi sur la nécessité d'une modernisation radicale des villes anciennes et de leur tissu. Ainsi, Guilhermy publie en 1855 un *Itinéraire archéologique de Paris* dans lequel il dresse un inventaire minutieux de tous les monuments individuels, qu'il sent menacés par les temps nouveaux, sans aucunement se préoccuper des ensembles et du tissu urbain proprement dit. Théophile Gautier, qui préface la même année le livre de E. Fournier sur le vieux Paris, ne peut s'empêcher de saluer la disparition de ce *Paris démoli* comme un progrès : « Le Paris moderne serait impossible dans le Paris d'autrefois [...]. La civilisation se taille de larges avenues dans le noir dédale des ruelles, des carrefours, des impasses de la vieille ville ; elle abat les maisons comme le pionnier d'Amérique abat les arbres [...]. Les murailles pourries s'effondrent pour laisser surgir de leurs décombres des habitations dignes de l'homme, dans lesquelles la santé descend avec l'air et la pensée sereine avec la lumière du soleil. » Pour Haussmann, comme pour Gautier et pour l'ensemble des bons esprits français de l'époque, la ville n'existe pas en tant qu'objet patrimonial autonome. Les vieux quartiers, il ne les perçoit que comme obstacles à la salubrité, au trafic, à la contemplation des monuments du passé qu'il faut dégager.

Victor Hugo lui-même, le poète du Paris médiéval, qui a cruellement brocardé les percées haussmanniennes et la monotonie des nouvelles avenues de la capitale, ne s'élève jamais dans ses articles ou ses interventions à la Commission des monuments historiques contre la transformation générale du tissu des villes anciennes. Comme son collègue Montalembert, il se borne, le cas échéant, à proposer quelque déviation des voies projetées afin d'épargner, non point la continuité d'un ensemble urbain, mais un monument : « Ainsi à Dinan, dans une petite ville de Bretagne où il ne passe peut-être pas vingt voitures par jour, pour élargir une rue des moins passagères, n'a-t-on pas été détruire la belle façade de l'hospice et de son église, l'un des monuments les plus curieux de ces contrées ? [...] A Dijon, l'église Saint-Jean s'est vue honteusement mutilée : on a élagué son chœur, rien que cela, comme une branche d'arbre inutile, et un mur qui rejoint les deux transepts sépare la nef du pavé des voitures. On n'en agit ainsi qu'avec les monuments publics et surtout religieux : il en serait tout autrement s'il était question d'intérêts privés. Que les maisons voisines embarrassent autant et plus la voie publique, c'est un mal qu'on subit [...]. A Paris, nous approuvons de tout notre cœur les nouvelles rues de la Cité, mais sans admettre la nécessité absolue de détruire ce qui restait des anciennes églises de Saint-Landry et de Saint-Pierre-aux-Bœufs, dont les noms se rattachent aux premiers jours de l'histoire de la capitale ; et si le prolongement de la rue Racine eût porté un peu plus à droite ou à gauche, de manière à ne pas produire une ligne absolument droite de l'Odéon à la rue de La Harpe, il nous semble qu'on eût trouvé une compensation suffisante dans la conservation de la précieuse église de Saint-Côme, qui, bien que souillée par son usage moderne, n'en était pas moins l'unique de sa date et de son style à Paris[2]. »

Balzac résume assez un sentiment implicite en France à son époque lorsqu'il décrit la survivance de Guérande comme un anachronisme et lorsqu'il prévoit que les villes anciennes, condamnées par l'histoire, ne seront conservées que dans « l'iconographie littéraire[3] ». On ne peut nier que la plupart des romantiques français aient été traumatisés par les aménagements des « élargisseurs[4] » et qu'ils aient vu disparaître avec nostalgie des villes anciennes dont ils célébraient le charme et la beauté. En revanche, et c'est pour l'histoire des mentalités le point essentiel, il est certain que, pour eux, il ne s'agissait pas là d'un patrimoine spécifique, susceptible d'être préservé à la manière d'un monument historique.

Pour des raisons tenant à des traditions culturelles profondes, cette attitude devait se maintenir longtemps en France où elle n'a pas encore vraiment disparu. Pourtant, la notion de patrimoine urbain historique, assortie d'un projet conservatoire, est née à l'époque même de Haussmann, mais, on l'a vu, en Grande-Bretagne, sous la plume de Ruskin. Ensuite, elle a connu une évolution et un développement difficiles dont les modalités méritent d'être analysées.

Pourquoi cet écart de quatre cents ans entre l'invention du monument historique et celle de la ville historique ? Pourquoi cette dernière a-t-elle dû attendre si longtemps pour être pensée comme objet de conservation à part entière, et non réductible à la somme de ses monuments ? De nombreux facteurs ont contribué à retarder à la fois l'objectivation et la mise en histoire de l'espace urbain : d'une part, son échelle, sa complexité, la longue durée de la mentalité qui idendifiait la ville à un nom, à une communauté, à une généalogie, à une histoire en quelque sorte personnelle, mais se désintéressait de son espace ; d'autre part, l'absence, avant le début du XIXe siècle, de cadastres et de documents cartographiques fiables[5], la difficulté de découvrir des archives concernant les modes de production et les transformations de l'espace urbain à travers le temps.

Jusqu'au XIXe siècle compris, les monographies érudites qui racontent les villes n'abordent leur espace que par la médiation des monuments, symboles dont l'importance varie selon les auteurs et les siècles. Quant aux études historiques, jusqu'à la deuxième moitié du XXe siècle, elles se sont intéressées à la ville du point de vue de ses institutions juridiques, politiques et religieuses, de ses structures économiques et sociales : l'espace en est le grand absent. Fustel de Coulanges traite de *La Cité antique* (1864) sans jamais évoquer les lieux et les édifices inséparables des institutions juridiques et religieuses en Grèce et à Rome. H. Pirenne n'est guère plus disert dans *Les villes du Moyen Age* (1939), son ouvrage majeur sur les origines économiques du phénomène urbain en Occident. De son côté, l'histoire de l'architecture ignore la ville. Sitte note avec pertinence en 1889 : « Même notre histoire de l'art qui traite des débris les plus insignifiants, n'a pas réservé la moindre place à la construction des villes[6]. » Entre la Deuxième Guerre mondiale et les années 1980, on compte encore les historiens et les historiens d'art qui ont travaillé sur l'espace urbain[7].

Aujourd'hui, on assiste cependant à une floraison de travaux sur la morphologie des villes pré-industrielles[8] et des agglomérations de l'ère industrielle. Ce mouvement a été impulsé par les études urbaines dont il est nécessaire de rappeler le rôle qu'elles ont joué dans la genèse d'une véritable histoire de l'espace urbain.

La conversion de la ville matérielle en objet de savoir historique a été provoquée par la transformation de l'espace urbain consécutive à la révolution industrielle : bouleversement traumatique du milieu traditionnel, émergence d'autres échelles viaires et parcellaires. C'est alors, par effet de différence et, selon le mot de Pugin, par *contraste*, que la ville ancienne devient objet d'investigation. Les premiers à la mettre en perspective historique, et à l'étudier selon les mêmes critères que les formations urbaines contemporaines, sont d'abord les fondateurs (architectes et ingénieurs) de la nouvelle discipline[9] à laquelle Cerda donne le nom d'urbanisme. Le même auteur propose la première histoire générale et structurale de la ville[10].

Mais opposer *les* villes du passé à *la* ville du présent ne signifie pas pour autant vouloir conserver les premières. L'histoire des doctrines de l'urbanisme et de leurs applications concrètes ne se confond nullement avec l'invention du patrimoine urbain historique et de sa protection. Cependant, les deux aventures sont solidaires. Que l'urbanisme s'attache à détruire les ensembles urbains anciens ou qu'il tente de les préserver, c'est bien en devenant un obstacle au libre déploiement de nouvelles modalités d'organisation de l'espace urbain que les formations anciennes ont acquis leur identité conceptuelle. La notion de patrimoine urbain historique s'est constituée à contre-courant du processus d'urbanisation dominant. Elle est l'aboutissement d'une dialectique de l'histoire et de l'historicité qui se joue entre trois figures (ou approches) successives, de la ville ancienne. J'appellerai ces figures respectivement *mémoriale*, *historique* et *historiale*.

La figure mémoriale

La première figure apparaît en Angleterre sous la plume de Ruskin. Dès le début des années 1860, dans le temps même où commencent les « grands travaux de Paris », le poète des *Pierres de Venise* s'insurge et alerte l'opinion contre les interventions qui lèsent la structure des villes anciennes, c'est-à-dire leur tissu. Pour lui, cette texture est l'être de la ville, dont elle fait un objet patrimonial intangible, à protéger sans condition.

Ruskin est conduit à cette prise de position du fait de la valeur et du rôle qu'il attribue à l'architecte domestique, constitutive du tissu urbain. C'est la contiguïté et la continuité de leurs demeures modestes, au bord de leurs canaux et de leurs rues, qui rendent

Venise, Florence, Rouen, Oxford [11], irréductibles à la somme de leurs grands édifices religieux et civils, de leurs palais et de leurs collèges, et fait de ces ensembles urbains des entités spécifiques.

La ville ancienne tout entière semble donc bien jouer, en l'occurrence, le rôle de monument historique. C'est pourtant une illusion que Ruskin lui-même donne les moyens de rectifier par comparaison. En effet, dans les *Sept Lampes*, qui traitent de l'architecture et non de la ville, le monument historique fonctionne *presque comme* un authentique monument intentionnel. D'une part, il joue immédiatement, au présent, un rôle mémorial grâce à la valeur de piété dont il est investi ; mais, d'autre part, subsiste la distance que, depuis la Renaissance, nous avons appris à établir à l'égard des antiquités. « Presque comme » ne s'applique pas au cas de la ville ancienne qui *est* un véritable monument.

Sans parvenir à la formuler explicitement, Ruskin fait une découverte que notre époque n'a pas fini de redécouvrir. A travers les siècles et les civilisations, sans que ceux qui l'édifiaient ou la vivaient en eussent l'intention ou en fussent conscients, la ville a joué le rôle mémorial de monument : objet paradoxalement non élevé à cette fin, et qui, comme tous les anciens villages et tous les établissements collectifs traditionnels du monde, possédait, à un degré plus ou moins contraignant, le double et merveilleux pouvoir d'enraciner ses habitants dans l'espace et dans le temps [12].

Mais cette découverte insigne, Ruskin ne parvient pas à la mettre en perspective historique. Sacrilège pour lui que toucher aux cités de l'ère pré-industrielle : nous devons continuer d'y habiter et de les habiter comme par le passé. Elles sont les garantes de notre identité, personnelle, locale, nationale, humaine. Il refuse de composer avec la transformation de l'espace urbain en cours d'accomplissement, n'admet pas qu'elle soit requise par la transformation de la société occidentale et que cette société technicienne poursuive un projet inscrit dans son passé. En voulant vivre la ville historique au présent, Ruskin l'enferme en fait dans le passé et manque la ville historiale, celle qui est engagée dans le devenir de l'historicité.

Aveuglement ? Moralisme impénitent et passionné, plutôt, qui conduit à d'insolubles difficultés. Malgré lui, il se reconnaît impliqué dans un monde à deux vitesses et deux types de villes. Celles qu'il aime et cite le plus souvent, généralement presque intactes et de dimensions réduites, demeurent propres à l'exercice de la mémoire et de la piété, sans que d'ailleurs soient précisés et distingués les statuts respectifs de ceux qui les habitent et de ceux qui ne font qu'y passer. Les autres, les métropoles du XIXe siècle, avec leurs vastes avenues « imitées des Champs-Élysées », leurs hôtels, leurs immeubles de bureaux et leurs casernes de logements lui apparaissent comme un phénomène qui n'a pas sa place dans les traditions et l'ordre urbains : leur lieu naturel est le nouveau monde sans mémoire, les États-Unis ou l'Australie [13].

A bien des égards, en particulier quand il prévoit la standardisation planétaire de grandes villes, Ruskin révèle une sensibilité de visionnaire. Cependant, la cause qu'il défend, et que défendra avec et après lui William Morris, n'est pas, au sens propre, celle de la conservation de ville et d'ensembles historiques. Tous deux combattent pour la vie et la survie de la ville occidentale préindustrielle.

La figure historique : rôle propédeutique

La deuxième figure trouve une expression privilégiée dans l'œuvre de l'architecte et historien viennois Camillo Sitte (1843-1903). La ville pré-industrielle apparaît alors comme un objet appartenant au passé, et l'historicité du processus d'urbanisation qui transforme la ville contemporaine est assumée dans son ampleur et sa positivité. Cette vision est donc tout à fait opposée à celle de Ruskin, mais aussi à celle de Haussmann : la ville ancienne, périmée par le devenir de la société industrielle, n'en est pas moins reconnue et constituée en une figure *historique* originale qui appelle la réflexion.

En 1889, Sitte développait ces idées dans un ouvrage aussitôt fameux et depuis constamment déformé par des lectures tendancieuses, *Der Städtebau nach seinen künstlerischen Grundsätzen*, traduit en français sous un titre déjà trompeur, *L'Art de construire les villes*[14]. Au nom de la doctrine des CIAM, S. Giedion et Le Corbusier ont fait de Sitte l'incarnation du passéisme le plus rétrograde[15], l'apôtre du chemin des ânes[16], l'ennemi juré de l'urbanisme moderne. Contre la doctrine des CIAM, le *Städtebau* est depuis quinze ans le maître livre dont l'autorité cautionne tous les pastiches et variations diverses sur le thème de la ville retrouvée. Les deux appréciations opposées reposent sur le même contresens qui fait du *Städtebau* un ouvrage dogmatique et passéiste alors qu'il est dédié aux problèmes de la ville présente et future, au regard de laquelle la ville ancienne possède la dignité d'objet historique au sens plein du terme.

Le livre de Sitte a pour origine un constat, limité et précis : la laideur de la ville contemporaine, ou plutôt son absence de qualité esthétique. Il ne s'agit nullement là d'une condamnation générale et morale de la civilisation contemporaine, comme chez Ruskin. Cette critique accompagne, au contraire, une prise de conscience aiguë des dimensions techniques, économiques et sociales de la transformation accomplie par la société industrielle et de la nécessaire transformation spatiale qui l'accompagne. Le progrès technique façonne notre monde : il confère à l'espace urbain bâti une extension et une échelle sans précédent, lui attribue de nouvelles fonctions parmi lesquelles le plaisir esthétique ne semble plus avoir sa place. « Ce sont avant tout les dimensions gigantesques prises par nos grandes villes qui font éclater partout le cadre des formes artistiques anciennes [...] ; l'urbaniste comme l'architecte doit élaborer une échelle d'intervention propre à la ville moderne de plusieurs millions d'habitants [...]. Il faut accepter ces transformations comme des forces données et l'urbaniste devra en tenir compte, comme l'architecte tient compte de la résistance des matériaux et des lois de la statique [...]. Nos ingénieurs ont accompli de vrais miracles [...] pour le bien-être de tous les citoyens [...] [mais] la construction et l'extension des villes sont devenues des questions presque exclusivement techniques[17]. »

Le constat de carence dressé par Sitte n'a pas pour lui d'intérêt en soi. Loin de se réduire à une critique chagrine, il est le tremplin d'un questionnement. Les métropoles contemporaines sont-elles condamnées à cet étiage zéro de la beauté urbaine ? Peut-on concevoir et préparer l'avènement d'un art urbain accordé au devenir de la société industrielle ? Telles sont les interrogations qui déterminent la dynamique du *Städtebau*. Elles passent par une analyse préalable des agencements dont les villes anciennes tiennent leur beauté, qui fait de Sitte le créateur de la morphologie urbaine : à partir du paradigme de la place publique, et à l'aide de plans réalisés par lui-même dans des dizaines de sites et de centres anciens, il décrit et explique comment, depuis la cité antique jusqu'à la ville baroque, des configurations d'espace différentes n'ont cessé d'irradier une beauté que n'offrent jamais les places contemporaines.

Mais l'intérêt de ces analyses n'est pas seulement historique. La ville ancienne peut encore nous donner des leçons (le terme enseignement revient sans cesse dans le *Städtebau*). Contrairement à une démarche souvent prêtée à Sitte, ou justifiée par son autorité, il ne saurait être question de copier ou de reproduire ces configurations qui répondent à des états de société disparus et aujourd'hui dépourvus de sens [18]. La solution de l'antinomie entre présent et passé, historial et historique, est néanmoins possible, à condition de recourir à un traitement rationnel et systématique de l'analyse morphologique : « Nous n'avons d'autre moyen pour combattre l'insidieuse maladie de l'inflexible régularité géométrique que le contrepoison d'une *théorie rationnelle.* C'est l'unique issue qui nous reste pour reconquérir la liberté de conception des maîtres anciens et utiliser — mais avec une pleine conscience — les procédés qui, sans qu'ils en aient été conscients, ont guidé les créateurs aux époques où la pratique artistique était encore une tradition [19]. » Sous la diversité des configurations spatiales, porteuses à chaque époque, antique, médiévale, baroque, d'effets esthétiques propres, on cherchera des règles ou des principes constants à travers le temps. On sait que ces principes [20] (mot clé du *Städtebau*, assorti ou non du qualificatif « artistique » et parfois relayé par « système » [21]) consistent en un ensemble de caractères formels, communs aux différents exemples d'espaces publics anciens présentés par Sitte : clôture, asymétrie, différenciation et articulation des éléments. Ils sont, de par leur intemporalité même, applicables par l'urbanisme du XIXe siècle finissant.

L'étude morphologique des villes anciennes et donc l'histoire formelle de leur espace constituent ainsi pour l'urbaniste un outil heuristique sans équivalent. Les règles d'organisation des pleins et des vides mises en évidence lui ouvrent la voie d'une esthétique urbaine expérimentale. Le rôle pédagogique que cette démarche attribue à l'étude de la ville ancienne et les problèmes qu'elle soulève appellent un rapprochement avec la propédeutique proposée une vingtaine d'années plus tôt par Viollet-le-Duc dans ses *Entretiens sur l'architecture*[22]. En effet, durant la deuxième partie de sa carrière, celui-ci fut, à l'instar de Sitte pour l'art urbain, hanté par la recherche d'une architecture « véritablement contemporaine ». Il dresse un réquisitoire sans pitié contre l'historicisme et l'éclectisme des architectes de son époque, condamne toutes les formes de copie ou d'imitation du passé[23] et n'en assied pas moins sa recherche sur un travail historique. L'analyse rationnelle des grands systèmes architecturaux du passé (grec, romain, roman, gothique...) permet en effet d'y découvrir « ces principes immuables qui restent vrais à travers les siècles [...], [sont] appliqués diversement par les civilisations différentes[24] » et nous aideront à élaborer un nouveau système à partir des conditions historiques nouvelles qui sont les nôtres.

En fait, le rationalisme commun à Viollet-le-Duc et à Sitte participe d'une parenté profonde, mais ignorée par l'ensemble des historiens[25], qui lie les deux auteurs à une génération de distance, et permet de les éclairer l'un par l'autre. L'un pour l'architecture, l'autre pour l'urbanisme en tant qu'art, les *Entretiens sur l'architecture* et le *Städtebau* se proposent identiquement de chercher les voies d'une création contemporaine qui réponde aux demandes originales d'une civilisation sous le coup d'une complète transformation technique, économique et sociale. Les deux ouvrages sont organisés selon la même opposition binaire entre un passé périmé et un présent en gestation, ils pensent et dessinent cette rupture historique avec la même acuité douloureuse et sur le même horizon urbain. Car Viollet-le-Duc ne s'est pas cantonné dans le champ de l'architecture. Dans la mesure même où il ne la dissocie jamais de son contexte mental, social et technique, la ville ne pouvait être étrangère à ses préoccupations. Il l'aborde, lui aussi, selon une perspective morphologique, et l'on trouve même, disséminées dans l'épaisseur des *Entretiens*, une série d'analyses qui, en une vingtaine de pages, évoquent la plupart des thèmes [26] développés dans le *Städtebau* vingt ans plus tard, et rendent d'autant plus fructueuse la confrontation des deux textes.

Avant de revenir au problème urbain, il faut déjà constater que ce rationalisme historique ne va pas sans difficultés théoriques et place les deux auteurs devant une nouvelle antinomie, celle de l'art et de la raison. Tous deux reconnaissent, en effet, que la création artistique relève de ce que, faute d'un terme plus approprié, ils nomment identiquement *instinct* [27]. Son libre déploiement caractérisait un état de société dont le modèle est offert par celui de la cité grecque. C'est cet instinct ou vouloir d'art, étouffé et peut-être perdu par notre société technicienne, auquel l'analyse rationnelle voudrait se substituer. Mais comment la permanente conscience de soi, inhérente à notre époque et à notre civilisation, peut-elle prétendre pallier l'innocence artistique qu'elles ont perdue ? La question est d'autant plus pertinente que les analyses hégéliennes de la belle totalité hellénique ne sont étrangères ni à Viollet-le-Duc, ni à Sitte, et que le dernier s'est fait l'écho des théories de Fiedler sur la spécificité de la création artistique et sur l'impuissance de l'histoire de l'art à lui venir en aide [28].

On ne s'étonnera donc pas que Sitte reconnaisse l'artificialité des aménagements urbains effectués selon les règles et les principes dégagés par l'analyse rationnelle des formes historiques. Il avoue : « Peut-on délibérément imaginer et construire sur le papier des formes que les hasards de l'histoire ont produites au long des siècles ? Pourrait-on jouer véritablement de cette naïveté feinte, de ce naturel artificiel ? Assurément non. Les joies sereines de l'enfance sont refusées à une époque qui ne construit plus spontanément [29]. » Viollet-le-Duc n'est pas moins sensible au caractère aléatoire de la méthode qu'il préconise. Il n'exclut pas complètement l'hypothèse d'une disparition de l'art architectural et ne se fait aucune illusion sur les effets inhibiteurs de la conscience de soi et sur la pesanteur de la mémoire historique dont elle est armée.

Et pourtant, malgré leur lucidité, les deux auteurs refusent d'abandonner tout espoir dans le succès de leur méthode heuristique. Le pessimisme de certains passages ne les empêche pas de laisser ailleurs ses chances à leur démarche rationnelle et de faire comme si elle pouvait laisser passer un supplément d'âme. Ni l'un ni l'autre ne renonce à son projet [30]. Mais, à la différence de Sitte, Viollet-le-Duc s'oriente en direction d'une solution qui l'installe plus solidement dans la grande subversion de l'ère industrielle. Après s'être taillé une voie royale parmi les sédiments de la mémoire historique, presque subrepticement, il s'engage sur la route étroite, escarpée et ardue de l'oubli. La découverte de l'« architecture de l'avenir [31] » passe par ce double cheminement : le rationalisme historique qui met en évidence la succession des systèmes architecturaux, exige ensuite l'oubli de leurs particularités, et peut-être davantage encore. Tel est bien l'itinéraire tracé en pointillé à la fin du « Troisième entretien ». La page étonnante dans laquelle Viollet-le-Duc dresse le lourd bilan des accomplissements de la mémoire historique s'achève par une apologie de l'oubli : « A tous ceux qui nous disent aujourd'hui : "Prenez un art neuf qui soit de notre temps", nous répondons : "Faites que nous oubliions cet amas énorme de savoir et de critique; donnez-nous des institutions tout d'une pièce, des mœurs et des goûts qui ne se rattachent pas au passé [...]. Faites que nous puissions oublier tout ce qui s'est fait avant nous. Alors, nous aurons un art neuf, et nous aurons fait ce qui ne s'est jamais vu; car s'il est difficile à l'homme d'apprendre, il lui est bien plus difficile d'oublier" [32]. » La vérité de ce pessimisme est révélée par une note du « Huitième entretien » sur les Halles centrales élevées par Baltard à Paris. Car c'est bien l'effet faste d'un tel oubli des références reçues, des schémas historiques admis, des démarches théoriques transmises par une tradition séculaire, que Viollet-le-Duc croit entrevoir dans ces Halles dont il oppose la vigoureuse beauté aux fadeurs des productions académiques[33]. Pour Baltard, contraint d'innover sous la pression conjuguée de Napoléon III et de Haussmann[34], il s'agissait seulement d'un oubli contingent et non pas méthodique. Il n'en illustre pas moins le rôle esthétique qui reviendrait à une telle pratique délibérée. La conception d'une telle propédeutique, également applicable à l'urbanisme, marque une étape dans la théorisation des disciplines de l'espace. Articulée à un rationalisme historique, qui en est la condition préalable et nécessaire, elle ne doit pas être confondue avec l'an-historicisme, prôné par les CIAM et les architectes du mouvement moderne. Ceux-ci nient l'utilité de l'histoire des formes et croient en des commencements absolus. La proposition de Viollet-le-Duc conserve à l'historiographie un rôle fondateur, mais démythifié et libéré de tout dogmatisme. Elle permet, en outre, de ne plus dissocier en architecture le problème de la beauté des questions posées par la solidité et la commodité[35].

Quel retentissement ces idées ont-elles eu sur la conception que se faisait Viollet-le-Duc de la ville à venir ? La réponse est sans doute donnée par la rapidité avec laquelle il expédie la matière qui occupe l'ouvrage entier de Sitte : à ses yeux, la mutation encore à venir pour l'architecture a déjà eu lieu pour la ville. Un nouvel espace a été instauré dont l'échelle, incompatible avec celle des ensembles anciens, non seulement interdit leur survie, mais en bannit l'art tel qu'il s'est manifesté au cours de l'histoire urbaine. Viollet-le-Duc n'envisage pas le surgissement d'un art à une autre échelle, tel que l'imaginait à la même époque un autre théoricien de l'oubli esthétique, Emerson[36]. Il ne prévoit pas davantage la conservation des cités anciennes. Il a néanmoins sa place dans ce chapitre. Les *Entretiens* n'aident pas seulement à mieux comprendre l'œuvre de Sitte. D'une part, en poussant à sa limite la notion de ville historique, d'autre part en suggérant une propédeutique de l'oubli, Viollet-le-Duc apportait des matériaux qui ont joué un rôle décisif dans la construction de la troisième figure de la ville ancienne.

Sitte, lui, est demeuré dans l'incertitude. Aucune des places urbaines conçues selon les principes du *Städtedau* ne saurait, à ses yeux, trouver dans la ville moderne mieux que l'hospitalité ponctuelle et précaire convenant à leur statut symbolique de pierres d'attente.

Une seule certitude se dégage du *Städtebau*, elle concerne les villes du passé : leur rôle est déterminé, leur beauté plastique demeure. Conserver les ensembles urbains anciens comme on conserve les objets de musée paraît donc s'inscrire dans la logique des analyses du *Städtebau*. Pourtant, Sitte n'a pas milité pour la préservation des centres anciens. Il n'exprime la préoccupation de « sauver, s'il est encore temps, nos vieilles villes de la destruction qui les menace toujours davantage[37] », qu'à deux reprises, brièvement, dans le cours de son livre qui répond à des préoccupations différentes.

D'autres que lui ont développé la philosophie conservatoire portée par son travail historique et critique, et ont ainsi attribué une fonction muséale à la ville ancienne.

La figure historique : rôle muséal

En tant que figure muséale, la ville ancienne, menacée de disparition, est conçue comme un objet rare, fragile, précieux pour l'art et pour l'histoire et qui, telles les œuvres conservées dans les musées, doit être placée hors circuit de la vie. En devenant historique, elle perd son historicité.

Cette conception de la ville historique avait été préparée par des générations de voyageurs, savants ou esthètes. Les archéologues, qui découvraient les villes mortes de l'Antiquité, comme les auteurs de guides et de *ciceroni*, qui découpaient le monde de l'art européen en tranches urbaines, ont contribué à rendre pensable la muséification de la ville ancienne.

Ce vilain mot ne va d'ailleurs pas sans ambiguïté. La ville en tant qu'entité assimilable à un objet d'art et comparable à une œuvre de musée ne doit pas être confondue avec la ville-musée, contenant des œuvres d'art. La notion de ville d'art[38], née au tournant du siècle, est assez floue pour pouvoir prendre les deux acceptions. Elle est néanmoins le plus souvent caractérisée par la qualité et le nombre [39] des trésors d'art, monuments historiques avec leur décor peint et sculpté, musées et collections, qu'elle renferme, à la manière d'un immense musée à ciel ouvert. De ce fait, on peut considérer comme villes d'art des catégories de villes hétérogènes, capitales et provinciales, géantes et minuscules, débordantes de vie ou endormies, sans que bien souvent la configuration même de ce contenant soit prise en considération.

La ville, le centre ou le quartier urbain muséals, tels que l'analyse de Sitte les désigne à l'attention, s'imposent au contraire en soi, comme totalités singulières, indépendamment de leurs constituants. Paradigme : la grand-place de Bruxelles, arrachée à l'haussmannisation de la ville et préservée grâce à son bourgmestre, Charles Buls [40], admirateur fervent de Sitte. Buls ne se borne pas d'ailleurs à conserver, il restaure la place historique et en reconstitue les parties manquantes. La démarche s'inscrit aux antipodes de la conservation piétale selon Ruskin. L'historicisme de Viollet-le-Duc marque la conservation muséale de la grand-place comme il inspirera celle de nombreuses petites villes médiévales et renaissantes en Allemagne et en Europe centrale.

La métaphore de l'objet muséal demeure cependant approximative. Les villes anciennes ne peuvent être mises sous cloche, comme Viollet-le-Duc prétendait plaisamment que c'était le désir inavoué des habitants de Nuremberg. Car comment peut-on effectivement conserver et mettre hors circuit des fragments urbains, sauf à les priver de leurs usages et éventuellement de leurs habitants? Comment en régler le parcours ou la visite muséale? Le problème commence à se dessiner. Il ne sera posé en termes explicites et juridiques qu'après la Deuxième Guerre mondiale.

Cependant, au cours des premières décennies du XXe siècle, la figure et la conservation muséales acquièrent une dimension nouvelle, ethnologique, à l'occasion de l'expérience coloniale. Lorsque Lyautey, marqué par l'exemple des Anglais en Inde, entreprend l'urbanisation du Maroc, il décide de conserver les créations urbaines, les médinas, de ce pays. A l'opposé de la politique adoptée en Algérie, la modernisation du Maroc respectera les fondations urbaines traditionnelles, et des villes répondant aux nouveaux critères techniques occidentaux seront créées parallèlement. Ce parti traduit la volonté de préserver, avec leur support spatial original, des modes de vie et une vision du monde différents et jugés incompatibles avec l'urbanisation de type occidental. Mais l'appréciation esthétique participe aussi, secondairement, de cette volonté de conservation et peut-être l'intègre-t-elle même dans une prospective du tourisme d'art.

Il n'est donc pas surprenant que, dans un mouvement d'aller et retour, l'expérience ethnologique d'une réalité urbaine autre, exotique, ait été transposée aux cités familières de l'Europe. L'histoire reste à faire de cette conversion du regard, illustrée entre autres par les urbanistes Prost, Forestier et Danger qu'avait formés Lyautey. Après avoir quitté le Maghreb, ils découvraient, d'un œil étranger et dans son étrangeté légitime, l'ancestral continent européen : territoire à aménager à des échelles inédites qui avaient pu être testées en Afrique, mais aussi territoire à protéger. L'armature urbaine pré-industrielle et surtout les petites villes encore presque intactes devenaient les vestiges fragiles et précieux d'un style de vie original, d'une culture en voie de disparition, à protéger sans condition et, à la limite, à mettre en réserve ou à muséifier.

A la même époque, les CIAM refusent la notion de ville historique ou muséale. Exemplaire, le plan Voisin [41] de Le Corbusier (1925) propose de raser le tissu des vieux quartiers de Paris, remplacé par des gratte-ciel standards, et ne conserve que quelques monuments hétérogènes, Notre-Dame de Paris, l'Arc de Triomphe, le Sacré-Cœur et la tour Eiffel : inventaire qui annonce déjà la conception médiatique des monuments signaux. Cette idéologie de la table rase, appliquée au traitement des centres anciens durant les années 1950, n'a officiellement cessé de prévaloir en France qu'avec la création, par André Malraux, de la loi sur les secteurs sauvegardés en 1962 [42]. Modifiée depuis dans sa rédaction et son orientation, cette loi était bien, à l'origine, une mesure d'urgence inspirée par la figure muséale de la ville. Contestés en Europe, les CIAM n'en devaient pas moins poursuivre leur œuvre iconoclaste dans les pays en voie de développement et travailler à la déconstruction de quelques-unes des plus belles médinas du Moyen-Orient, comme Damas et Alep. Leur influence est demeurée forte en Extrême-Orient. On peut notamment lui attribuer la destruction d'une partie de l'ancien Singapour.

La figure historiale

La troisième figure de la ville ancienne se propose la synthèse et le dépassement des deux précédentes. Elle constitue le socle de toute interrogation actuelle, non seulement sur le destin des anciens tissus urbains, mais sur la nature même des établissements que l'on continue aujourd'hui d'appeler villes.

Cette figure est apparue sous une forme à la fois accomplie et anticipatrice dans l'œuvre théorique et dans la pratique de l'Italien G. Giovannoni (1873-1943), qui accorde simultanément une valeur d'usage et une valeur muséale aux ensembles urbains anciens, en les intégrant dans une conception générale de l'aménagement territorial. Le changement d'échelle imposé au cadre bâti par le développement de la technique (« L'urbaniste comme l'architecte doit élaborer une échelle d'intervention propre à la ville moderne de plusieurs millions d'habitants [43] ») a pour corollaire un nouveau mode de conservation des ensembles anciens, pour l'histoire, pour l'art et pour la vie présente. Ce « patrimoine urbain [44] », que Giovannoni est sans doute le premier à désigner systématiquement sous ce terme, acquiert son sens et sa valeur non pas en tant qu'objet autonome d'une discipline propre, mais comme élément et partie d'une doctrine originale de l'urbanisation. L'importance de Giovannoni a été longtemps occultée pour des raisons de passions politiques et idéologiques [45]. Lui rendre sa place légitime sur l'échiquier de l'histoire est d'autant plus nécessaire.

Dès le premier article de 1913 dont il conserva le titre, « Vecchie città ed edilizia nuova », pour son grand livre de 1931, Giovannoni adopte une attitude prospective. Il mesure le rôle novateur des nouvelles techniques de transport et de communication et prévoit leur perfectionnement croissant. Un recul de quelques décennies lui permet de penser désormais en termes de « réseaux » (*rete*) et d'infrastructures la mutation des échelles urbaines dont Viollet-le-Duc et Sitte avaient fait le pivot de leur réflexion. L'urbanisme cesse de s'appliquer à des entités urbaines et circonscrites dans l'espace, pour devenir territorial. Il doit satisfaire la vocation à se mouvoir et à communiquer par tous les moyens, qui caractérise la société à l'ère industrielle, devenue l'ère de « la communication généralisée ». La ville du présent, et plus encore celle de l'avenir, seront en mouvement.

Devant ces « organismes cinétiques [46] », Giovannoni pose avec lucidité la question qu'esquivent ou occultent encore aujourd'hui tant d'aménageurs, d'élus et de politiciens : les temps de la ville dense et centralisée ne sont-ils pas achevés et celle-ci ne s'efface-t-elle pas au profit d'un autre mode d'agrégation ? N'est-il pas déjà possible d'imaginer « la fin du grand développement urbain » et même une véritable « anti-urbanisation [47] »? (Le terme se transformera plus tard en *désurbanisation*.) Quasiment le premier, il perçoit l'éclatement et la désintégration de la ville, au profit d'une urbanisation généralisée et diffuse. Avec cinquante ans d'avance, il voit s'ouvrir l'ère que Melvin Webber a appelée « post-urbaine [48] ».

La question est posée avec d'autant plus de pertinence et d'acuité que Giovannoni fonde son raisonnement sur la dualité essentielle des comportements humains dont Cerda faisait le moteur de l'urbanisation : « L'homme repose, l'homme se meut [49]. » Les circuits de la communication généralisée n'offrent pas de havre pour le repos. Les humains ont cependant toujours besoin de s'arrêter, de se rencontrer, d'habiter. « La vie d'habitation » doit pouvoir conserver sa place parallèlement à « la vie de mouvement [50] ». Mais les progrès de la technique rendent possible une nouvelle figure de la traditionnelle relation entre mouvance et stabilité. Sur les grands réseaux, notamment de transport, qui structurent l'espace territorial, peuvent désormais être branchées et articulées de petites unités spatiales, noyaux de séjour.

L'« anti-urbanisation » prend donc la forme d'un aménagement

Le théâtre de Marcellus à Rome vers 1880 : depuis le Moyen Age obturé et occupé ensemble par des familles patriciennes et des artisans.

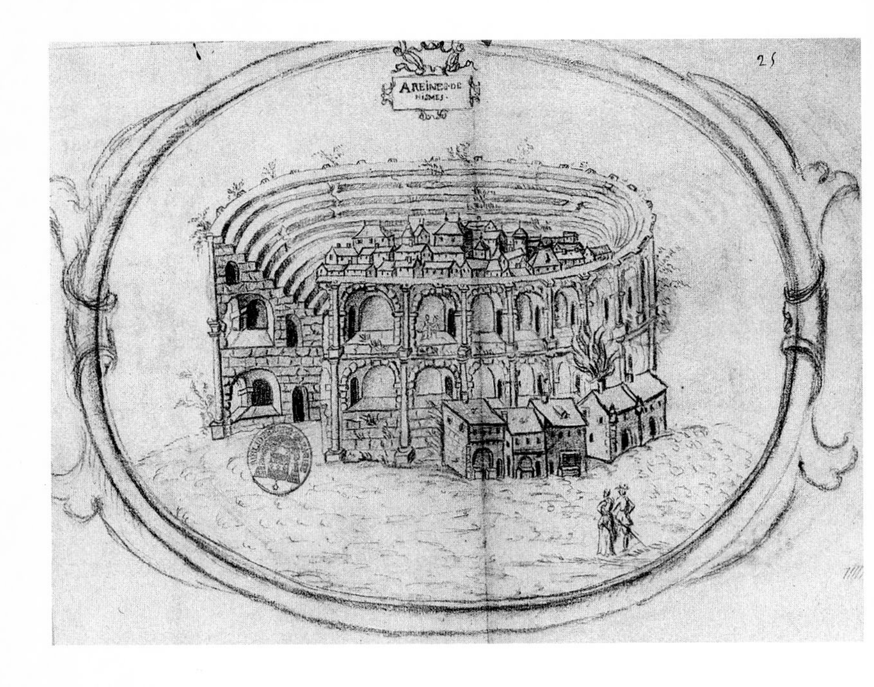

« L'homme du Moyen Age ne considère jamais le passé comme mort, c'est pourquoi il parvient si mal à le penser comme connaissance » (Ph. Ariès). Il investit sans scrupule les grands monuments antiques, telles les arènes de Nîmes dégagées seulement au milieu du XIXe siècle.

En revanche, J. Pineton dans son ode de 1560 à P. d'Albenas :

> « Souvent je me vois esbatre
> Pour édenter mon soucy
> Au pompeux amphithéâtre
> [...]
> La belle ville, je dis
> Non pas celle qui est vus
> Mais celle qui fut jadis,
> Dont les reliques encores,
> Le tours et les vieux fragmens
> Des murailles magnifiques
> De la grandeur des antiques
> Donnent certains argumens. »

Les tours défensives, élevées depuis le XIe siècle par les Romains, n'épargnent pas les monuments antiques, tel l'arc de Septime Sévère gravé par Du Pérac en 1575.

Saint-Pierre de Rome : vue simultanée de la basilique constantinienne en cours de démolition et du nouveau sanctuaire en construction, par Marten van Heemskerck entre 1534 et 1536.

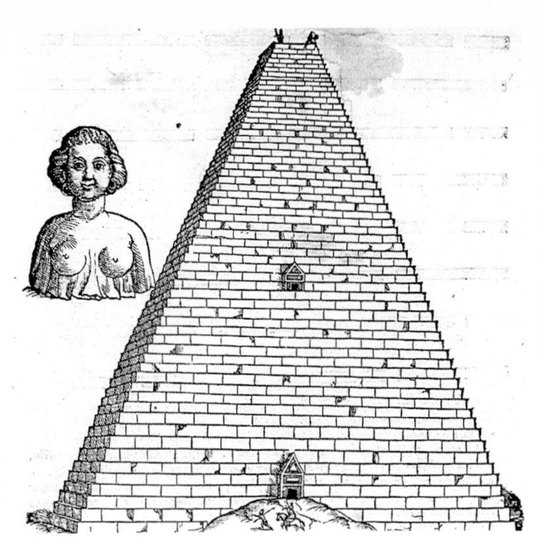

Dans son livre d'Antiquités dédié à François Ier (1540), Serlio donne des « merveilleusissimes constructions des Égyptiens » deux images, du Sphinx (à gauche) et de la « pyramide à sept milles du Caire », qui ont nourri l'imagination des antiquaires et des architectes jusqu'au XVIIIe siècle.

« Il est au milieu de la ville. On y entre par un cabaret à qui cet édifice sert de jardin », indique Claude Perrault qui lors de son *Voyage à Bordeaux* a décrit et relevé les plans du « palais de Tutele », grandiose monument romain, rasé en 1677 sur ordre de Louis XIV, pour agrandir le Château Trompette.

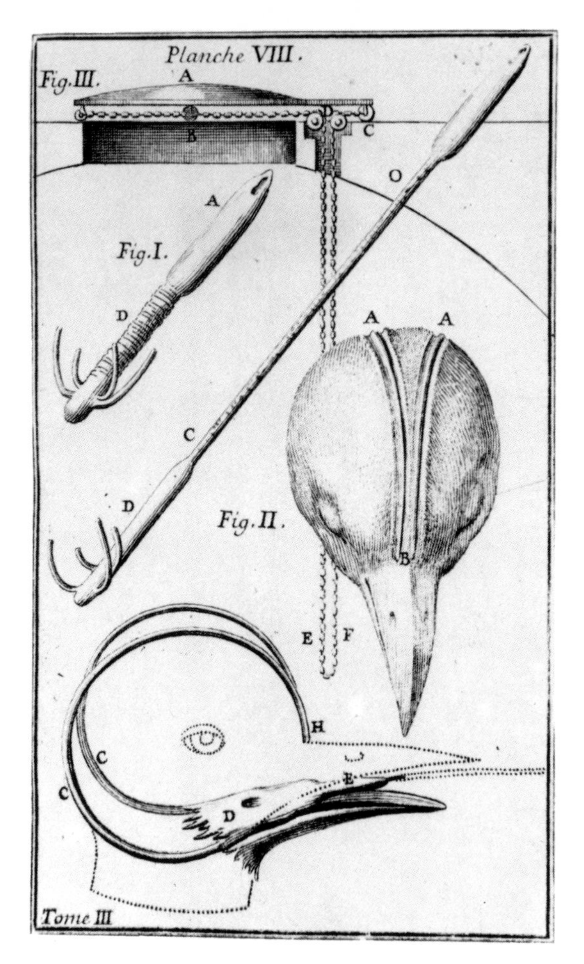

Étude de la langue du pivert, planche tirée des *Essais de physique ou recueil de plusieurs traitez touchant les choses naturelles*, Paris, J. B. Coignard, 1688, par Claude Perrault : l'étude morphologique des monuments et celle des animaux ont cheminé de pair, parfois menées par les mêmes savants.

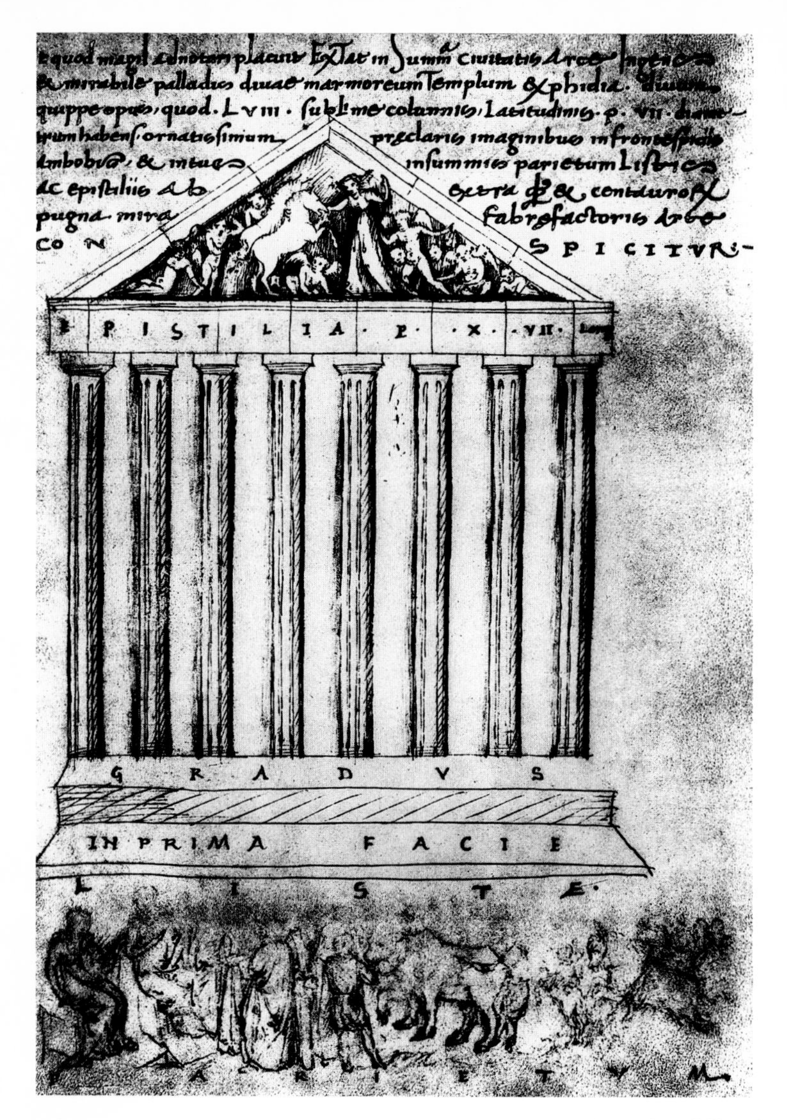

Il a fallu plus de trois siècles pour obtenir des voyageurs une représentation réaliste du Parthénon. Copie anonyme de la première image de ce temple par Ciriaco d'Ancona (1444), qui s'inspire des auteurs anciens et non de son expérience.

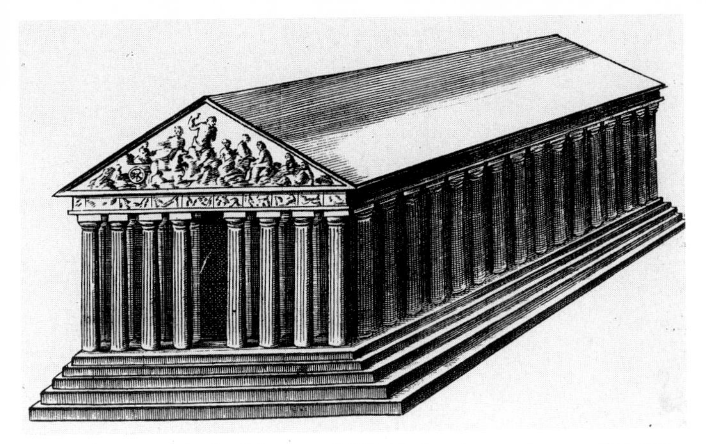

Jacob Spon visite le Parthénon en 1676. Il n'en transmet pas moins une image abstraite et symbolique qui sera reproduite par la plupart des recueils d'Antiquités, y compris celui de Montfaucon.

Avec sa deuxième édition des *Plus Beaux Monuments de la Grèce* (1770), Julien David Le Roy intègre l'image du Parthénon dans une conception historique et scientifique de l'architecture.

Les relevés de J. Stuart et N. Revett sont menés plus scientifiquement, mais dans un esprit moins moderne que ceux de Le Roy. Leurs vues de l'Acropole paraissent dans le tome 2 des *Antiquities of Athens* (1789).

La reconstitution du Parthénon par Stuart et Revett trahit leur objectif : une typologie intemporelle des ordres grecs comme modèles pour le néo-classicisme.

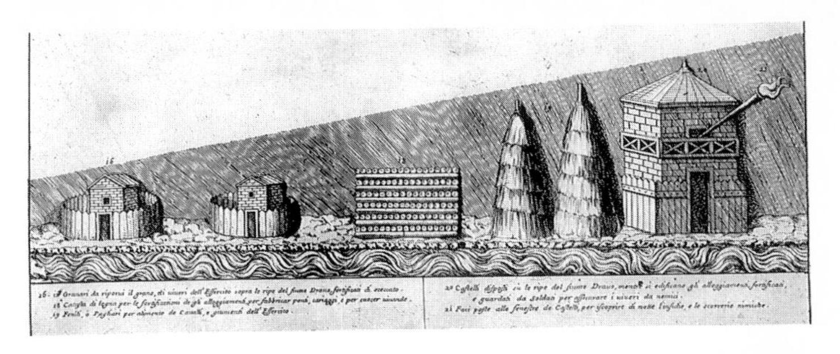

Les 123 gravures de la colonne Trajane, dédiées par P. S. Bartoli à Louis XIV en 1673, constituaient un document exceptionnel sur la vie des Romains et, selon Winckelmann, une « initiation à l'antique ».

« M. Viollet-le-Duc se rendra à Vézelay et lèvera la place de l'église de la Madeleine. Il examinera l'état de l'édifice et fera le devis des réparations nécessaires. Il devra distinguer les plus urgentes de celles qu'on peut ajourner sans inconvénient » (Mérimée, 1839). Façade occidentale en 1840.

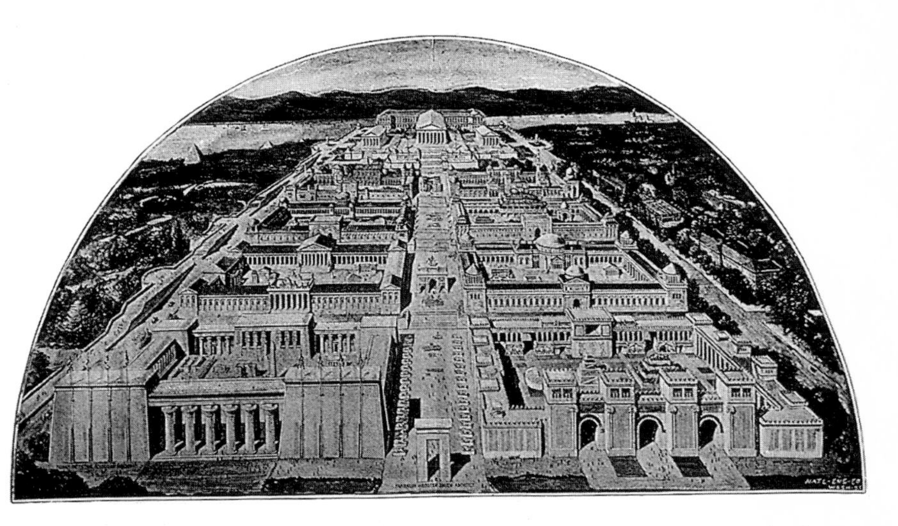

En 1900, un architecte américain, F. Webster Smith, soumet au Congrès un projet de Musée national d'art et histoire, reproduisant en grandeur nature un ensemble de monuments des principales civilisations antiques. L'intérêt de cette « Acropole moderne » tenait à ce que « la science moderne peut reconstruire les monuments et les édifices anciens avec une exactitude de détails beaucoup plus impressionnante et instructive que les musées européens qui exposent dans des vitrines des objets hétéroclites et souvent même des fragments ».

Portail central de l'église de Saint-Ayoul (XIIe siècle) à Provins, avant sa restauration.

« La restauration (…) se fonde sur le respect de la substance ancienne et de documents authentiques » (*Charte de Venise*, art. 9) : le même après recomposition du tympan.

Les halles de Reims (inaugurées en 1928), classées pour leur structure parabolique en voile mince de béton due à Freyssinet. L'état de dégradation du béton et la médiocrité extérieure de l'édifice permettent de s'interroger sur la pertinence de ce classement.

Inaugurée en 1914, classée en 1975, la halle des Abattoirs de la Mouche, chef-d'œuvre de Tony Garnier, abrite désormais un centre d'échanges et de spectacles (concert Berlioz sur notre photo).

« Telle est l'emprise proposée par le "Plan Voisin" de Paris. Tels sont les quartiers qu'on a projeté de détruire, tels sont ceux qu'on a projeté d'édifier à leur place » (Le Corbusier, *Œuvres complètes*, 1914-1929, Zurich, Girsberger, p. 110).

Maquette d'un projet de rénovation d'Albi selon les mêmes principes, proposé par la Direction de l'Équipement au service technique de la ville (1965).

Les abords (reconstruits) de la basilique de Saint-Denis : « Les sites monumentaux doivent faire l'objet de soins spéciaux afin de sauvegarder leur intégrité... » (*Charte de Venise*, art. 14).

duel[51], à (au moins) deux échelles, complémentaires et également fondamentales : selon la métaphore expressive de *Vecchie Città* d'un côté « la salle des machines, au mouvement fébrile, vertigineux et bruyant », de l'autre, les « salons et les espaces domestiques[52] ». D'entrée de jeu, Giovannoni dépasse l'urbanisme unidimensionnel dans lequel Le Corbusier s'est enfermé sans avoir compris que sa « ville radieuse » est une non-ville[53]. Mais il échappe aussi à la modélisation des désurbanistes pour qui, de Soria y Mata[54] à Milioutine et aux Soviétiques des années 1930[55], les espaces d'habitation et de loisirs entretiennent une relation de subordination et d'inclusion, mais non de complémentarité à l'endroit des réseaux qui accomplissent la suppression de la différence entre la ville et la campagne.

Pour Giovannoni, la société de communication multipolaire, cette société qui n'est encore à l'époque ni informatisée, ni médiatique, ni « de loisirs », cette société qui ne peut cependant fonctionner à la seule échelle territoriale et réticulée, appelle donc la création d'unités de vie quotidienne sans antécédents. Les centres, les quartiers, les ensembles d'îlots anciens peuvent répondre à cette fonction. Sous forme d'isolats, de fragments, de noyaux, ils peuvent retrouver une actualité que leur déniaient Viollet-le-Duc et Sitte : leur échelle même les désigne comme aptes à remplir la fonction de cette nouvelle entité spatiale. A condition d'être convenablement traités, c'est-à-dire à condition qu'on n'y implante pas d'activités incompatibles avec leur morphologie, ces tissus urbains anciens voient même leur valeur d'usage assortie de deux privilèges : ils sont, comme les monuments historiques, porteurs de valeurs d'art et d'histoire et, comme dans la démarche historiographique de Viollet-le-Duc et de Sitte, mais directement et *in concreto*, ils peuvent servir de catalyseurs pour l'invention de nouvelles configurations spatiales. Aussi jouent-ils, dans l'*edilizia nuova* de Giovannoni, un rôle que ni Viollet-le-Duc malgré sa théorie de l'oubli et sa découverte de la rupture de l'échelle urbaine traditionnelle, ni Sitte malgré la finesse de ses analyses morphologiques, ne pouvaient leur accorder. Et c'est à ce titre qu'ils ont pu être intégrés dans une doctrine sophistiquée[56] de la conservation du patrimoine urbain.

La relation originale que Giovannoni a pensée entre aménagement du territoire et patrimoine urbain est redevable à deux particularités du contexte italien. Tout anticipatrice qu'elle soit, sa vision « anti-urbanistique » s'inscrit dans une tradition lombarde, fondée à la fin du XVIIIe siècle par Cattaneo [57], dans le sillage du physiocratisme français ; dès cette époque, en s'appuyant à la fois sur des considérations démographiques et sur la solidité de l'armature urbaine italienne, Cattaneo préconisait un équilibre des activités urbaines et rurales reposant sur leur étroite association et sur le contrôle de la croissance urbaine dans une conception territoriale de l'économie.

En outre, une formation professionnelle qu'il contribuera plus tard à généraliser en Italie, en fondant en 1920 la Scuola superiore d'architettura de Rome, a simultanément ouvert à Giovannoni les champs habituellement dissociés de la science appliquée, de l'art et de l'histoire. Viollet-le-Duc le notait déjà : « Les Italiens ont le bon esprit de ne pas séparer en deux classes leurs architectes : les restaurateurs de monuments et les constructeurs d'édifices appropriés aux besoins nouveaux [58]. » Giovannoni n'est pas seulement un architecte et un restaurateur, disciple et continuateur de Boito, il n'est pas seulement un historien de l'art [59] dont Rome fut un des objets d'étude favoris, mais comme Boito il est aussi ingénieur et, à la différence de ce dernier, urbaniste.

Cette triple formation [60] se lit dans les articles qu'entre 1898 et 1947 il a consacrés simultanément à ses trois champs de compétence [61]. Elle explique aussi comment Giovannoni a su dépasser la conception unidimensionnelle de Viollet-le-Duc au profit d'une conception duelle de la mutation imposée à l'espace urbain par l'ère industrielle, et comment il a pu alors tirer des analyses morphologiques de Sitte une leçon de conservation et ne jamais cesser de traiter la ville « comme un organisme esthétique [62] ».

« Une ville historique constitue en soi un monument [63] », mais elle est en même temps un tissu vivant : tel est le double postulat qui permet la synthèse des figures piétale et muséale de la conservation urbaine et sur lequel Giovannoni fonde une doctrine de la conservation et de la restauration du patrimoine urbain. On peut la résumer en trois grands principes. D'abord, tout fragment urbain ancien doit être intégré dans un plan d'aménagement (*piano regolatore*) local, régional et territorial qui symbolise précisément sa relation avec la vie présente. En ce sens, sa valeur d'usage est légitimée à la fois techniquement par un travail d'articulation [64] avec les grands réseaux primaires d'aménagement, et humainement « par le maintien du caractère social de la population ».

Ensuite, le concept de monument historique ne saurait désigner un édifice singulier indépendamment du contexte bâti dans lequel il s'insère. La nature même de l'urbain, son *ambiente* [65] résulte de cette dialectique de « l'architecture majeure » et de ses abords. C'est pourquoi isoler ou « dégager » un monument revient, la plupart du temps, à le mutiler. Les abords du monument sont avec lui dans une relation essentielle.

Enfin, ces deux premières conditions remplies, les ensembles urbains anciens appellent des procédures de préservation et de restauration analogues à celles définies pour les monuments par Boito. Transposées aux dimensions du fragment ou du noyau urbain, elles ont pour objectif essentiel d'en respecter l'échelle et la morphologie, de préserver les rapports originels qui en ont lié parcelles et voies de cheminement. « On ne saurait exclure les travaux de recomposition, de réintégration, de dégagement [66]. » Une marge d'intervention est donc admise que limite le respect de l'*ambiente*, cet esprit (historique) des lieux, matérialisé dans des configurations spatiales. Deviennent ainsi licites, recommandables ou même nécessaires, la reconstitution, à condition de n'être point trompeuse, et surtout certaines destructions. Giovannoni utilise la belle métaphore du *diridamento* [67], qui évoque l'éclaircissage d'une forêt ou d'un semis trop denses, pour désigner les opérations servant à éliminer toutes les constructions parasites, adventices, superfétatoires : « La réhabilitation des quartiers anciens s'obtient davantage de l'intérieur que de l'extérieur des îlots, en particulier, en rétablissant maisons et îlots dans des conditions aussi proches des conditions originelles que possible, car l'habitation a son ordre, sa logique, son hygiène et sa dignité propres [68]. »

Mais Giovannoni n'était pas seulement un théoricien. Ses idées étaient la raison d'être d'une pratique[69]. Toutefois, elles eurent beau passer dans la *Carta italiana del restauro* (1931), elles ne s'en heurtèrent pas moins à une résistance due autant à leur caractère précurseur qu'à la façon dont elles contrecarraient l'idéologie d'un régime avide de grands travaux spectaculaires. C'est pourquoi il faut porter à l'actif de Giovannoni son œuvre d'opposant, le bilan de toutes les destructions qu'il est parvenu à empêcher à travers l'Italie. Et, s'il a joué un rôle important dans le dégagement de la Rome antique et des forums impériaux, c'est en préparant et en organisant avec minutie les phases et le détail de l'opération, et en faisant exécuter un relevé complet du quartier médiéval dont cette résurrection archéologique avait exigé le sacrifice.

Quant à son œuvre positive, par-delà ses nombreux plans régulateurs qui ne furent généralement pas appliqués, elle peut être symbolisée par la réhabilitation, achevée en 1936, d'une illustre petite cité de l'Italie du Nord, Bergamo alta[70]. Giovannoni conçut sa liaison avec la ville basse, promise au développement industriel, la débarrassa de ses verrues et, pour le mieux-vivre de ses habitants, la fit renaître dans la gloire de ses places et de ses monuments publics, dans la sinueuse complexité de ses rues et de ses passages qui pénètrent jusqu'au cœur secret des îlots, dans la continuité serrée, contrastante et heureuse de ses demeures modestes et de ses palais.

Pratiquement seul parmi les théoriciens de l'urbanisme du XXe siècle, Giovannoni a placé au centre de ses préoccupations la dimension esthétique de l'établissement humain. A l'échelle des réseaux d'aménagement, qui n'est pas notre propos, il développe avec optimisme les prémisses posées par Viollet-le-Duc. En revanche, à l'échelle des quartiers, il a su articuler la propédeutique de l'oubli à une conception critique et conditionnelle de la préservation des ensembles urbains anciens dans la dynamique du développement.

Ce patrimoine est alors doté d'un double statut, dont Giovannoni a découvert l'antinomie chez Viollet-le-Duc et chez Sitte, et il est chargé d'un double rôle que ni Sitte ni Viollet ne voulaient et ne pouvaient lui attribuer. Davantage, ce patrimoine urbain, support fragmenté et fragmentaire d'une dialectique de l'histoire et de l'historicité, se voit traiter selon les approches complexes de Riegl et de Boito, pour qui chaque objet patrimonial est un champ de forces opposées entre lesquelles il faut créer un état d'équilibre, singulier à chaque fois. Et, dans la gestion de cette dynamique conflictuelle, Giovannoni reconnaît et aménage à la dimension sociale de la valeur d'actualité la place que Ruskin et Morris lui avaient désignée, sans parvenir à s'installer dans l'historicité : l'habitant et son habiter sont installés au point focal d'où irradie la prospective de *Vecchie Città ed Edilizia nuova*.

La théorie de Giovannoni anticipe, avec plus de souplesse et de complexité, les diverses politiques de « secteurs sauvegardés » qui ont été mises au point et appliquées en Europe depuis 1960. Elle en contient aussi en germe les paradoxes et les difficultés.

Chapitre VI

Le patrimoine historique à l'âge de l'industrie culturelle

Monument et ville historique, patrimoine architectural et urbain : ces notions et leurs figures successives dispensent un éclairage privilégié sur la façon dont les sociétés occidentales ont assumé leur relation avec la temporalité et construit leur identité.

Au XVe siècle, l'émergence du monument historique, sous la désignation d'antiquités, illustre le déploiement du projet humaniste. Face aux édifices et aux objets que l'usage quotidien a transformés en milieu ambiant, familier, toujours déjà présent, les antiquités jouent le rôle d'un miroir réfléchissant. Miroir qui crée un effet de distance, d'éloignement, ménage un intervalle où se logera le temps référentiel de l'histoire. Miroir qui renvoie aussi à la société humaniste une image inconnue, à définir, de soi comme altérité. La découverte des antiquités est aussi celle de l'art comme activité autonome, déliée de sa traditionnelle allégeance à la religion chrétienne. Expérience irréductible, mais acquise chèrement, comme conscience de soi, elle est à l'origine d'un art qui va se constituer en se réfléchissant et en se pensant à la fois comme devenir et comme histoire. Sous le nom d'antiquités, le monument historique est un des opérateurs qui ont provoqué la grande fracture de l'art occidental et l'avènement de l'architecture, théorisée et référencée, que Paul Frankl a nommée *post-médiévale* pour en désigner la différence et l'unité.

Ensuite, la construction iconique et textuelle du corpus des antiquités, classiques ainsi que nationales, permet aux sociétés occidentales de poursuivre leur double travail originel : construction du temps historique et construction d'une image de soi progressivement enrichie par des données généalogiques. Surtout, on l'a vu, les études consacrées aux antiquités sont inscrites dans le grand courant qui a dévalorisé le témoignage de la parole et de l'écrit au profit de celui de la vision et de la représentation iconique. Les édifices du passé ont contribué à l'étude systématique des formes plastiques, de leur développement et de leur classement. Les recherches des antiquaires ont accompagné celles des naturalistes et participé avec elles à la création d'une civilisation de l'image : instrument d'analyse du monde et support de la mémoire.

Au XIXe siècle, on l'a vu également, la consécration institutionnelle du monument historique dote celui-ci d'un statut temporel différent. D'une part, il acquiert l'intensité d'une *présence* concrète. D'autre part, il est installé dans un *passé* définitif et irrévocable, construit par le double travail de l'historiographie et de la (prise de) conscience (historiale) des mutations imposées par la révolution industrielle aux savoir-faire des humains. Reliques d'un monde perdu, englouti par le temps et par la technique, les édifices de l'ère pré-industrielle deviennent, selon le mot de Riegl, l'objet d'un culte. Enfin, ils sont investis d'un rôle mémorial imprécis et pour eux nouveau, analogue, en sourdine, à celui du monument originel. Sur le sol déstabilisé d'une société en cours d'industrialisation, ils semblent rappeler à ses membres la gloire d'un génie menacé.

De culte en industrie

Le terme, chargé de sens et d'ambiguïté, lancé par Riegl, a conservé sa pertinence. Mais l'objet, les formes et la nature du culte se sont transformés : d'abord sous l'effet d'une expansion généralisée de ses aires de diffusion, de son corpus et de son public ; puis récemment par son association avec l'industrie culturelle.

A l'origine privé, le culte du monument historique n'est pas devenu religion œcuménique du patrimoine bâti, par la conversion individuelle et progressive de ses fidèles. Sa transformation a été préparée, on l'a vu au chapitre IV, avec l'avènement d'une gestion par l'État, dont la France a offert à l'Europe le modèle juridique, administratif et technique. Mais la métamorphose quantitative subie par le culte patrimonial depuis les années 1960 résulte plus directement d'un ensemble de processus solidaires qui, en France, ont confirmé la politique culturelle de l'État et, ailleurs, ont souvent hâté sa mise en place.

La mondialisation des valeurs et des références occidentales a contribué à l'*expansion œcuménique* des pratiques patrimoniales. Cette expansion peut être symbolisée par la Convention concernant la protection du patrimoine mondial culturel et naturel, adoptée en 1972 par la Conférence générale de l'Unesco. Ce texte calquait sur le concept de monument historique celui du patrimoine culturel universel : monuments, ensembles bâtis, sites archéologiques ou aménagés présentant « une valeur universelle exceptionnelle du point de vue de l'histoire de l'art ou de la science [1] ». Était ainsi proclamée l'universalité du système occidental de pensée et de valeurs en la matière. Pour les pays prêts à reconnaître sa validité, la Convention créait un ensemble d'obligations concernant « l'identification, la protection, la conservation, la mise en valeur et la transmission aux générations futures du patrimoine culturel ». Mais surtout, elle fondait une appartenance commune, une solidarité planétaire — « il incombe à la collectivité internationale tout entière de participer à la protection de [ce] patrimoine » — qui comporte la prise en charge des plus démunis par la communauté. La notion plus restrictive de patrimoine universel *exceptionnel* permet d'établir, par un jeu de critères complexes, une liste commune de biens considérés comme patrimoine mondial, relevant d'un « système de coopération et d'assistance internationales » aux plans « financier, artistique, scientifique et technique ». On connaît les sauvetages remarquables ainsi accomplis à Abou Simbel ou à Borobudur, moins ceux dont la ville de Mohenjo-Daro sur l'Indus ou la mosquée de Divrik en Anatolie ont fait l'objet.

Ce processus, planétaire, de conversion à la religion patrimoniale ne se déroule cependant pas sans difficultés, de natures parfois opposées. J'ai le souvenir d'un ami maghrébin qui s'indignait de voir attribuer une valeur d'art et d'histoire à des monuments dont la signification devait, à ses yeux, être exclusivement religieuse. De même, la réhabilitation de la ville de Fez, à laquelle il travaillait dans le cadre d'une assistance internationale, n'avait pour lui d'autre finalité admissible que des retrouvailles avec une identité urbaine et une vision du monde. Ce type de réaction individuelle contre l'ingérence de la communauté internationale demeure répandue hors d'Europe. Inversement, à l'échelle des États, le nombre de monuments inscrits sur la liste du patrimoine mondial tend à passer pour un indice de prestige international et devient un objet d'émulation, sans que les critères de sélection des biens patrimoniaux soient toujours bien interprétés par les intéressés. La Convention adoptée en 1972, et ratifiée ou acceptée en 1975 par vingt et un pays répartis sur les cinq continents, compte en 1991 cent douze pays signataires [2].

Les découvertes de l'archéologie et l'affinement du projet mémoriel des sciences humaines ont déterminé l'*expansion du champ chronologique* dans lequel s'inscrivent les monuments historiques. Les frontières de leur domaine ont, en particulier, franchi en aval les bornes réputées infranchissables de l'ère industrielle, et se déplacent vers un passé sans cesse plus proche du présent. Ainsi, les produits techniques de l'industrie ont acquis les mêmes privilèges et les mêmes droits à la conservation que les chefs-d'œuvre de l'art architectural et les patients accomplissements des artisanats.

Parallèlement, s'impose une *expansion typologique* du patrimoine historique : un monde d'édifices modestes, ni mémoriaux ni prestigieux, reconnus et valorisés par des disciplines nouvelles comme l'ethnologie rurale et urbaine, l'histoire des techniques, l'archéologie médiévale, ont été intégrés dans le corpus patrimonial. Néanmoins, l'apport le plus considérable de nouveaux types est dû à la traversée du mur de l'industrialisation et à l'annexion par la pratique conservatoire de bâtiments de la deuxième moitié du XIXe siècle et du XXe siècle relevant, en partie ou en totalité, de techniques constructives nouvelles : immeubles d'habitation, grands magasins, banques, ouvrages d'art, mais aussi usines, entrepôts, hangars, laissés pour compte du progrès technique ou des changements structurels de l'économie, grandes coquilles vides que la marée industrielle a abandonnées à la périphérie des villes et jusqu'en leurs centres. En outre, le souci de conserver le patrimoine architectural et industriel du XXe siècle (jusqu'aux dernières décennies comprises), souvent menacé de démolition à cause de son mauvais état, engendre aujourd'hui un *complexe de Noé* qui tend à mettre à l'abri de l'arche patrimoniale l'ensemble exhaustif des nouveaux types constructifs apparus au cours de cette période. Deux exemples français, ceux des halles de Reims et des pavillons de Le Corbusier à Lège, peuvent illustrer les difficultés de cette démarche [3].

Enfin, le *grand projet de démocratisation du savoir*, hérité des Lumières et réanimé par la volonté moderne d'éradiquer les différences et les privilèges dans la jouissance des valeurs intellectuelles et artistiques, joint au *développement de la société de loisir* et de son corrélatif, le *tourisme culturel* dit de masse, sont à l'origine de l'*expansion la plus significative peut-être, celle du public* des monuments historiques : aux petites chapelles d'initiés, de connaisseurs et d'érudits a succédé une église mondiale, une audience « millionnaire », comme il se dit des agglomérations qu'on chiffre en millions d'habitants.

L'État français devait, le premier, exploiter cette conjoncture pour désormais promouvoir et contrôler, avec toutes les ressources de son autorité et de ses pouvoirs, les rites d'un culte officiel du patrimoine historique, devenu partie intégrante du culte de la culture. Ce mot, souvenons-nous-en, demeurait encore, au lendemain de la Deuxième Guerre, d'un usage discret dans la langue française, qui préférait l'intégrer dans des syntagmes (culture des lettres, culture générale) plutôt que l'utiliser au sens philosophique, défini puis souvent exploité à des fins politiques par la pensée allemande [4] : Valéry lui a toujours préféré « civilisation [5] ». Le mot « culture » se répand à partir des années soixante. Symbole de sa fortune, la création d'un ministère des Affaires culturelles, qui devient bientôt « de la Culture », et dont le modèle ne tarde pas à être adopté par la plupart des pays européens et à franchir les mers. Malraux invente les maisons de la Culture tandis que

« culture » se diversifie : cultures minoritaires, culture populaire, culture du pauvre, culture de l'ordinaire...

Jusqu'au moment où les problèmes posés par la diffusion du culte de la « culture » précipitent un changement sémantique. Les musées le consacrent, avant les monuments. La culture perd son caractère d'accomplissement personnel, elle devient entreprise et bientôt industrie. S'il fallait, jeu arbitraire mais qui fixe les idées, dater le « décollement » de cette industrie en France et son cautionnement par l'État, on pourrait prendre comme repère symbolique deux inaugurations. D'abord, en 1987, au grand jour officiel, celle du musée d'Orsay dont l'organigramme montre que sa vocation est désormais la production prioritaire et systématique de services et de communication ; puis, en janvier 1988, dans la pénombre du marché de l'art, celle du premier Salon international des musées et des expositions [6].

A leur tour, les monuments et le patrimoine historiques acquièrent un double statut. Œuvres dispensatrices de savoir et de plaisir, mises à la disposition de tous ; mais aussi produits culturels, fabriqués, emballés et diffusés en vue de leur consommation [7]. La métamorphose de leur valeur d'usage en valeur économique est réalisée grâce à l'« ingéniérie culturelle », vaste entreprise publique et privée au service de laquelle œuvre un peuple d'animateurs, communicationnistes, agents de développement, ingénieurs, médiateurs culturels [8]. Leur tâche consiste à exploiter les monuments par tous les moyens afin d'en multiplier indéfiniment les visiteurs.

La mise en valeur

Sésame du dispositif : *la mise en valeur*. Locution clé, dont on voudrait qu'elle résume le statut du patrimoine historique bâti, elle ne doit pas dissimuler qu'aujourd'hui, comme hier, malgré les législations protectrices, la destruction continue et opiniâtre des édifices et des ensembles anciens se poursuit à travers le monde, sous prétexte de modernisation, de restauration aussi, ou sous la contrainte de pressions politiques, souvent imparables. La force vive des associations de défense des monuments, dont la Grande-Bretagne créa le modèle à la fin du XVIIIe siècle, se mobilise dans tous les pays. Mais aujourd'hui, en France, la surface urbanisée des villes antérieure à la Révolution française ne représente plus que 3,5 % du parc bâti[9].

Cette locution clé, qu'on voudrait rassurante, est en réalité inquiétante par son ambiguïté. Elle renvoie aux valeurs du patrimoine, qu'il s'agit de faire reconnaître. Elle contient aussi la notion de plus-value. Plus-value d'intérêt, d'agrément, de beauté, certes. Mais aussi plus-value d'attractivité, dont il est inutile de souligner les connotations économiques.

L'ambivalence de l'expression « mise en valeur » désigne un fait inédit dans la longue histoire des pratiques patrimoniales : dualité de deux éthiques et de deux styles de conservation.

Une tendance, placée sous le signe du respect, poursuit, avec les moyens nouveaux offerts par la science et la technique, l'œuvre des grands novateurs du XIXe et du XXe siècle, sans que celle-ci constitue pour autant une référence explicite ou même connue : qui, en France, parmi les praticiens de la restauration et de la conservation urbaine, connaît les noms de Boito et de Giovannoni ? L'autre tendance, placée sous le signe de la rentabilité et d'un vain prestige, désormais dominante, développe, trop souvent avec l'appui des États et des collectivités publiques, des pratiques déjà condamnées au XIXe siècle, avant que ne les stigmatise la Charte de Venise, et invente de nouvelles modalités de mise en valeur.

Autrement dit, le champ patrimonial, en France et dans le monde entier, est aujourd'hui le théâtre d'un combat inégal et douteux, dans lequel, toutefois, le pouvoir des individus reste grand et où la détermination d'un maire, d'un inspecteur des Monuments historiques, d'un architecte, d'un urbaniste ou d'un administrateur du patrimoine peuvent encore changer le destin d'un monument ou d'une ville ancienne.

Cette situation conflictuelle m'a incitée à mettre l'accent sur l'esprit et sur les pratiques de la tendance dominante, soutenue par l'industrie patrimoniale et par l'évolution de l'économie urbaine. Le patient travail poursuivi par tous ceux, praticiens, fonctionnaires, propriétaires et simples citoyens, qui se dévouent pour le respect du patrimoine historique, n'apparaîtra qu'en abyme, pour mémoire et pour référence, afin de faire mesurer l'ambiguïté entretenue aujourd'hui autour de la notion de patrimoine.

Parmi les multiples opérations destinées à mettre le monument historique en valeur, et à le transformer éventuellement en produit économique, j'évoquerai, simples jalons concrets de mon propos, quelques-unes de celles qui ont l'incidence la plus directe sur les édifices et sur leur approche par le public. De la restauration à la réutilisation, en passant par la mise en scène et l'animation, la mise en valeur du patrimoine historique présente des formes multiples, aux contours imprécis, qui souvent se confondent ou s'associent.

Conservation et restauration : ce sont là les fondements de toute mise en valeur. Depuis un demi-siècle, malgré les pollutions atmosphériques, la chimie, la biochimie et la biologie ont donné une actualité nouvelle aux thèses de Ruskin, en permettant d'agir de façon non traumatique sur la « santé » des monuments. En outre, on a pu croire acquis le principe de conservation des additions anciennes apportées aux monuments et aux quartiers historiques, et la technique du *diradamento*[10] de Giovannoni, qui trouve aujourd'hui un auxiliaire précieux dans les études de morphologie urbaine. On pouvait estimer définitive la condamnation des reconstitutions. On pensait universellement reconnues les règles de restauration formulées par Boito, en particulier celle qui exige de signaler visiblement toute intervention moderne, et dont on trouve à travers le monde des applications magistrales comme, par exemple, au Mexique, sur le site restauré de Teotihuacan, où le spectateur est subjugué par le jeu puissant des volumes architecturaux, sans être abusé par l'état initial des ruines. Tous ces principes, règles et préceptes, dûment argumentés et affinés depuis un siècle, semblaient ne plus devoir être mis en question. Illusion.

Reconstitutions « historiques » ou fantaisistes, destructions arbitraires, restaurations qui ne disent pas leur nom sont devenues des modes de valorisation courants. Je ne multiplierai pas les exemples. Au Canada, le centre du vieux Québec, qui figure sur la liste du patrimoine mondial, est issu d'un vaste projet à finalité nationaliste et touristique, lancé en 1960, qui a conduit à détruire un ensemble d'immeubles anciens pour les reconstruire sans base scientifique, dans le style de l'architecture française du XVIIIe siècle. En Allemagne, la pratique légitime de la reconstruction à l'identique de villes détruites pendant la guerre, alliée au goût traditionnel des reconstitutions historiques, a pu conduire par contagion à la démolition partielle de certains centres anciens (Weiden en Bavière, Linz sur le Rhin), au profit de reconstitutions « idéales [11] » que n'aurait pas imaginées Viollet-le-Duc. En France, également, la restauration inventive a trouvé un nouveau souffle. A Provins, on a ajouté aux remparts des mâchicoulis qui n'existèrent jamais et on a recomposé le vénérable tympan de Saint-Ayoul, afin de le rendre plus aimable. A Lyon, les maîtres maçons new-yorkais de Saint-John-the-Divine sculptent une nouvelle jeunesse aux gargouilles gothiques de la cathédrale Saint-Jean : procédure à ne pas confondre avec la technique, mise au point depuis des décennies, qui consiste à déposer et mettre à l'abri les sculptures trop endommagées de certains monuments et à les remplacer, en particulier dans les cas où, comme à Reims, la sculpture est partie intégrante de l'architecture, par des fac-similés [12].

Mise en scène : Viollet-le-Duc et Sitte s'accordaient à y voir le fondement de l'art urbain. En l'occurrence, il s'agit de présenter le monument comme un spectacle, de le donner à voir de la façon la plus flatteuse. Les années 1930 ont inventé l'éclairage nocturne, qui n'a, depuis, cessé de se perfectionner. Trouant l'épaisseur de la nuit, le monument, telle l'apparition d'une divinité en gloire, semble rayonner l'éternité. La lumière artificielle fait à l'ombre une part royale, pour en délivrer des figures sans rides, des formes jamais perçues, des topographies inconnues. Artifice dont le défaut, non négligeable, est de supprimer la pesanteur de l'architecture, il en révèle une autre dimension, poétique ou transcendante. Car c'est bien à une révélation, à la longue monotone, que s'apparente aujourd'hui, à travers le monde, l'illumination rituelle, à heures, jours ou dates fixes, du Parthénon, de Saint-Pierre de Rome, du château de Prague, de Sainte-Sophie, du Taj Mahal ou de tant d'autres édifices, fameux ou inconnus. L'intervention de la fée électricité à l'intérieur des monuments n'est, en revanche, pas nécessairement bénéfique. Certes, elle peut permettre de contempler à toute heure, comme jamais, des fresques ou des tableaux auxquels l'histoire de l'art a accordé une existence et une valeur propres, indépendantes de celle de l'édifice qu'elles étaient destinées à magnifier. Mais que dire, par exemple, de l'équipement électrique dont a été dotée la cathédrale de Bourges : en exposant ce monument immédiatement et impudiquement tel qu'en lui-même il ne devait jamais être vu, l'opération anéantit le dispositif et la disposition qui l'ancraient dans la durée.

Participe aussi à une mise en scène le son, institutionnellement associé à la lumière dans les bien-nommés « Spectacles de son et lumière ». Mais, le son, musique et discours, opère sur le spectateur, non sur le monument. C'est le public qu'il met en condition et qu'il s'agit effectivement de dis-traire et de di-vertir (du monument). Quelle musique, quel commentaire ? Les meilleurs et les pires. Il n'importe guère du moment qu'on y reconnaît des phénomènes accessoires, des mécanismes d'ambiance, analogues à ceux que mettent en œuvre les grandes structures commerciales. La lumière, seule, peut donner aux édifices une opacité insoupçonnée. Le son tend à les réduire à la minceur de l'insignifiant.

Animation : où et comment commence-t-elle ? Généralement de l'intérieur de l'édifice qu'elle se propose d'arracher à sa propre inertie afin de le rendre mieux et plus facilement consommable, tenant pour insuffisante l'appropriation personnelle. Sa méthode est la médiation : faciliter l'accès aux œuvres par des intermédiaires, humains ou non. Une hiérarchie complexe mène de la médiation par effets spéciaux aux commentaires audiovisuels, en passant par la reconstitution de scènes historiques imaginaires à l'aide d'acteurs, de mannequins, de marionnettes ou d'automates divers.

Ainsi, il devient de plus en plus malaisé pour le visiteur d'éviter ces interférences et de pouvoir dialoguer avec les monuments sans interprètes [13]. Le commentaire et l'illustration anecdotique, ou plus exactement le bavardage sur les œuvres, cultivent la passivité du public, le dissuadent de regarder ou de déchiffrer avec ses propres yeux, laissant fuir le sens dans la passoire des mots creux. Ce sont là des formes démagogiques, paternalistes et condescendantes de la communication. Pourtant, la transmission d'un savoir historique relève par excellence de la mise en valeur du patrimoine. Au siècle dernier, Boito [14] a formulé les règles d'une présentation scientifique et silencieuse des monuments, qui, au prix d'un effort d'attention du public, l'introduisaient à une connaissance personnelle, directe et active des œuvres. Des techniques nouvelles permettent aujourd'hui des formes de présentation graphique (notices, schémas, plans) claires et séduisantes, dont l'usage se généralise mais dont il est regrettable qu'elles soient trop souvent neutralisées par le « bruit » de l'animation.

Poussée à ses limites, l'animation devient l'exact inverse de la mise en scène du monument qu'elle transforme en théâtre ou en scène. L'édifice entre en concurrence avec un spectacle ou un « événement » qui lui est imposé, dans son autonomie. Expositions, concerts, opéras, représentations dramatiques, défilés de modes sont associés à un patrimoine qui les valorise et qu'ils peuvent, à leur tour, à l'issue de cette étrange relation antagonique, magnifier encore, déprécier ou réduire à néant.

Modernisation : procédure nouvelle, qui moque plus ouvertement le respect dû au patrimoine historique, elle met en jeu le même déplacement d'attention et le même transfert de valeurs par l'insertion du présent dans le passé, mais sous la forme d'un objet construit et non d'un spectacle. Moderniser n'est pas alors donner l'aspect du neuf, mais ficher dans le corps des vieux bâtiments un implant régénérateur. De cette symbiose imposée, il est escompté que l'intérêt suscité par l'œuvre du présent se répercute sur l'œuvre ancienne et amorce ainsi une dialectique. Calcul aux risques considérables, une fois encore. Un cas simple et typique est celui des pans de verre qui, dans les grands monuments français, remplacent trop souvent les anciennes portes pleines au mépris de leur fonction architecturale. Le traitement architectural actuel des musées [15] offre une illustration exemplaire de cette forme de valorisation et de ses dangers. L'intérêt des visiteurs est attiré d'abord sur le réceptacle [16], tel le mastaba hollywoodien qui empêche de regarder et de voir la collection des impressionnistes français anciennement exposés au musée du Jeu de Paume. Heureusement, il existe encore des musées tout neufs dont les constructeurs [17] ont été guidés par le seul respect des œuvres rassemblées. Comme il existe toujours des monuments inaltérés par les opérations médiatiques. Répétons-le, je décris une tendance.

On peut multiplier les exemples négatifs de modernisation du patrimoine, qui, pour se limiter à la France, vont de l'incongru (aménagement de l'intérieur du palais de justice à Poitiers) au dévastateur, en passant par le dérisoire (billetterie du château de Chambord). Ne sont même pas épargnés les édifices qui n'ont d'autre fonction que muséale, d'autre usage que celui de monuments historiques, ainsi « déshistoricisés [18] ».

Conversion en espèces : dénominateur commun de toutes les modalités de la mise en valeur, elle va de la location des monuments à leur utilisation comme support publicitaire en les associant à la vente de produits de consommation courante. Tout monument a maintenant pour complément sa boutique, héritière des comptoirs de livres et de cartes postales du XIXe siècle, qui débite souvenirs divers, vêtements, objets domestiques ou produits alimentaires [19].

Livraison : proportionnelle au nombre des visiteurs, au revenu des entrées et des consommations complémentaires, la rentabilisation du patrimoine passe, toujours davantage, par une accessibilité facile. Le monument doit être livré à pied d'œuvre, au plus près de caravansérails qui trop souvent dénaturent les sites, au plus près de véhicules, privés ou collectifs, qui exigent l'aménagement de parcs de stationnement et de leurs compléments : d'où la nécessité d'emprises foncières considérables dont le traitement est, à ce jour, aussi mal maîtrisé en milieu urbain qu'en milieu rural.

Intégration dans la vie contemporaine

Consistant à réintroduire un monument désaffecté dans le circuit des usages vivants, à l'arracher à un destin muséal, le *réemploi* est sans doute la forme la plus paradoxale, audacieuse et difficile de la mise en valeur patrimoniale. Comme le montrèrent et le répétèrent successivement Riegl et Giovannoni, le monument est ainsi soustrait aux risques de la désaffection pour être exposé à l'usure et aux usurpations de l'usage : lui attribuer une destination nouvelle est une opération difficile et complexe, qui ne doit pas se fonder seulement sur une homologie avec la destination originelle. Elle doit, avant tout, tenir compte de l'état matériel de l'édifice qui, aujourd'hui, demande à être apprécié au regard du flux de ses utilisateurs potentiels.

Patrimoine industriel : l'expansion du champ chronologique de notre héritage historique soulève un problème inédit, celui du patrimoine industriel, qui d'ailleurs, malgré son nom, échappe généralement à l'emprise de l'industrie culturelle. Si j'évoque les conditions de son réemploi en premier, c'est afin de montrer que, malgré leur dénomination commune, ce patrimoine ne peut et ne doit être confondu, comme il est souvent d'usage, avec le patrimoine de l'ère pré-industrielle, qui ressortit à des valeurs et des enjeux autres.

L'héritage industriel désaffecté pose deux types de questions, de nature et d'échelle différentes. D'une part, les bâtiments individuels, souvent de construction solide, sobre et d'entretien facile, sont aisément adaptables aux normes d'utilisation actuelles, et se prêtent à des usages, publics et privés, multiples. En Europe comme aux États-Unis, on ne compte plus les usines, ateliers, entrepôts transformés en immeubles d'habitation, en écoles, en théâtres ou même en musées. La grande halle des abattoirs de la Mouche [20], à la magnifique structure métallique, construite à Lyon en 1918 par Tony Garnier, est devenue un centre d'échanges et de spectacles vivant et attrayant, tel qu'auraient pu l'être les Halles de Baltard.

Cette reconversion de bâtiments, dont certains appartiennent à l'histoire de la technique, relève à la fois d'une conservation historique et d'une saine économie logistique. En revanche, ces marques anachroniques que sont les friches industrielles, les puits et carreaux de mines désertés, les terrils, les docks et les chantiers navals abandonnés, ont d'abord une valeur affective de mémoire pour ceux dont, depuis des générations, elles étaient le territoire et l'horizon, et qui cherchent à ne pas en être dépossédés. Pour les autres, elles ont valeur de document sur une phase de la civilisation industrielle. Document à l'échelle des régions, que conservera la mémoire photographique, mais dont la préservation réelle semble rendue illusoire par ses dimensions mêmes, dans un temps d'urbanisation et de remodèlement des territoires.

La réhabilitation des corons, à Hénin-Beaumont, à Liévin et ailleurs, conserve certes le souvenir de la mine, mais il s'agit néanmoins d'un habitat et non d'un lieu de production. Comment ceux-ci demeureront-ils, autrement qu'à l'état de traces symboliques, sous forme de quelques musées ? Aller plus loin demande une imagination que ne remplace pas la nostalgie.

Au reste, un autre problème, celui du patrimoine rural non bâti, se posera bientôt dans une partie de l'Europe, notamment en France, pays de tradition rurale, dont la campagne était un immense et savant monument : que faire quand, tel le jeune patrimoine industriel devenu obsolète, l'ancestrale agriculture sera en partie condamnée à la friche ? Quel réemploi alors pour un paysage qui fut un des plus beaux joyaux artistiques de notre pays, et dont résisteront seuls des villages reconquis par des populations urbaines et cernés de « banlieues » pavillonnaires. Nous ne disposons pas de précédents pour aider à résoudre ces désaffections territoriales.

Édifices pré-industriels : une tradition existe, en revanche, pour le réemploi du patrimoine pré-industriel, et même de certains monuments antiques. Ces pratiques n'en sont pas moins complexes.

Le génie de D'Annunzio a emblématisé les arènes de Vérone en les ouvrant à la dramaturgie moderne : aujourd'hui, les théâtres et amphithéâtres antiques les mieux conservés vivent une nouvelle vie au service du spectacle. L'utilisation régulière de ces grands vaisseaux n'est cependant pratiquable qu'à condition de consolidation, de restauration, d'aménagement, entraînant souvent, par là même, leur dénaturation. Mais ce sont là des cas exceptionnels.

Les vraies difficultés surgissent lorsqu'il s'agit de trouver une destination aux anciens édifices religieux, cultuels ou conventuels, aux anciens palais, hôtels particuliers, hôpitaux, casernes, écuries... qui furent des chefs-d'œuvre de l'architecture pré-industrielle. Les fonctions dites culturelles (musées, bibliothèques, institutions scolaires et universitaires, fondations) sont concurrencées par les fonctions utilitaires, de prestige (ministères, sièges sociaux, hôtels) ou courantes (bureaux, logements, commerces) et les utilisateurs publics sont relayés par le marché privé. Cependant, dans tous les cas, les travaux d'aménagement d'infrastructure exigent une maîtrise technique particulière et sont d'un coût parfois dissuasif. C'est pourquoi la rentabilité des affectations [21] est difficile à assurer et sa recherche l'emporte souvent sur celle de la fonctionnalité. Souvent, seule subsistera une coquille vidée de son contenu par « curetage » : procédure intéressante s'il s'agit de préserver la morphologie d'un tissu urbain ; procédure discutable quand elle se résume dans le sacrifice des structures et du décor intérieur d'un édifice. Il n'est à cet égard, en France, de reconversion plus meurtrière que celles à usage administratif ou de bureaux. De même, la transformation, pourtant pertinente, louable et intéressante en soi, de demeures anciennes en logement social a pu conduire dans certaines villes françaises à de véritables massacres (extérieurs et intérieurs) par des organismes dépourvus des compétences nécessaires. Certains cas de réutilisation non mutilante et en apparence judicieux n'en posent pas moins problème. Fallait-il transformer le fragile hôtel Salé en musée Picasso, où défilent des centaines de milliers de visiteurs, et qui a déjà dû être deux fois restauré ? A une échelle plus modeste, l'afflux des visiteurs soulève des craintes justifiées quant à la conservation de la maison de Horta, transformée en musée. En revanche, une des demeures les plus novatrices construites par le même architecte, l'hôtel van Eetvelde, a été exemplairement restaurée pour une grande société belge qui l'utilise comme siège social.

La pratique du réemploi devrait faire l'objet d'une pédagogie particulière. Elle relève du bon sens, mais aussi d'une sensibilité inscrite dans la longue durée des traditions urbaines et des comportements patrimoniaux, et donc différente selon les pays. En s'installant dans un extraordinaire ensemble de palais désaffectés, l'université de Venise a su à la fois respecter la qualité de leurs espaces et leur rendre la vie pour la plus grande délectation de ses étudiants. De même, l'ancien béguinage de Louvain loge aujourd'hui des ménages d'étudiants et la splendeur retrouvée de sa grande salle abrite le club universitaire. Ni ce type de réalisations, ni la façon dont elles ont été traitées ne sont compatibles avec la mentalité qui oriente en France la politique logistique de l'Éducation nationale.

Villes et ensembles anciens : devenus patrimoine historique à part entière, les centres et les quartiers historiques anciens livrent aujourd'hui une image privilégiée, synthétique et en quelque sorte agrandie, des difficultés et des contradictions auxquelles confrontent la mise en valeur du patrimoine bâti en général, et en particulier sa réutilisation, autrement dit son intégration dans la vie contemporaine.

La conservation muséale des villes anciennes, maintenant investie par l'industrie culturelle, n'a pas disparu pour autant. Cependant les conceptions intégratives, formulées par Giovannoni dès 1913, semblent désormais prévaloir, au moins en principe. La législation française des « secteurs sauvegardés [22] » illustre cette évolution. Lorsque, en 1962, André Malraux fit voter la loi sur les secteurs sauvegardés, qui porte son nom, c'était dans une optique de préservation muséale. Il s'agissait de mettre à l'abri, de rendre intouchables, de figer en l'état, des quartiers dont l'exemple d'Avignon, après beaucoup d'autres, venait de montrer que, sans mesures immédiates d'urgence, ils étaient promis à la démolition. Pour Malraux, historien d'art, les enjeux de cette protection étaient historiques et esthétiques. Cependant, l'idéal du *statu quo* se révélait d'une application d'autant plus laborieuse que la loi et son décret d'application confèrent au plan de sauvegarde et de mise en valeur la qualité d'un document d'urbanisme. Progressivement, la lettre et l'esprit muséal de la loi de 1962 ont été assouplis. Mais, faute de bases théoriques, sa dimension urbanistique s'est estompée. La notion de mise en valeur, inscrite dans la désignation de l'instrument juridique, qu'est le « plan de sauvegarde et de mise en valeur » concurrence celle de sauvegarde et la met au service d'un concept à tout faire, le développement.

A partir de 1975, la question de l'intégration (des ensembles historiques) dans la vie collective de notre « époque » est posée sur la scène internationale. En 1976, à Nairobi, l'Unesco adopte une *Recommandation concernant la sauvegarde des ensembles historiques et traditionnels et leur rôle dans la vie contemporaine*, qui demeure aujourd'hui l'exposé des motifs et le plaidoyer le plus complexe en faveur d'un traitement non muséal des tissus urbains anciens. Ce texte reste aussi, sans doute, le plus lucide sur les dangers inhérents à cette démarche. La valeur sociale du patrimoine mineur et des tissus historiques, déjà reconnue par Giovannoni, est mesurée à l'aune d'enjeux fonciers et touristiques dont celui-ci ne pouvait prévoir l'ampleur du développement. En outre, pour la première fois, la conservation vivante des ensembles anciens est présentée comme un moyen de lutter non seulement pour la sauvegarde de particularismes ethniques et locaux, mais contre le processus planétaire de banalisation et de normalisation des sociétés et de leur environnement.

Depuis, la réappropriation et la mise en valeur de la ville ancienne sont devenues l'antienne du concert patrimonial des nations. Mais ce consensus recouvre une multiplicité de cas et de types d'intervention sur la ville historique. Cas non comparables des grandes et des petites villes, des villes économiquement prospères et des cités en crise, de tous les intermédiaires entre celles dont le patrimoine n'est qu'un élément de prestige et celles dont il est la ressource ultime. Interventions de nature différente, parfois conflictuelles. Tantôt la ville historique est, comme le monument individuel, transformée en produit de consommation culturelle : réemploi ambigu, au mieux ludique, et qui dissimule sa nature muséale. Tantôt elle peut être réinvestie à des fins économiques qui bénéficient symboliquement de son statut historique et patrimonial, mais sans lui être subordonnées.

Le premier cas voit donc la ville patrimoniale à son tour mise en scène et convertie en scène : d'une part, éclairée, toilettée, apprêtée aux fins d'embellissement et de mise en image médiatique ; d'autre part, théâtre de festivals, fêtes, célébrations, congrès, vrais et faux happenings qui multiplient le nombre des visiteurs après avoir mobilisé l'ingéniosité des animateurs. L'objectif de ces derniers est de mettre les visiteurs en condition par la création d'une atmosphère conviviale, décrite par une association de sauvegarde d'une grande ville française comme « celle d'un vrai village ». Le libre et harmonieux déploiement des figures d'espace qui lient les édifices urbains entre eux et à leurs abords, l'*ambiente* des Italiens, n'importe plus qu'à de rares praticiens et amateurs.

L'industrie patrimoniale a mis au point les procédés de conditionnement permettant de livrer, eux aussi, les centres et quartiers anciens prêts à la consommation culturelle. États et municipalités y recourent, avec réserve et discrétion ou libéralement, en fonction de leurs choix sociaux et politiques, mais surtout selon la nature (dimensions, caractère, ressources) du produit à lancer et selon l'importance relative des revenus escomptés. Un arsenal de dispositifs éprouvés permettent d'attirer les amateurs, de les retenir, d'organiser l'économie de leur temps, de les dépayser dans la familiarité et le confort : systèmes de signalisation et d'orientation graphiques ; stéréotypes du pittoresque urbain : mails, placettes, rues, berges, passages piétonniers, pavés ou dallés à l'ancienne, équipés de mobiliers industrialisés standards (candélabres, bancs, corbeilles à déchets, téléphones publics) rétro ou non, égayés selon la place disponible de sculptures contemporaines, de fontaines, de bacs à fleurs rustiques et d'arbrisseaux internationaux ; stéréotypes de loisir urbain : cafés de plein air avec mobiliers adéquats, échoppes pour artisanats, galeries d'art, friperie et encore, toujours, partout, sous toutes ses formes régionale, exotique, industrielle, le restaurant.

Quant à la modernisation du tissu urbain ancien, elle procède en comblant des vides existants ou créés à cet effet. Les linguistes nous ont appris la valeur sémiotique du contraste. Le sens se construit dans la contiguïté, par différence, mais à condition que la juxtaposition des signes devienne articulation. Les éléments architecturaux modernes (ou post-modernes) réputés valorisants pour la ville ancienne le sont effectivement, à condition de respecter cette articulation et ses règles morphologiques et non, comme c'est le plus souvent le cas, d'être implantés dans le tissu urbain historique de façon autonome, comme des objets indépendants et autosuffisants. Au mieux, ils servent alors l'image médiatique de la ville, dont ils deviennent l'emblème et le signal : Montpellier ou Nîmes en donnent en France des exemples qui ont vite fait école, à Amiens et ailleurs. Au pire, gigantisme aidant, ils induisent la désarticulation et la désagrégation du tissu ancien. Les constructions de la Communauté européenne achèvent la décomposition des beaux quartiers du XIXe siècle à Bruxelles.

Nombreuses demeurent pourtant les villes qui, telles en France Marseille, Étampes ou Valenciennes, délaissent leur tissu ancien. D'autres en négligent des secteurs entiers au profit de zones piétonnisées ou jugées plus attractives, ou encore en faveur d'un secteur sauvegardé-alibi.

Effets pervers

Donc, le patrimoine historique bâti ne cesse de s'enrichir de nouveaux trésors qui ne cessent d'être mieux mis en valeur et exploités. L'industrie patrimoniale greffée sur des pratiques à vocation pédagogique et démocratique non lucrative fut lancée d'abord à fonds perdus, dans la perspective et l'hypothèse du développement et du tourisme. Elle représente aujourd'hui, directement ou non, une part croissante du budget et du revenu des nations. Pour nombre d'États, de régions, de municipalités, elle signifie la survie et l'avenir économique. Et c'est bien pourquoi la mise en valeur du patrimoine historique est un événement considérable.

Mais, on l'aura compris, l'entreprise est porteuse d'effets secondaires et souvent pervers. Le conditionnement subi par le patrimoine urbain historique en vue de sa consommation culturelle, de même que son investissement par le marché immobilier de prestige, tendent à en exclure les populations locales ou non privilégiées et, avec elles, leurs activités traditionnelles et modestement quotidiennes. Un marché international des centres et quartiers anciens s'est créé. Pour prendre un exemple prestigieux, comment la Tchécoslovaquie va-t-elle pouvoir résister à la demande des flux touristiques qui envahissent Prague ? Comment va-t-elle éviter de vendre une partie de la ville capitale aux pays et aux entreprises qui, seuls aujourd'hui, semblent pouvoir lui permettre de restaurer ce patrimoine aux infrastructures dégradées, et d'en tirer profit, avec tous les risques de détérioration secondaire et de frustration des Praguois que comporte l'opération ? Le même problème se pose dans nombre de villes anciennes des pays de l'Europe de l'Est et de la Russie, de Potsdam [23] à Saint-Pétersbourg. Mais les villes de l'Europe occidentale n'y échappent pas davantage. Parmi les petites cités, le cas de Bruges est instructif, qui dépérissait il y a vingt ans : si aujourd'hui l'artisanat de la dentelle est bien mort, les boutiques de dentelles importées de Hong Kong ont envahi le rez-de-chaussée des vieilles demeures qu'elles disputent aux brasseries et aux galeries d'art, tandis que deux chaînes hôtelières internationales ont cassé le vieux tissu urbain par des caravansérails hors d'échelle.

Par ailleurs, au lieu de contribuer à préserver les différences locales et à freiner la banalisation primaire des milieux de vie, comme l'espéraient les rédacteurs de la *Recommandation* de Nairobi, la mise en valeur des centres anciens tend paradoxalement à devenir l'instrument d'une banalisation secondaire. Certaines cités comme certains quartiers y résistent, servis par leurs dimensions, par leur morphologie, par leurs activités, par la force de leurs traditions, par leur simple richesse ou par la sagesse de leurs élus. Les autres se mettent à se ressembler si bien que touristes et sociétés multinationales s'y sentent identiquement chez eux.

Ces effets s'ajoutent à ceux qui commencent à inquiéter les professionnels du patrimoine. Culte ou industrie, les pratiques patrimoniales sont menacées d'autodestruction par la faveur et le succès même dont elles jouissent : plus précisément, par le flux débordant et irrésistible des visiteurs du passé. D'une part, ce flux entame, ronge et désagrège les sols, les murs, les décors fragiles des rues, des places, des jardins, des demeures, qui ne furent pas conçus pour tant de pas pressés et tant de mains palpeuses. Depuis toujours, lorsqu'ils demeuraient en usage, nos monuments étaient entretenus et nos villes repavées, consolidées, repeintes, replantées dans un combat sans merci contre le temps. Mais l'importance des réfections ne peut croître et leur rythme continuer de s'accélérer sans compromettre la durée et l'authenticité de l'héritage bâti. La place Saint-Marc, dévastée le temps d'un concert, a retrouvé son visage familier, mais à quel prix ? A l'œuvre dissolvante du temps, des saisons et des usages, des cataclysmes naturels, des guerres et des pollutions chimiques, s'associe désormais la destruction culturelle, tandis qu'à l'exception de quelques grands monuments religieux conçus pour l'éternité et destinés à accueillir des peuples, et sauf les « débris » isolés, oubliés ou mal aimés des *tour operators*[24], l'authenticité, au sens où l'entendait Ruskin, déserte toujours davantage notre patrimoine bâti historique.

D'autre part, le fonctionnement du parc patrimonial est menacé de paralysie par saturation physique du système. En termes de visiteurs/seconde et de centimètres carrés/visiteurs, les dispositifs en place ont souvent atteint leurs limites. En outre, les aménagements logistiques concernant le transport et l'hébergement des visiteurs tendent ou bien à être bloqués faute d'espace, ou bien à dégrader sites et paysages.

L'exploitation du patrimoine historique bâti est donc condamnée à terme, sauf à réduire le coût et maîtriser le flux de ses consommateurs. Mais, avant d'envisager les mesures qui permettraient un contrôle effectif de la situation, il faut encore se demander si l'entreprise patrimoniale n'exerce pas aussi des effets secondaires ou pervers sur la relation du grand public avec l'héritage bâti. Cette industrie répond adéquatement à la demande de distraction de la société de loisirs et confère par surcroît le statut social et la distinction[25] attachés à la consommation des biens patrimoniaux.

Mais qu'en est-il de l'accès aux valeurs intellectuelles et esthétiques portées par le patrimoine historique, dont j'ai retracé la genèse et le développement ?

En apparence et à en croire les discours institutionnels et médiatiques, les valeurs de savoir et d'art sont inchangées. Pour les spécialistes, historiens, archéologues, historiens d'art, architectes, ce patrimoine demeure effectivement un vaste champ de recherches et de découvertes, dont la « mise en valeur » représente, au pire, une gêne et un désagrément. Le vrai problème est posé par ceux que je refuse d'appeler la masse, par le vaste public des individus pour qui la visite des monuments n'est pas une fin en soi, pour ceux qui, individuellement, attendent du patrimoine historique autre chose qu'une distraction, en espèrent une initiation au bonheur du savoir historique et aux plaisirs de l'art. Ce public est souvent abusé en masse par l'industrie patrimoniale qui, portée, il faut le reconnaître, par l'évolution des sociétés industrielles avancées, tend à lui vendre des illusions en guise des valeurs promises.

Valeur historique : l'adjectif historique est-il pertinent pour qualifier le résidu de visions et de spectacles fragmentés et éphémères, dont aucun cadre chronologique acquis ne permet de fixer la place dans la continuité du temps et des événements ? Les hommes des sociétés industrielles avancées n'apprennent plus par cœur, ni les dates, ni les textes, ni, d'ailleurs, les tables de multiplication. Dans tous les domaines pratiques ou théoriques, leur mémoire est toujours mieux assistée, relayée et finalement remplacée par des prothèses de mieux en mieux performantes, capables de stocker et de restituer sur-le-champ, à la demande, une information encyclopédique, quasi illimitée, concernant le passé et le présent, sous forme de mots, de chiffres et d'images. L'émerveillement de Perrault devant les pouvoirs libérateurs du livre imprimé nous fait sourire, et la charge que ses contemporains imposaient encore à leur mémoire nous semble démesurée. Et l'École ne se soucie pas d'apporter un contrepoids, qui serait aussi une assurance pour l'esprit, à cette mécanisation des opérations mémoriales traditionnelles. Elle accompagne, au contraire, les renoncements de la société par ses propres renoncements, en particulier aux enseignements et aux cadrages de l'histoire. Il y a là un relais à prendre et une tâche à entreprendre pour les gestionnaires du patrimoine. Quelle peut être en effet la valeur historique d'un édifice ou d'un ensemble d'édifices à défaut de la belle linéarité temporelle édifiée si patiemment par l'histoire, si patiemment apprise et conservée par la mémoire cérébrale et peu à peu réduite à une abstraction par les mémoires artificielles ? Comment peut-on, sans ce support, construire le cadre de référence qui donne leur signification historique à un monument, un ensemble urbain ou un village anciens ?

Valeur d'art : elle semble aujourd'hui universellement reconnue. Les obstacles ou les tabous qui réservaient la jouissance des œuvres de l'art à des initiés, élites, privilégiés ou héritiers, quels que soient le nom ou le statut qu'on choisisse de leur attribuer, pourraient être surmontés. Plusieurs processus y contribuent, qui ont annexé les médias et été exploités par eux : la constitution du musée imaginaire ouvert à tous ; l'amélioration constante de l'accessibilité des œuvres réelles ; l'évolution des arts plastiques contemporains et en particulier de l'architecture ; le développement du marché de l'art.

André Malraux a célébré le miracle de la reproduction photographique : par la grâce de son espace propre et propice aux échos, elle a pu rassembler et confronter la totalité des œuvres majeures et mineures, gigantesques et minuscules, glorieuses et anonymes, de tous les temps et de toutes les civilisations, pour en délivrer la transcendante unité. Du même coup, à n'être plus protégées par la distance et le secret de leur retraite, à être exposées, détaillées et dévoilées au grand jour public, les œuvres deviennent pour tout un chacun partie de son univers familier, abordables de plain-pied : la reproduction photographique invite à la connaissance directe et à la visite effective des monuments. Aujourd'hui, ce n'est plus seulement par l'image, selon le vœu de Malraux, mais dans leur réalité que les œuvres capitales de l'humanité sont rendues accessibles au plus grand nombre. Mais de quelle accessibilité s'agit-il ?

Toute démythification peut porter une autre mythification [26]. La richesse des révélations esthétiques dispensables par ce trésor, découvert dans son insoupçonnable proximité, a été proclamée haut et fort, et présentée trop vite, par abus, comme inhérente à l'être même des œuvres de l'art. En l'occurrence, voir et savoir autour de soi la dense présence des témoins de l'art du passé et d'aujourd'hui n'en ouvre qu'un accès illusoire. Cette « réelle présence [27] » ne sert à rien si ne sont pas réunies les conditions de son accueil, à commencer par le recueillement dans le temps et le silence : outrepassé un certain débit, au musée comme devant et dans les monuments, le flux des visiteurs émousse ou tue le plaisir de l'art. De plus, l'expérience esthétique, il faut le répéter, est le résultat d'un parcours initiatique. Celle du patrimoine bâti historique n'échappe pas à la règle et comporte ses difficultés propres.

Certes, il est des édifices qui, jouant sur le sublime, subjuguent dans l'instant. Mais l'éventualité n'est pas courante. L'architecture est le seul, parmi les arts majeurs, dont l'usage fasse partie intégrante et entre avec ses finalités esthétique et symbolique dans une relation complexe, plus difficile à appréhender dans le cas des édifices historiques devenus orphelins de la destination pratique qui leur a donné l'existence.

« Je ne puis te parler que des approches d'une si grande chose », disait Eupalinos à Phèdre pour lui faire pressentir la dimension incommunicable de la création architecturale et de sa réception. D'une part, l'architecture est le seul art dont les œuvres exigent d'être matériellement cheminées. Elle seule exige des tours, parcours, détours qui impliquent l'investissement du corps entier et que la seule perception visuelle ne peut remplacer. Dédale était le patron des architectes et Alberti a proscrit les illustrations de son traité. D'autre part, l'approche d'une architecture prend appui sur son concept. Fiedler récusait toute explication de l'œuvre architecturale. Cette exclusive visait, en fait, à faire reconnaître l'irréductibilité de l'expérience esthétique. Sous une forme plus provocante, le message est le même que celui d'Eupalinos et ne doit donc pas être pris à la lettre. La parole prépare à la réception de l'œuvre architecturale, à condition que lui soit donnée sa juste place qu'à cinq siècles de distance Alberti et Valéry ont identiquement définie : dialogue [28] en présence de l'œuvre, entre praticiens [29] et non-praticiens, et qui suppose un langage commun et de mêmes références.

Dialogue aujourd'hui refusé à un public qui n'a généralement pas acquis de lui-même ce langage et ces références, qui est initié par des animateurs et des « ingénieurs culturels » souvent sans expertise, et qui, à l'occasion, se laisse abuser par la promesse d'une sémantisation facile [30].

La frustration du grand public concerné par les valeurs d'histoire et d'art des monuments et des ensembles historiques peut ainsi, sans exagération, être comptée parmi les effets pervers de l'industrialisation du patrimoine. Nous savions, Alberti le déplorait déjà, que les sévices exercés par le temps, « cet âpre destructeur de toutes choses à l'égard des monuments humains, sont parfois dépassés par les exactions des hommes [31] ». Nous avons appris la violence destructrice des guerres modernes, et des actes de négoce. Nous ignorions qu'en l'espace de quelques décennies l'espèce humaine parviendrait, par sa pratique conservatoire même, à accomplir les destructions qui auraient autrefois demandé des siècles. La prévention de ces effets seconds doit donc être conçue du double point de vue de la protection des monuments et de la protection de leur public. Elle apparaît alors comme une conservation au second degré qu'on peut appeler stratégique et qui traduit la crise actuelle des pratiques patrimoniales.

Conservation stratégique

Cette conservation seconde du patrimoine bâti ne fait que commencer. Elle passe par une régulation des flux de visiteurs dont beaucoup de modalités restent à inventer. On peut évoquer, à titre d'exemple et selon un degré de complexité croissant, des dispositifs de contrôle, des mesures pédagogiques et des politiques urbaines.

En matière de contrôle, la fermeture au public est une solution radicale qui a reçu de nombreuses applications dans le cas de monuments et de sites exceptionnels, menacés de destruction, tels la grotte de Lascaux, les tombeaux de la Vallée des Rois, et, depuis 1991, le site de Carnac dont le sol se tassait et déchaussait les menhirs sous le piétinement des touristes. Mais il existe aussi de nombreux moyens permettant de moduler l'accès aux biens patrimoniaux : réduction des jours et heures de visite, comme c'est bien souvent le cas pour les édifices cultuels, dont il arrive que certaines parties ne soient pas accessibles au public ; limitation du nombre d'entrées journalières ; imposition d'un trajet à pied. L'agression physique contre les monuments peut parfois être combattue par des règles aussi simples que celles obligeant à se déchausser ainsi que le font certains peuples avant de pénétrer dans leurs sanctuaires ou simplement dans leurs demeures. Il est également possible de dériver des flux attirés par certains sites ou édifices célèbres vers des lieux et des circuits moins connus. Pourquoi enfin avoir honte de la dissuasion financière : pourquoi l'accès pédestre et automobile (cars de tourisme en particulier) aux monuments et aux quartiers anciens, dont l'entretien est coûteux, serait-il gratuit ou se ferait-il au rabais, au lieu d'être payé à son juste prix comme d'autres « produits » culturels, le livre, le cinéma, le théâtre ?

Parmi les mesures pédagogiques, on peut d'abord faire retour au musée imaginaire et le réinterpréter comme le rêve d'un antiquaire transporté « au temps de la reproductibilité mécanique [32] » des œuvres d'art. On se rappelle les musées d'images au moyen desquels les antiquaires thésaurisaient, communiquaient et diffusaient le corps de connaissances historiques que leurs « recherches d'antiquités » leur avaient permis d'accumuler au cours des siècles. En fait, cette méthode est toujours en vigueur. L'archéologie urbaine la met en œuvre chaque fois que des chercheurs sont contraints de refermer ou de laisser démanteler leurs chantiers après les avoir relevés et photographiés. La reproduction iconique, accordée à la nature conceptuelle du savoir historique, bénéficie aujourd'hui de moyens autrement précis et fidèles avec l'ensemble des techniques liées à la photographie et à ses perfectionnements.

W. Benjamin a, le premier, inversé la perspective traditionnelle sur la photographie comme art au profit de « l'art en tant que photographie [33] » et analysé le paradoxe qui permet à la technique de donner à notre époque, par leur reproduction et leur réduction, une maîtrise intellectuelle sans précédent des œuvres plastiques et « au plus haut point » de celles de l'architecture [34]. Même si cette dernière affirmation ne peut être acceptée sans réserve [35], le musée imaginaire, à condition que sa visite soit bien organisée et légendée [36], constitue une voie d'accès efficace à l'approche esthétique du patrimoine bâti. Mais on peut aller plus loin et se demander si, dans la conjoncture actuelle, la médiation photographique ne constitue pas une modalité tendancielle et originale de l'expérience esthétique même. L'usage bien tempéré du musée imaginaire peut ainsi contribuer à limiter parcours et visites et à ménager le patrimoine bâti.

Encore mieux économe du patrimoine est la stratégie qui consiste à reproduire, totalement ou partiellement, les édifices originaux en trois dimensions et en grandeur réelle. Ce type de procédure n'a pas bonne réputation. L'expérience a pourtant, depuis longtemps, montré les services incomparables qu'elle peut rendre à l'histoire de l'art. Le musée des Monuments français, conçu par Viollet-le-Duc, réalisé par Jules Ferry, demeure un instrument inégalé pour l'introduction à la sculpture monumentale de notre pays depuis l'époque romane. Cet exemple pourrait être suivi par d'autres villes et dans d'autres pays [37].

Aujourd'hui, les techniques de fac-similé appliquées aux œuvres d'architecture, de sculpture et de peinture ont accompli des progrès qui leur valent la caution des scientifiques et leur permettent de n'être plus cantonnées au musée. Ouverte depuis 1965, la grotte de Lascaux II [38] attire autant de visiteurs qu'autrefois l'original. On peut même imaginer que cette solution, réservée à des cas analogues, soit, à condition de semblables garanties scientifiques [39], appliquée à des petites cités et surtout aux places et ensembles historiques qui, dans certaines villes importantes, concentrent exclusivement l'afflux des touristes. Pourquoi pas d'irréprochables copies de la piazza della Signoria de Florence, de l'Alcazar de Séville, du pont Saint-Charles de Prague ? Implantés à proximité des lieux originaux, réalisés sous la direction et la caution de savants et de spécialistes, des services de ce type contribueraient à la diffusion des connaissances historiques en même temps qu'à la préservation effective du patrimoine reproduit. L'hypothèse est séduisante mais sans doute peu réaliste pour des raisons tout à la fois éthiques et économiques.

La protection stratégique des tissus anciens et leur réappropriation par des populations qui les habitent au lieu de les consommer passe par une autre voie : celle d'une prise de conscience générale suivie d'une action qui lui soit accordée. Depuis des années, les associations de défense s'orientent dans cette direction et s'opposent avec un succès croissant aux projets techniques ou spéculatifs qui lèsent leurs quartiers. Un urbanisme négatif mais original a ainsi vu le jour.

Il ne s'agit cependant là que d'opérations ponctuelles. Une véritable politique des centres et quartiers anciens demande la poursuite d'une réflexion de fond sur l'urbanisation actuelle dont le caractère reste masqué par une terminologie anachronique. Les termes ville, urbain (substantif et adjectif), urbanisme ont perdu leur sens originel. Quels que soient les nostalgies de certains et les alibis des autres, nous sommes entrés dans l'ère post-urbaine. L'urbanisation se propage selon les lignes de force tracées par les réseaux de grands équipements. Elle ignore ou désagrège les formes discrètes et articulées des anciennes agglomérations. Mieux que *rurbanisation*[40], inventé dans les années 1970 pour définir la métamorphose du paysage rural, le terme italien *périphérisation* fait comprendre la dynamique du processus qui tend aujourd'hui à défaire les villes et à uniformiser les territoires.

On ne répétera jamais assez l'avertissement de Giovannoni : les centres et les quartiers anciens ne pourront être conservés et intégrés dans la vie contemporaine que si leur nouvelle destination est compatible avec leur morphologie et leur échelle. On a vu les dangers représentés par leur mise en valeur culturelle et touristique. Ils ne résistent pas mieux à l'implantation d'activités tertiaires majeures qui recréent, de façon secondaire, les migrations journalières, le trafic et la consommation logistique dont les exigences ont fait éclater la ville pré-industrielle au XIXe siècle. En revanche, ce patrimoine urbain est adapté à la demeure et à l'implantation des services de voisinage (petits commerces, écoles, dispensaires) qui lui sont associés et qui, à condition d'être dominants, sont compatibles avec un minimum d'activités de recherche et de diffusion du savoir ou de l'art. Considérés sous cet angle, centres et quartiers anciens représentent aujourd'hui une ressource rare, faisant l'objet d'une demande à la fois sociale et sociétale. Au seul risque de dégradations superficielles, la satisfaction de cette demande sert au mieux la conservation stratégique du patrimoine urbain ancien.

Nous disposons déjà de quelques armes stratégiques contre les excès d'une consommation patrimoniale qui tend à devenir consumation. Mais, une fois énumérés les dispositifs à mettre en place ou à renforcer, la question reste ouverte : quel est le fondement sur lequel repose la conservation du patrimoine historique bâti dans un monde qui s'est donné les moyens scientifiques et techniques de garder en mémoire et d'interroger son passé sans la médiation de monuments ou de monuments historiques réels ? En effet, que ce soient les fonctions économiques et les ressources distractives offertes par ce patrimoine dans la société de loisirs, ou que ce soient ses valeurs cognitive, pédagogique et artistique, aucune des motivations institutionnellement reconnues ou revendiquées ne permettent d'interpréter la ferveur avec laquelle le culte patrimonial est célébré et se propage dans le monde entier.

La compétence d'édifier

Culte, ferveur de ses célébrations, fascination de ses temples : un excès est désigné que n'épuise aucun des mobiles explicitement attachés aux pratiques patrimoniales. Mais comment interpréter cet indice ?

Bien avant la naissance de l'industrie culturelle, Riegl prévoyait que dans l'expansion du culte naissant des monuments un rôle déterminant reviendrait à leur valeur d'ancienneté, celle qui, pour des foules de visiteurs, tient lieu des valeurs d'art et d'histoire, celle qu'une sentimentalité mal définie attache à la présence effective des monuments et à leur seule appartenance au passé. Jamais évoquée dans le discours actuel sur le patrimoine historique bâti, sans doute parce qu'imprécise et peu glorieuse, d'où cependant, tiendrait-elle son pouvoir d'attirer et de rassembler un public planétaire ? Anodine, à première vue. Mais les apparences trompent et, en outre, depuis que Riegl l'a découverte, la valeur d'ancienneté a acquis de nouvelles dimensions et des connotations alors imprévisibles. D'une part, sa fixation sur des bâtiments réels et des temps passés l'inscrit à contre-courant des dynamiques qui entraînent les sociétés industrielles avancées à établir des relations médiatisées avec le monde et à vivre au présent. Marque de résistance donc et dénégation d'une identité en cours de constitution. Seconde anomalie d'autre part, l'ancienneté attribuée au patrimoine ne cesse de rajeunir, absorbant le présent à mesure de son évanescence, engloutissant un passé indifférencié dont les créations hétérogènes s'entassent dans l'enclos patrimonial : accumulation à rapprocher de l'homologue ouverture du musée aux produits de l'ensemble des activités humaines, anciennes et récentes, artisanales et industrielles, disparues, menacées et en cours de transformation ou de développement.

A quoi le patrimoine ainsi rassemblé sous l'égide de la valeur d'ancienneté pourrait-il servir, sinon à composer de nous-mêmes, comme inventeurs continuels de tous ces objets, une fabuleuse représentation dont il reste à comprendre le sens et la fonction ?

Au miroir des antiquités, les humanistes puis les antiquaires ont appris à découvrir leur altérité et ont ainsi contribué à fonder l'identité de la société occidentale dans son rapport original avec le temps, le savoir et l'art. Au miroir des monuments historiques, les romantiques ont découvert la dignité des faires anciens et pressenti l'essence de la technique [1]. Aujourd'hui, cette structure narcissique originelle et féconde s'est accusée et figée. Le miroir du patrimoine sur lequel nous nous penchons avec passion a perdu son rôle créateur pour une fonction de défense et de conservation d'une idée de nous-mêmes.

Tombeaux, temples, cathédrales, maisons et châteaux, ponts, usines, aérogares et centrales électriques ne valent plus en soi, mais parce que *nous* les avons édifiés. Ils ne signifient plus chacun pour soi, mais comme matériaux fragmentaires d'une représentation générique de nous-mêmes. L'addition de chaque nouveau fragment, extrait d'un passé lointain, ou proche et à peine refroidi, confond un peu mieux les durées et les modes de faire et donne à cette figure narcissique plus de compacité, de grandeur et d'éclat, la rend certes mieux rassurante, mieux susceptible de conjurer les incertitudes et l'anxiété d'une société qui ne peut maîtriser ni ses transformations ni leur accélération. Cette figure semble bien aujourd'hui la vérité de la valeur d'ancienneté et d'un culte qui est, en fait, contemplation et célébration de l'homme dans la fidélité à son destin.

Mais Narcisse meurt de ne pouvoir s'arracher à soi, ni vouloir, un instant, s'oublier. La figure que notre imagination dessine au miroir du patrimoine a beau être tirée d'objets réels, elle n'en est pas moins illusoire. La récollection dont elle est issue en a éliminé les différences et les qualités. Elle nous protège précisément grâce à la réduction fictive de conflits et d'interrogations auxquels nous ne parvenons pas à faire face : moyen de défense efficace dans une situation de malaise et de crise, mais momentané. En tant que fonction narcissique, le culte du patrimoine n'est justifiable qu'un temps : temps de reprendre souffle dans la course du présent, temps de réassumer un destin et une réflexion. Passé ce délai, le miroir du patrimoine nous abîmerait dans la fausse conscience, la fiction et la répétition.

L'interprétation symptomatique de l'excès manifeste dans les pratiques du patrimoine historique bâti nous a ainsi fait découvrir des motivations inexprimées, profondes, essentielles sans doute, mais qui se fondent sur des représentations aléatoires et, à terme, inefficaces. Le culte rieglien participe d'un syndrome patrimonial dont il importe de ne pas être dupe, mais qui, une fois rendu à sa portée sémiologique et déchiffré comme avertissement pourrait nous mettre sur la voie de fondements solides, et nous révéler si et comment la conservation du patrimoine historique bâti peut contribuer, mieux que par sursis, à notre propre conservation.

Pour cela, il nous faut adopter une position *critique* afin d'apprendre à scruter autrement le miroir patrimonial, à nous déprendre de la représentation narcissique que nous lui réclamons, à la décomposer et à en désassembler les matériaux pour les rendre à leurs différences, à cesser de confondre sous l'appellation de patrimoine les édifices de l'ère pré-industrielle et les artefacts qui leur ont succédé jusqu'à aujourd'hui.

L'ancienneté des premiers peut alors, comme l'avait compris Ruskin, leur rendre une valeur mémorielle. Mais celle-ci ne concerne ni des croyances et des rites, ni des événements ou des individus, ni même ces pieuses générations dont *Les Sept Lampes de l'architecture* nous exhortaient à poursuivre le travail. La remémoration dont il s'agit est celle de démarches essentielles que notre époque tend à occulter sinon à oublier, qui n'ont pu et ne peuvent être confiées à aucune mémoire artificielle, et que seuls ces anciens édifices ont le pouvoir de rappeler à la mémoire mentale et à la vie.

Mais, ici encore, il faut distinguer. D'abord le cas des grands édifices religieux de l'humanité. Le projet de la laïcité a voulu et, en partie, réussi à les faire entrer au musée. Certaines confessions, en outre, se désintéressent ostensiblement [2], sous couvert de progrès spirituels, des livres de pierre qui, à la fois, célébraient leur foi et servaient à en célébrer les rites. Néanmoins, indépendamment des religions qui les édifièrent, et malgré le « Ceci tuera cela » de Hugo, qui fait écho à la philosophie de l'Esprit de Hegel [3] pour penser le destin de l'architecture, ces grands monuments dédiés à l'absolu ont conservé le pouvoir de nous faire retrouver la vigueur matinale d'une pré-philosophie que la philosophie n'a jamais remplacée. Le Parthénon, Sainte-Sophie, Borobudur, Chartres rappellent l'enchantement d'une quête que, dans notre monde désenchanté, ne se proposent ni la science ni la réflexion critique.

Mais les monuments insignes des religions n'ont pas le seul privilège de nous remémorer une démarche primordiale du questionnement humain. Avec l'ensemble du patrimoine édifié pré-industriel, cette fois, ils nous avertissent encore en tant que manifestations d'une compétence perdue ou sur le point de l'être.

Le terme est couramment utilisé pour désigner ce propre de l'homme qu'est le langage. Compétence innée, disent les spécialistes, qui ne s'actualise toutefois que par la performance, l'exercice. Que celui-ci vienne à manquer, qu'un individu soit frustré de l'apprentissage du langage dans les délais prescrits par le développement de l'espèce, il ne parlera pas et ne sera pas homme à part entière.

On peut, par analogie, assimiler l'art d'édifier dans l'espace à une compétence qui, elle aussi, exige, pour ne pas dépérir et être actualisable, une performance. Si divers soit-il, l'ensemble du patrimoine bâti pré-industriel ressortit à cette faculté. L'apprentissage de la parole par des exercices métalangagiers a pour homologue l'apprentissage de l'édification dans un engagement pareillement guidé, par l'adulte, du corps entier dans l'espace et le temps. L'expérience de cet état d'alerte par l'organisme entier, de cet ébranlement qui ne met pas en jeu l'œil seulement, mais la main, mais tous nos capteurs musculaires et épidermiques de durée, de formes, de pesanteur, de lumière, de texture, est aussi indispensable à celui qui édifie qu'à celui qui se sert de l'édifice ou veut le contempler selon son essence. Toutefois, à la différence de la compétence du langage que menacent seuls d'improbables et singuliers accidents, la compétence d'édifier semble aujourd'hui tendanciellement menacée d'atrophie. Le vieux débat, ouvert au XIXe siècle, sur les conséquences humaines de la mécanisation et de la division du travail acquiert une dimension nouvelle. On peut se demander si cette compétence d'édifier, à laquelle nous sommes redevables d'un merveilleux héritage dont les vestiges, toujours plus rares et précaires, disparaissent dans l'océan des constructions industrialisées, trouve désormais à s'exercer autrement que dans des cas particuliers : bref, si elle peut encore être sauvée.

Car, contrairement à ce que laissent croire les fantasmes du syndrome patrimonial, l'édification ne représente qu'une modalité de ce propre de l'homme qu'est la *fabrication* et ne doit pas être confondue avec les techniques de construction utilisées pour la production de notre cadre de vie actuel. Mécanisées, industrialisées, informatisées, à mesure de leur perfectionnement, ces techniques de construction se libèrent des contraintes de la durée et échappent à la médiation du corps, pour devenir activité mentale. Fondées sur des connaissances théoriques, relevant du calcul, elles font appel à toutes les prothèses qui court-circuitent le travail de la main et de la mémoire, ainsi que le corps à corps avec la matière. L'architecture elle-même suit la démarche des ingénieurs. Sous couvert de « conception assistée », elle s'électronise et participe à l'instauration d'un présent oublieux, encore affirmé par l'usage de matériaux qui n'ont ni le droit ni la grâce de vieillir, et relèguent cette « dorure douce [...] institué[e] par la durée [4] », dont Valéry n'a pas craint de faire anachroniquement dire le prix par Eupalinos.

Le syndrome patrimonial se développe à mesure que se précisent et s'amplifient les menaces que la fabrication technique fait peser sur notre compétence d'édifier : notre attachement obsessionnel à la représentation d'une *archè* immuable en dit assez la gravité. D'autres symptômes, qui se manifestent dans les pratiques du patrimoine comme à leur périphérie, trahissent une précarité solidaire du « vouloir d'art » (*Kunstwollen*) actuel. On se rappelle les analyses de Riegl et ses appels à la prudence : ne pas détruire certains monuments ou les mettre au rancart sous prétexte qu'ils choquent le *Kunstwollen* du moment. Celui-ci est par définition instable, tout comme ses interdits. Lui obéir avec réserve et discrétion signifiait donc ne pas préjuger de sa durée et ne pas lui sacrifier inconsidérément les valeurs de savoir des édifices du passé qui, elles, ne changent pas. Ces conseils n'ont aujourd'hui plus d'objet. Le vouloir d'art contemporain ne semble plus lancer d'exclusives, ni même manifester de réticences à l'égard des monuments de quelque civilisation et de quelque époque que ce soit. Il absorbe, avec avidité et sans discrimination, le contenu entier du musée imaginaire, de la hutte primitive à la maison corbusienne, des temples de l'Antiquité classique aux temples du néo-classicisme européen, du dénuement des espaces cisterciens au faste des espaces baroques. Ou bien nous croyons vivre une expérience artistique alors qu'en réalité nous éprouvons une simple satisfaction intellectuelle. Ou bien les monuments de tous les temps et de tous les peuples nous émeuvent également, chacun à sa manière. Mais cette dernière éventualité suppose que le vouloir d'art actuel soit réduit à un degré zéro, exténué, privé de ce pouvoir de refus qui est l'envers et la condition du pouvoir de créer. Cette disponibilité esthétique, l'ouverture à un universel de l'art qui est célébré comme un accomplissement et comme l'accès à un niveau supérieur de la sensibilité, pourrait bien n'être que le signe d'une impuissance.

Les deux cas de figure sont compatibles. Que la recherche du plaisir esthétique dispensé par les monuments historiques soit illusoire ou réelle, sa valeur symptomatologique est la même. Elle indique la même fragilité de l'art actuel d'édifier et le même désir inassouvi de beauté. Davantage : dans la mesure où l'architecture peut être prise comme paradigme des arts plastiques, le témoignage du patrimoine monumental est conforté par celui du patrimoine historique peint et sculpté. L'éclectisme triomphant de nos musées, comme celui de nos grandes expositions d'art, est, lui aussi, révélateur d'un *Kunstwollen* aux abois, dont les forces créatives s'épuisent et les jouissances s'affadissent.

La vulnérabilité que disent tous ces signes, il convient d'en prendre la mesure. Elle pourrait annoncer une transformation d'*homo sapiens sapiens*[5] qui fixe des gains et avalise des pertes : gains d'aptitudes originales à symboliser et à s'appareiller, assurant une emprise plus efficace sur le monde, et d'autres modes de la communication ; perte de compétences originelles, comme celle d'édifier, et d'aspirations ancestrales, comme celle qui nous porte à lutter contre la prose du monde et s'efforce vers une pensée non opératoire, d'entrée de jeu liée à l'architecture.

La possible disparition de notre compétence d'édifier ne signifierait pas cette mort de l'art que la critique post-hégélienne n'en finit pas d'annoncer, mais bien, sans doute, la mort d'un art, appelé architecture, et des arts qui participent de la *poièsis* corporelle et qui lui ont traditionnellement été associés. En abandonnant l'illusion de vaincre l'entropie par la durable solidité d'un monde édifié à cette fin, nous perdrions une catégorie des arts plastiques, ceux qui nous enracinent dans la terre et dans le temps. Mais le désengagement de ces attaches ne serait pas sans compensation. Il peut aussi apparaître comme l'affranchissement de contraintes biologiques, comme une libération, et un gain d'énergie à dépenser autrement. Tel était le message des techniciens qui, durant les années 1960, inventaient les structures temporaires, gonflables ou tendues, et imaginaient ces agglomérations éphémères, branchables ou débranchables à l'instant sur des réseaux techniques, qu'ils baptisèrent *Instant City* ou *Plug-in-City*[6].

Accordées à ces rythmes, pourraient s'offrir d'autres formes de délectation plastique. Nous pourrions nous laisser ravir par la discontinuité kaléidoscopique de *happenings*, de fugitives figures de sable, d'eau, de lumière, de feu ou de papier comme l'art événementiel en a fait surgir et se succéder depuis près d'un demi-siècle, et dont on peut penser parfois que les exigences, inhérentes au marché de l'art, d'une marchandise au moins physiquement durable, ont seules empêché l'établissement de leur empire. Notre corps peut encore assouvir autrement sa relation avec l'espace, dans un combat singulier avec soi-même, en inventant des exercices et des jeux, solitaires ou collectifs, toujours plus rapides et souvent dangereux qui, dans nos sociétés à la fois de masse et individualistes, sont une forme d'art, renouvelée de l'antique, mais de mieux en mieux transitoire.

L'inventaire imaginaire des activités esthétiques possibles du corps humain dans l'espace serait interminable et vain.

L'hypothèse d'une transformation techno-économique des sociétés humaines, qui en effacerait la compétence d'édifier, figerait le patrimoine bâti pré-industriel dans un statut purement muséal. Son culte, associé, comme aujourd'hui, à celui du patrimoine de l'ère industrielle, ne pourrait alors durer que l'espace d'une habitude, d'une illusion ou d'une mode, aussi longtemps que les nouvelles sociétés se laisseraient abuser par les bondieuseries de la culture culturelle et la fadeur routinière des pratiques de l'industrie culturelle. Il s'agit là d'une hypothèse extrême, dont il importe de savoir qu'elle n'est pas irréalisable.

Mais on peut aussi vouloir que la compétence d'édifier demeure vive, sans qu'il faille, de ce vœu, faire un symbole de passéisme et l'un des termes d'une alternative entre deux choix d'avenir. Dans ce cas, le miroir du patrimoine est, à nouveau, appelé à jouer un rôle crucial. Mais, au lieu de s'y mirer vainement, il faut avoir la volonté et le courage de le traverser. Tombeaux, temples et cathédrales, maisons et châteaux dépouillent alors leurs séductions iconiques, ludiques et nostalgiques comme leurs imaginaires pouvoirs d'incantation. Ils retrouvent leur épaisseur et leur pesanteur natives, et ces agencements subtils qu'emblématisa l'œuvre de Dédale[7], figure tutélaire des architectes. Car le labyrinthe est l'édifice par excellence[8] : le mieux capable de capter la durée et de forcer l'espace à y différer son déploiement pour faire cheminer vers le sens ; le mieux susceptible d'initier à l'altérité humaine ; le plus redoutable aussi, qui piège ou bien enchante, et dont on ne peut éprouver le pouvoir qu'à condition d'y risquer, ensemble, son intelligence et son corps. Franchie la surface narcissique, le patrimoine historique bâti se découvre symboliquement comme labyrinthe. Il faut alors, munis du fil ténu de la compétence qui nous reste, nous engager dans sa profondeur, ne point craindre de nous y perdre, en suivre les tours et les détours. Le sens du parcours apparaîtra avec la découverte de son issue, garante de retrouvailles qui permettront de poursuivre l'édification tout à la fois du labyrinthe et de nous-mêmes.

Ainsi, le sens caché du patrimoine édifié pré-industriel et des opérations critiques qui permettraient de le constituer et de le préserver dans sa richesse et sa diversité se dévoile bien à travers une dialectique de la mémoire et de l'oubli. Mais ce jeu n'est pas exactement celui qu'imaginaient Viollet-le-Duc, Sitte et même Giovannoni. La mémoire d'abord sollicitée est celle du corps et de ses traditions. Ensuite seulement, la mémoire de l'histoire des formes. C'est sur celle-ci que portera alors l'oubli méthodique esquissé dans les *Entretiens sur l'architecture*. Puisque aussi bien l'édification ne conquerra sa nouvelle légitimité ni en copiant ni en refaisant les objets du passé, mais en continuant à inventer.

Mais où ? Existe-t-il encore aujourd'hui quelque part une place pour cette recherche ? La maîtrise des réseaux techniques de transfert qui définissent notre contemporanéité et nous assurent une manière d'ubiquité appelle d'autres débats. Mais, qu'il soit appelé à être intensifié ou modulé, le développement de ces réseaux dans l'espace est un fait. Et, nous le savons, cet espace réticulé et les mégastructures qui le contrepointent sont le signe de l'essor et de l'essence de la technique ; ils ressortissent à la construction et non à la compétence d'édifier.

Demeurent cependant les vides et les intervalles laissés libres par les produits de cette formidable fabrication : milieu interstitiel constitué d'une mosaïque d'espaces où nous passons, nous nous arrêtons, séjournons et que, selon la belle parole, trop galvaudée, de Hölderlin, nous pourrions *habiter*[9]. Les uns restent articulés et organisés à l'échelle de nos gestes, ce sont des fragments urbains ou villageois intacts, à entretenir et soigner afin qu'ils conservent leurs propriétés. Les autres, informes, sont partout, dans les villes anciennes comme dans les nouvelles, dans leurs rues et leurs non-rues, au bord des routes et des autoroutes, alentour de tous nos macro-équipements et mégastructures : on y trouve bien des sols, des appuis, des bordures, des clôtures, mais traités selon les mêmes méthodes et réalisés avec les mêmes moyens que les réseaux techniques et les constructions industrielles, considérés comme des sous-produits par ceux qui en ont la charge et, peu à peu, aussi par ceux qui les utilisent.

Sauf exceptions ponctuelles, dans des pays comme l'Allemagne ou l'Italie, à forte tradition édilitaire, ou comme le Japon, traditionnellement attentif au symbolisme des micro-environnements, ces espaces interstitiels sont tombés en désaffection et devenus, dans l'indifférence générale, le champ d'épandage du laid [10]. Ils sont néanmoins, pour notre compétence d'édifier, le champ possible d'une reconquête, celle de la beauté exilée dont nos praticiens ont banni jusqu'au nom. L'art vigoureux des ouvrages techniques, encore peu connu, parce que mal conscient de soi et inentravé par la mémoire, serait alors contrepointé par un art de l'espace proche, oublieux de ses anciens enchantements, mais fidèle à sa compétence d'enchanter.

La difficulté est moins de trouver la place où poursuivre l'œuvre dédalique que de s'en réapproprier le pouvoir. Si justes que sonnent encore aujourd'hui les avertissements de Ruskin sur le rôle mémoriel du patrimoine et les conseils de Viollet-le-Duc sur l'usage de l'oubli, ils nous parviennent trop affaiblis pour nous inciter à l'action. A la fin du XIXe siècle, les établissements humains de la planète demeuraient, dans leur grande majorité, façonnés par la compétence que nous voyons dépérir. La plupart des architectes et de ceux qui bâtissaient entretenaient un commerce direct avec les terrains et les eaux, les climats et les vents, les saisons et le ciel. Ils connaissaient, par expérience sensible, le secret des matériaux et selon quelles règles les mettre en œuvre.

Aujourd'hui, les chemins effacés de cette compétence ne se rouvriront, s'il est encore temps, ni à l'appel de voix individuelles ou d'exemples singuliers, ni spontanément, par le développement des bricolages de loisir, témoignage erratique d'un manque, ni davantage sous l'hégémonie étatique. Des structures juridiques et institutionnelles sont nécessaires, mais politiques au sens antique du terme. Elles ne seront efficaces qu'à condition d'être diversifiées et démultipliées et si, au lieu de les subir, chacun contribue consciemment et activement à leur mise en place.

Il ne faut cependant pas se faire d'illusions. Un projet de cette nature ne peut être l'œuvre ni d'une bureaucratie, ni de rhéteurs et de spécialistes de la non-spécialisation, hypnotisés par la connaissance livresque et par l'image. Ce qu'il s'agit d'enseigner et d'apprendre à percevoir et à réaliser — c'est-à-dire : implanter, les Anciens auraient dit planter, articuler, différencier, proportionner des édifices dans le milieu humain rendu à l'importance de ses détails — engage un destin, une vision du monde et un choix de société.

L'interprétation du syndrome patrimonial permet de mesurer l'urgence de ce choix qui, répétons-le, n'est pas incompatible avec des développements de la technique. Si nous le faisons, le patrimoine architectural et urbain de l'ère pré-industrielle retrouve une fonction, irremplaçable et neuve. Il nous sert directement à inventer notre avenir. De quel autre instrument disposons-nous, en effet, qui puisse nous réapprendre à voir (autre chose que des images), nous faire redécouvrir comment implanter, articuler, différencier, proportionner des édifices dans l'espace, nous faire comprendre, à l'heure du gigantisme, que rien dans notre environnement n'est trop petit pour être négligé et que « Dieu est dans le détail » ?

Nombreux sont ceux qui aujourd'hui, déjà, soignent ce patrimoine comme Filarète, autrefois, demandait que les édifices fussent, tels des humains, aidés à vivre et à mourir [11]. Ils s'ingénient à organiser une double conservation primaire et seconde, et à l'instar de nos médecins, mettent, eux aussi, en œuvre pour leurs patients les moyens que leur offrent la science et la technique. Mais ces militants du patrimoine ne représentent qu'une minorité. Leur œuvre sera inutile si elle s'accomplit dans l'indifférence et si elle n'est pas appuyée par une prise de conscience à l'échelle des sociétés industrielles avancées. Cette prise de conscience, à la fois critique et inventive, doit conduire à débusquer le faux discours de protection du patrimoine, né dès la Renaissance, et destiné à masquer les destructions et les défigurations réelles. Elle doit s'attacher à démystifier les idéologies et les politiques urbaines, qui sous l'écran protecteur des mots, nient l'avènement de l'ère post-urbaine et bafouent l'incomparable valeur d'usage du patrimoine urbain pré-industriel. Elle appelle une réflexion systématique sur le métier d'architecte que l'évolution de la technique a fait changer de statut, sur la formation qu'il exige et sur les lieux où il doit désormais s'exercer.

Dès lors qu'il cessera d'être l'objet d'un culte irraisonné et d'une « mise en valeur » inconditionnelle, l'enclos patrimonial pourra devenir le terrain sans prix d'un rappel de nous-mêmes à l'avenir.

Une allégorie du patrimoine historique architectural et urbain pourrait être figurée par un labyrinthe que dissimule la surface captivante d'un miroir. Mais le patrimoine et les conduites conservatoires qui lui font cortège sont lisibles, eux aussi, comme une allégorie de l'homme à l'ère médiatique : incertain de la direction où l'orientent la connaissance et la technique, à la recherche d'un chemin où elles puissent le délivrer du temps et de la mémoire pour autrement et mieux le laisser s'y investir.

Notes

Monument et monument historique

1. *D'une science à l'autre. Des concepts nomades*, sous la direction d'I. Stengers, Paris, Le Seuil, 1987.

2. La France a créé une section du patrimoine industriel de la Commission supérieure des monuments historiques en 1986.

3. Par exemple, les villes de la Wachau en Autriche.

4. Y. Abé, « Les débuts de la conservation au Japon moderne : idéologie et historicité », in *World Art, themes of unity in diversity, Acts of the XXVth Congress of the History of art (1980)*, edited by I. Lavin, vol. III, The Pennsylvania State University Press, 1989, p. 855 sq.

5. P. Ryckmans, « The Chinese attitude towards the past », *ibid.*

6. Conférence sur la conservation artistique et historique des monuments, organisée par la SDN, cf. ch. IV, note 116.

7. *Charte du tourisme culturel*, ICOMOS, Bruxelles, 1976. *Résolutions de Cantorbery sur le tourisme culturel*, ICOMOS, Document reprographié, publié par ICOMOS-GB, Université de Kent, 1990.

8. *Monuments à la gloire de Louis XV, Paris*, 1765. En ce qui concerne l'île de la Cité, il note : « A l'exception de Notre-Dame qui resteroit paroisse de la cité, et du bâtiment des Enfants-Trouvés, il n'y aurait rien à épargner dans ce quartier », p. 226.

9. Rasé en 1677 sur ordre de Louis XIV. L'image nous en a été conservée notamment par J. Androuet du Cerceau (*Livre d'architecture*, 1559) et par Claude Perrault (dessin, Bibliothèque nationale, manuscrits, F. 24713). Ce dernier en donne une description émerveillée dans le journal de son *Voyage à Bordeaux en 1669* (publié par P. Bonnefon, Paris, H. Laurens, 1909 avec les *Mémoires de ma vie* de Charles Perrault) et l'a fait graver par Le Pautre pour sa traduction de Vitruve (1684).

10. D. Abdelkafi, *La Médina de Tunis*, Paris, Presses du CNRS, 1990.

11. Congrès internationaux d'architecture moderne, fondés en 1928, à la Sarraz, Suisse.

12. P. Mac Canell, *The Tourist : a new theory of the leisure class*, Londres-New York, McMillan, 1976.

13. 1re édition, 1694.

14. *Dictionnaire d'architecture*, t. 2, Paris, an IX.

15. M. Ozouf, *La Fête révolutionnaire, 1789-1799*, Paris, Gallimard, 1970.

16. P.O. Kristeller, *Renaissance Thought and the Arts, collected essays*, New York, Harper and Row, 1965, en particulier : « The modern system of the arts », paru in *Journal of the History of ideas*, vol. XII, 1951.

17. Ce qu'il nomme, dans le mythe du *Phèdre*, un *pharmakon*. Cf. J. Derrida, « La pharmacie de Platon » in *La Dissémination*, Paris, Le Seuil, 1972.

18. *Parallèle des anciens et des modernes*, 1er dialogue t. 1, p. 63 sq., Paris, 1688 : le passage entier mériterait d'être cité.

19. R. Barthes, *La Chambre claire*, Paris, Cahiers du cinéma, Gallimard-Le Seuil, 1980.

20. *Notre-Dame de Paris*, chapitre : « Ceci tuera cela », rajouté dans la huitième édition de 1832.

21. Toutes les citations sont extraites de *op. cit.*, p. 120, 125, 134, 126, 126, 183.

22. *Le Quotidien de Paris*, 11 septembre 89. Il poursuit : « Le touriste qui se trouvera dans le jardin de Bercy devra faire des photos vraiment inoubliables de cette bibliothèque [...]. La réussite du projet serait qu'on fasse des magnifiques cartes postales de ce lieu. »

23. Ce camp a été classé par le Comité du patrimoine mondial de l'Unesco en 1979. Le terme judéocide est emprunté à A. Mayer, *La « Solution finale » dans l'histoire*, traduit par H.-G. et J. Carlier, Paris, La Découverte, 1990.

24. Les ressorts mémorials de la relique sont, encore, parfois, mis au service de causes moins tragiques. Le vrai monument élevé à de Gaulle n'est pas la gigantesque croix de Lorraine « commémorative » qui domine le plateau champenois, mais sa maison, La Boisserie. Les foules ne s'y trompent pas, qui viennent y défiler. Pour convertir cette demeure en monument, il a suffi de quelques chemins fléchés dans le parc, de quelques cordons protecteurs dans le bâtiment. Là encore, l'homme et l'histoire qu'il a écrite étaient liés par contiguïté à ce cadre qu'il avait élu et aménagé. Cette forme de célébration a connu une faveur particulière aux États-Unis où les demeures des héros nationaux comme celle de Jefferson à Monticello, par exemple, étaient, après leur mort, transformées en monuments à leur gloire. Elle est conforme au génie d'un peuple qui a toujours pratiqué le culte de l'individu.

25. A. Riegl, *Der moderne Denkmalkultus*, Vienne, 1903, trad. fr. par D. Wieczorek, *Le Culte moderne des monuments*, Paris, Le Seuil, 1984.

26. Le concept heuristique de *Kunstwollen* a permis à Riegl de marquer la distinction capitale entre la valeur artistique propre du monument et sa valeur pour l'histoire de l'art. Cf. chap. IV et note 110 p. 236.

27. L. Réau, *Histoire du vandalisme. Les monuments détruits de l'art français*, Paris, Hachette, 1959.

28. Suger a une conscience aiguë de l'interprétation sacrilège qui peut être donnée de son geste. Aussi, dans le livre qu'il consacra à son administration de l'abbaye de Saint-Denis, se justifie-t-il longuement. Il évoque, en particulier, le délabrement et le mauvais fonctionnement de l'édifice originel et ne manque pas de souligner la piété avec laquelle il a conservé « tout ce qui

était possible des anciens murs sur lesquels, selon le témoignage des anciens auteurs, notre Seigneur Jésus-Christ a posé sa main ». Ce texte est un des témoignages les plus intéressants qui nous aient été conservés sur « le fonctionnement » du monument. E. Panofsky en a donné une édition, une traduction et un commentaire remarquables in *Abbot Suger on the abbey church of Saint-Denis and its art treasures*, Princeton University Press, 1946.

29. L.A. Millin, *Antiquités nationales* ou *Recueil de monuments*, Paris, 1790-1798 (6 volumes). Cf. p. 77.

30. F. Rücker, *Les Origines de la conservation des monuments historiques en France*, Paris, Jouve, 1913. Cf. p. 76 sq.

31. L.B. Alberti, *De re aedificatoria* (terminé en 1452, publié posthumement en 1485). Cf. particulièrement le prologue, édition critique par G. Orlandi, Milan, Il Polifilo, 1966, p. 13.

32. Pour une vision documentaire d'ensemble, mais limitée à la France, voir P. Léon, *La Vie des monuments français*, Paris, Picard, 1951. Une remarquable synthèse de « La notion de patrimoine » a été réalisée par A. Chastel et J. Babelon dans la *Revue de l'art*, numéro 49, consacré au *Patrimoine français*, Paris, 1980.

I

Les humanismes et le monument antique

1. On peut se reporter, en particulier, à quelques ouvrages, assortis d'importantes bibliographies. J. Alsop, *The rare art Traditions. The history of art collecting and its linked phenomena*, Princeton-New York, Harper and Row, 1982, dont l'auteur ne dit peut-être pas assez sa dette à F. H. Taylor, *The Taste of angels*, Boston, Little Brown, 1948 ; R. Krautheimer, *Rome, profile of a city 312-1308*, Princeton, Princeton University Press, 1980 ; J. Adhémar, *Influences antiques dans l'art du Moyen Age français*, Londres, Institut Warburg, 1939.

2. E.V. Hansen, *The Attalides of Pergamon*, Ithaca, Cornell University Press, 1947.

3. J. Alsop, *op. cit.*, p. 195.

4. On se reportera aux suggestions de P. Veyne (en particulier dans *Le Pain et le Cirque*, Paris, Le Seuil, 1976, et dans *L'Élégie érotique romaine*, Paris, Le Seuil, 1984), d'autant plus intéressantes que l'auteur est le théoricien d'une épistémologie de la différence (l'histoire romaine « nous fait sortir de nous-même et nous oblige à expliciter les différences qui nous séparent d'elle », *L'Inventaire des différences*, leçon inaugurale au Collège de France, Paris, Le Seuil, 1976).

5. A l'exception de quelques documents égyptiens dont l'intérêt réside essentiellement dans le fait qu'ils sont supposés avoir inspiré les Grecs.

6. Le butin de guerre et sa quantité symbolisent la valeur militaire de ceux qui le rapportent en triomphe à Rome, dans des défilés que les Français ont imités pendant la Révolution de 1789 et à l'issue des campagnes de Bonaparte.

7. Il était, en particulier, attaché à une statuette en or d'Apollon, au point de l'emporter dans toutes ses campagnes. On peut se demander quelle était aussi la part de la superstition dans ce comportement.

8. A Rome, un décret légalise en 459 la spoliation des édifices « dont l'état ne permet pas la réparation ».

9. Ces « additions » ont été détruites et le monument dégagé en 1837. Les arènes de Nîmes avaient été investies de la même façon, cf. p. 73.

10. I. Marrou, *Histoire de l'éducation dans l'Antiquité*, t. 2, Paris, Le Seuil, 1948, en particulier le chapitre sur « Le christianisme et l'éducation classique », dans lequel l'auteur montre que les premiers chrétiens « si intransigeants dans leur volonté de rupture à l'égard du monde païen dont ils ne cessaient de dénoncer les erreurs » n'ont pas créé l'école d'inspiration religieuse, distincte de l'école païenne de type classique, qui eût semblé s'imposer, mais ont conservé les méthodes de l'école classique.

11. D'après J. Adhémar, *op. cit.*

12. E. Panofsky, *Renaissance and Renascences in Western art*, Stockholm, Almqvist und Wiksells, 1960, trad. fr. *La Renaissance et ses avant-courriers*, Paris, Flammarion, 1976.

13. Le terme est bien entendu impropre. Je m'en autorise l'usage en renvoyant à l'ouvrage magistral de E. de Bruyne, *Études d'esthétique médiévale*, Bruges, 1946, réimpression, Genève, Slatkine, 1975.

14. *Mémoire de l'abbé Suger sur son administration abbatiale*, I. « De administratione », XXXIII et XXXIV, cité d'après l'édition de E. Panofsky, *Abbot Suger on the abbey church of Saint-Denis*, *op. cit.*

15. *Narracio de mirabilibus urbis Romae*, éd. par R.B.C. Huyghens, Leyde, 1970.

16. Dans son *Historia pontificalis*. L'épigramme d'Horace « Insanit statuas veteres Damasippus emendo » fut appliqué à H. de Winchester par des moqueurs à qui il répondit que le travail des sculpteurs païens était bien supérieur à celui des chrétiens.

17. Abélard reprend à son compte, pour défendre l'étude de la littérature classique, l'argument de saint Augustin : « *Propter eloquii venustatem et membrorum pulchritudinem* » (« à cause de la grâce de sa parole et de la beauté de sa construction »).

18. Une partie du double poème d'Hildebert est reproduite par R. Krautheimer, *op. cit.*, p. 200-202.

19. Cf. *Renaissance and Renascences*, *op. cit.*, mais aussi E. Panofsky et F. Saxl, « Classical myth in mediaeval art », *Metropolitan Museum Studies*, 1932 et J. Seznec, *La Survivance des dieux antiques*, Londres, Institut Warburg, 1940.

20. Aujourd'hui conservé au Louvre.
21. Cité par J. Adhémar, *op. cit.*
22. Selon Adhémar, les grands abbés considéraient « ces remplois (des monuments antiques) comme le seul moyen de les préserver et de leur conserver l'admiration de la postérité », *op. cit.*, p. 104.
23. *Mémoires de l'abbé Suger sur son administration abbatiale*, III, « De consecratione », *ibid.*
24. Cf. R. Krautheimer, *op. cit.*, p. 191 sq.
25. Sous le nom de Santa-Maria Rotunda. Puis, en 618, il est consacré à Tous les saints et un autel est placé dans sa niche principale en 830. Le deuxième temple christianisé, celui de Fortuna Virilis, le fut seulement entre 872 et 882.
26. (1328) actuellement au musée de Munich.
27. Selon le témoignage de l'auteur de la vie de Martin V, in *Latinae vitae*, cf. P. Sica, cité par V. Fontana, *Artisti e Committenti nella Roma del Quattrocento*, Rome, Instituto di studi romani, 1973.
28. Cf. en particulier, E. Panofsky, *Renaissance and Renascences*, *op. cit.*, et R. Krautheimer, *Lorenzo Ghiberti*, Princeton, Princeton University Press, 1956, chap. XIX.
29. Cf. E. Garin, *Moyen Age et Renaissance*, Paris, Gallimard, 1969, spécialement partie I, chap. IV, p. 87 et partie II, chap. V.
30. R. Krautheimer, *op. cit.*
31. R. Krautheimer, *ibid.*
32. Le grand humaniste florentin y séjourne continuement de 1403 à 1458, avec la seule interruption de ses voyages.
33. Plutôt que par le terme artisans, je préfère désigner ainsi ceux qui pratiquent les arts, au sens médiéval et renaissant de *ars*. *Artifices* : pluriel de *artifex*.
34. L'autonomisation du champ des arts plastiques, qui avec Vasari deviendront les « arts du dessin », n'a pas pour seule origine l'intérêt porté par ces architectes et ces sculpteurs aux œuvres de l'Antiquité. Panofsky a montré comment le souci politique avait conduit les lettrés toscans à donner, au XIVe siècle, une place nouvelle à leurs artistes qui promouvaient un style original par rapport aux canons byzantins. La renaissance de la politique nationale trouve sa métaphore dans un renouveau (sans lien à l'antique) du vrai en peinture. G. Villani († 1347), puis Boccace (1313-1375) associent la figure de Giotto à la gloire de Florence. Cette deuxième source, qui émane des lettrés, est donc sans lien immédiat avec l'expérience esthétique. L'importance accordée à l'art résulte d'une réflexion morale et politique associée au sentiment national.
35. Il s'y trouve entre 1401 et 1403 avec Donatello ; il y revient, notamment en 1418 et 1432.
36. Ce sont, en particulier, les thèses de J. Alsop, *op. cit.*
37. *The Heritage of Apelles*, « From the revival of letters to the reform of the arts : Niccolo Niccoli and Filippo Brunelleschi », Oxford, 1976.
38. Correspondance de Niccoli.

39. A la suite de sa découverte d'un manuscrit à la bibliothèque du Monastère de Saint-Gall en 1414 ou 1416. L'édition *princeps* du *De architectura* de Vitruve date de 1486.

40. Cf. R. Krautheimer, *op. cit.*, « Ghiberti and Alberti », p. 315 sq.

41. R. Krautheimer, *op. cit.*

42. Sur cette *Descriptio urbis Romae* et l'innovation majeure qu'elle apporte à la cartographie romaine, cf. L. Vagnetti, « Lo studio di Roma negli scritti albertiani », in *Convegno internazionale indetto nel V centenario di Leon Battista Alberti*, Roma, Accademia nazionale dei Lincei, 1974. Vagnetti montre bien les rapports de la *Descriptio* avec les *Ludi matematici*, ce qui lui permet d'en situer l'établissement après 1443. Il souligne le souci morphologique d'Alberti qui cherche à faire apparaître la forme globale de la Ville.

43. L'omission, délibérée est significative : cette « historiographie », insérée dans le chapitre 2 du livre VI, cautionne et fonde les règles esthétiques établies par l'auteur. Elle est aussi le paradigme dont s'inspireront la majorité des approches théoriques de l'architecture dans la tradition occidentale « post-médiévale » jusqu'aux mouvements moderne et post-moderne compris.

44. Elles préfigurent l'approche de l'histoire de l'art par l'œuvre individuelle, telle que Vasari en élaborera le modèle dans ses *Vite*. Alberti adopte en revanche une approche anonyme, par aires culturelles, dont on ne trouve pas, toutes choses égales d'ailleurs, d'exemple comparable avant l'*Esthétique* de Hegel.

45. La première collection d'antiques, telle qu'elle apparaît au Quattrocento, doit être distinguée des cabinets de curiosités du Moyen Age, caractérisés par leur hétéroclisme qui mélange et associe créations de la nature (rares, exotiques, bizarres, tératologiques) et créations de l'homme, parmi la diversité desquelles monnaies, bijoux et objets antiques trouvent à l'occasion leur place. Dans les pays du Nord, le cabinet de curiosité a survécu jusqu'aux Lumières. Aux inscriptions et vestiges égyptiens qui firent sa célébrité, le jésuite Kircher mêle dans son *museum* des animaux empaillés, des coquillages, des cristaux, des objets brésiliens. Nommé *trustee* du British Museum, en 1759, Horace Walpole se plaint à son ami H. Mann d'être « commis à la garde d'embryons et de coquillages ».Voir F.H. Taylor, *op. cit.* et en particulier K. Pomian, *Collectionneurs, Amateurs et Curieux, Paris*, Gallimard, 1987 et A. Schnapper, *Le Géant, la Licorne et la Tulipe* (Collections et collectionneurs dans la France du XVIIe siècle), Paris, Flamarion, 1988.

46. Cité d'après E. Müntz, *Les Arts à la cour des papes pendant le XVe et le XVIe siècle*, Paris, 1878, I. *De Martin V à Pie II* (1417-1464).

47. *Ibid.*

48. *Ibid.*

49. *Ibid.*, notre traduction.

50. *Ibid.*, III, *De Sixte IV à Léon X.*

51. Alberti a étudié Frontin de près. Sa connaissance des textes latins fonde sa pratique de restaurateur.

52. Documents publiés par Müntz, *ibid.*

53. Cf. M. di Marco, *Il Colosseo, funzione simbolica, storica, urbana*, Roma, 1961.

54. Deux manuscrits, légèrement différents, ont été conservés de cette lettre publiée pour la première fois dans les *Œuvres* de Baldassare Castiglione (Padoue, 1733, éd. des frères Volpi). En 1799, l'abbé Daniele Francesconi en donnait une nouvelle édition qu'il attribuait formellement à Raphaël (*Congettura che una lettera creduta di Baldassare Castiglione sia di Raffaello d'Urbino*). C'était encore l'avis de J.D. Passavant (*Raffaele von Urbino und sein Vater Giovanni Santi*, Leipzig, 1839) qui pensait toutefois que Castiglione avait pu mettre le talent de sa plume au service de son ami Raphaël. Aujourd'hui, il semble que la partie technique de la *Lettre* soit apocryphe, mais que Raphaël soit bien, en tout cas, l'inspirateur de toute la première partie du texte.

55. *Op. cit.*

56. Bref du 27 août 1515.

II

Le temps des antiquaires

1. J. Spon et G. Wheeler, *Voyage d'Italie, de Dalmatie, de Grèce et du Levant, fait ès années 1675 et 1676*, Lyon, 1678.

2. J. Spon, *Recherches curieuses d'Antiquité*, Lyon, 1683, « Explication des antiquités gravées au frontispice », p. 14.

3. Dérivé du grec *mouséion* (temple des muses, lieu où résident les muses, lieu où l'on s'exerce à la poésie, aux arts, etc., école) le terme signifie d'abord en français, cabinet de travail, lieu consacré aux études scientifiques, littéraires ou artistiques. Il commence à apparaître dans son acception actuelle (extrapolation du cabinet de travail où sont conservées les collections des antiquaires et des amateurs) pendant la dernière décennie du XVIIIe siècle, cf. ch. III, p. 80.

4. « Antique qualifie généralement ce qui est fort ancien, opposé à moderne », *op. cit.*

5. Sur la différence entre humanistes historiens et antiquaires, cf. A. Momigliano, « *Ancient history and the antiquariam* », *Journal of the Warburg and Courtauld Institute*, Londres, 13, 1950, trad. fr. A. Trachet, in *Problèmes d'historiographie ancienne et moderne*, Paris, Gallimard, 1983.

6. Cité par Momigliano, *op. cit.*, p. 266.

7. *L'Antiquité expliquée et représentée en figures*, Paris, 1719-1724, XV, l. VI, « Tombeaux étrusques », p. 1.

8. *Op. cit.* Préface : « Il y a environ trente-quatre ans que mes supérieurs me destinèrent aux éditions des Pères grecs, je tâchai d'acquérir les connaissances nécessaires pour m'y appliquer avec succès. »

9. 1660-1741. De la congrégation de Saint-Maur, comme Mabillon, Michel Germain, Michel Félibien (neveu de l'académicien).

10. 1702-1763. Après un « grand tour » en Europe (1733-36), il entreprit un voyage en Égypte et en Asie Mineure (1737-1742), dont il rapporta *A description of the East* (vol. 1, 1743, *Observations on Egypt*, vol. 2. *Observations on Palestine, on the Holy Land, Syria, Mesopotamia, Cyprus and Candia, 1745*). Pococke ne s'en intéressait pas moins à l'architecture gothique, à sa conservation et à sa restauration (cf. lettre du 27/VIII, 1753, adressée de Dublin au Dr Ducarel, citée in « Biographical sketch », p. XIV).

11. 1635-1700, peintre dessinateur et graveur. Il se spécialisa dans la reproduction d'objets antiques (lampes, bijoux, peintures, monnaies). La première édition de ses gravures de la colonne Trajane : *Colonna Trajana [..] novamente disegnata e intagliata da Pietro Santi Bartoli, con esposizione latina d'Alfonso Ciaccono, compendata nella volgare lingua sotto ciascuna imagine [...] da Gio. Pietro Bellori*, est dédiée à Louis XIV, 1673. Fabretti en donne une nouvelle édition en 1683.

12. *Entwurf einer historischen Architektur in Abbildung unterschiedener berühmten Gebäude des Altertums und fremder Völker*, Leipzig, 1825 (2e éd.).

13. Correspondance de Bernard de Montfaucon avec le baron de Crassier, archéologue liégeois, Liège, 1855.

14. « L'incomparable M. de Peiresc, dit Montfaucon, a plus ramassé de monuments sur presque toute l'antiquité, soit en dessein, soit en nature, que nul autre. [Il] ajoutait ordinairement à ces monuments des explications courtes, que nous voyons encore aujourd'hui dans quelques-uns de ses manuscrits, ce qui fournissait des matériaux à la plupart des savants de l'Europe », *op. cit.*, préface, p. VIII. En ce qui concerne les antiquités nationales, même usage a été fait des archives de R. de Gaignières qui, en 1695, formula le premier projet d'inventaire systématique des monuments français, inspiré par les voyages littéraires des bollandistes et des bénédictins. L'inventaire de ses dessins a été publié par H. Bouchot, Paris, Plon, 1891.

15. La traduction en anglais des quinze volumes *in-quarto* de *L'Antiquité expliquée* de Montfaucon, *Antiquity explained and represented in sculptures*, Londres, 1721-1715, paraît en même temps que l'édition originale bilingue en français et en latin.

16. Cf. la querelle typographique que fait le « jeune Gronovius » à l'« illustre Fabretti » dont Michel Germain déplore la riposte « pleine de véhémence et de cruelles injures » tout en donnant tort au « jeune homme [qui] ne devrait assurément pas traiter ignominieusement comme il le fait ce savant homme ». *Correspondance inédite de Mabillon et de Montfaucon avec l'Italie*, Paris, 1846, lettre LXXIV du 1er janvier 1666 de Michel Germain à Placide Percheron de Rome, p. 195-196 ; ou encore la diffamation par Guillet, auteur d'*Athènes ancienne et nouvelle*, de *La Relation* de Spon qui réplique (*Réponse à la critique publiée par M. Guillet...*, 1679), en publiant la liste des erreurs commises par ce dernier.

17. Malgré la spécificité et les limitations de leurs supports respectifs, l'épigraphie et la numismatique livrent une information encyclopédique sur le passé. Voir, par exemple, E. Spanheim, *Dissertationes de praestantia et usu numismatum antiquorum*, 2e édition, 1671.

18. *Op. cit.*, préface, p. VI.

19. Par ailleurs, Montfaucon veut réaliser une synthèse et non pas une somme (« je *réduis* dans un corps d'ouvrage toute l'Antiquité », nos italiques), comme le montre sa critique du *Thesaurum antiquitatum Graecarum Romanarumque* publié par les Hollandais, *op. cit.*, *ibid.*

20. On constate souvent un écart significatif entre la découverte d'un site et sa fouille. Herculanum n'a commencé à être fouillé systématiquement qu'en 1755.

21. Cf. ses descriptions de la mosquée d'Achmet ou de celle de la mère du sultan régnant, « un des plus beaux édifices qui se puissent voir, soit par le dehors, soit par le dedans. L'architecture, bien qu'un peu éloignée de nos règles, ne le cède point à celle de nos plus belles églises d'Italie. Elle a même, à notre égard, quelque chose de plus surprenant par sa nouveauté », *Voyage*, *op. cit.*, p. 235.

22. *Voyage d'Égypte et de Nubie*, Copenhague, 1755, t. 1.

23. Montfaucon, *Antiquité*, préface, p. XV : « On ne laissera pas de tirer beaucoup d'utilité d'un ouvrage qui regardera ces temps-là [de Théodose au XVe siècle], *fait sur le même plan* [que l'*Antiquité*]. » Nos italiques.

24. *Monumenta britannica : chronologica architectura*, 1670.

25. Abbé Bertrand, *Antiquités et Singularités de l'Abbaye de St Denys*, 1575.

26. Cf. en particulier, G. Corrozet (1510-1568), *La Fleur des antiquités, singularités et excellences de la plus que noble et triomphante ville et cité de Paris*, 1532, qui donna lieu à douze rééditions, et comporte, en particulier, une longue discussion des différents mythes de fondation de la ville, finalement attribuée à Francion, fils d'Hector de Troie.

27. A la fin de la préface de *L'Antiquité expliquée*, après avoir présenté le plan de cet ouvrage, comme par une association d'idées fortuites et sous la forme d'observations méthodologiques destinées à de futurs auteurs, Montfaucon expose, en fait, les principes qui ont guidé la réalisation des *Monuments de la Monarchie française* (1724-1733).

28. *Ibid.*, préface.

29. « Il ne faut pas que ceux qui travailleront sur ce plan se mettent en tête de continuer ce *Recueil d'Antiquités* dans tous les pays de l'Europe ; l'entreprise seroit trop longue et trop difficile, pour ne pas dire impraticable. Ce sera tout ce que pourront des François, que de bien exécuter cela dans la France seule... Il faut pourtant que ceux qui entreprendront ce travail s'instruisent des usages des autres pays de l'Europe, surtout l'Italie, parce qu'il y a bien des choses dans lesquelles les François convenoient avec les autres nations », *ibid.*, p. XVI.

30. *Ibid.*, p. XVIII.

31. *Monuments de la Monarchie*. Il identifie de la même façon les statues

du portail (pl. VII) de Saint-Germain-des-Prés et celles du troisième portail de Notre-Dame de Paris (pl. VIII).

32. Pour Inigo Jones, les alignements de Stonehenge sont les vestiges d'une immense construction romaine, *The Most Notable Antiquities of Great Britain, vulgarely called Stone-Heng, on Salisbury Plain*, Londres, 1653. Voir plus tard les conjectures du Dr. W. Stuckeley.

33. Abbé Cordier, *L'Architecture du Moyen Age jugée par les écrivains des deux derniers siècles*, Paris, 1839.

34. Voir en particulier les articles concernant le gothique dans son *Dictionnaire d'architecture*, cf. note 41, *infra*.

35. Cf. A Rostand, « Les monuments de la monarchie française de B. de Montfaucon », *Bulletin de la Société de l'Histoire de l'art français*, Paris, 1932.

36. Bibliothécaire de la famille de Guise. C. de Grandmaison, *Gaignières, sa correspondance et ses collections*, Niort, 1892.

37. E. de Broglie, *Mabillon et la Société de l'abbaye de Saint-Germain-des-Prés à la fin du XVIe siècle*, Paris, 1888.

38. *Op. cit.*, p. 529, 530, 534. Nos italiques : on voit que la métaphore des arbres et de la forêt, appliquée aux nefs gothiques, n'est pas née avec Chateaubriand. On la trouve d'ailleurs déjà dans la « Lettre de Raphaël », citée p. 45.

39. R. Middleton a bien mis en évidence l'originalité de cette tradition dans sa remarquable synthèse « The Abbé Cordemoy and the Graeco-gothic ideal : a prelud to romantic classicism », *Journal of the Warburg and Courtauld Institutes*, Londres, 1962-63. Le même thème est abordé de façon différente dans le livre fondamental de J.M. Pérouse de Montclos, *L'Architecture à la française*, Paris, 1982.

40. Voir en particulier les *Mémoires critiques d'architecture*, Paris, 1702, du président du Bureau des finances de Paris, Frémin.

41. La première citation est empruntée à la dissertation *De l'architecture égyptienne considérée dans son origine, ses principes et son goût, comparée sous les mêmes rapports à l'architecture grecque* (1785), dans laquelle Quatremère formule pour la première fois sa théorie des trois états et des trois types originaux (égyptien, chinois et grec) de l'architecture, p. 177 de l'édition de 1803. Il reprendra ce thème dans son *Dictionnaire d'architecture* (t. 2), *op. cit.*, de l'*Encyclopédie* de Panckoucke dont proviennent nos autres citations.

42. L'Anglais Hurd marque bien la différence (1762) : « Si l'on juge l'architecture gothique d'après les lois grecques, on n'y trouve que du difforme ; si on examine le gothique selon ses propres lois, le résultat est complètement différent. » La même année, Horace Walpole : « Je ne veux pas instituer de comparaison entre la beauté rationnelle de l'architecture régulière et la licence inspirée de celle qu'on appelle gothique. Toutefois, je suis convaincu que les auteurs de cette dernière eurent une plus grande connaissance de leur art, *un goût meilleur, plus de génie...* », *Anecdotes in painting*, nos italiques.

43. Par un édit « Against breaking and defacing monuments ». Défense est spécifiée « de mutiler les antiquités [*monuments of antiquity*] qui ont été édifiées dans les églises ou autres lieux publics à des fins de mémoire et non de superstition [*for memory, and not for superstition*] », cité d'après N. Boulting, « The law's delays : conservatist legislation in the British Isles », in J. Fawcett, éd., *The Future of the past : attitudes towards conservation, 1174-1974*, Londres, 1974.

44. J. Summerson, *Architecture in Britain*, 1530-1830, Londres Penguin, 1962 (4e éd.).

45. A propos de la Tom Tower, il écrit au doyen de Christ Church à Oxford (1681) : « I resolved it ought to be gothic to agree with the founder's work. » Son *Memorandum* sur l'achèvement de Westminster (1713) est catégorique, dans le même sens. En France, à la même époque, cette attitude est exceptionnelle (reconstruction de la cathédrale d'Orléans) et généralement imputable à la congrégation de Saint-Maur qui patronna, en particulier, l'architecte Le Duc, dit Toscane, auteur des églises gothiques de Celles-sur-Belle et de Saint-Maixant. Cf. J. Lestocquoy, « L'architecture gothique aux XVIIe et XVIIIe siècles », *Art sacré*, janv.-fév. 1948 et A. Rostand : « L'œuvre architecturale des bénédictins de la congrégation de Saint-Maur en Normandie, 1616-1789 », *Bulletin de la Société des antiquaires de Normandie*, XLVII, 1940.

46. Elle se dote d'une Charte en 1651 et d'un organe de publication en 1773. En France, il faut attendre 1804 pour que soit créée l'Académie celtique qui devient en 1814 « Société royale des antiquaires de France ».

47. En particulier Th. Warton, *Observations on the fairie Queene of Spenser*, Londres, 1762, J. Bentham, *Historical remarks on the Saxon Churchs*, 1772, F. Grose, *Antiquities of England and Wales*, 1776.

48. Les édifices romans sont appelés saxons, saxons-normands ou gothiques saxons, les édifices gothiques sont dits sarrasins, normands et gothiques et divisés en « absolute gothic, ornamental, florid gothic », selon des critères morphologiques. En France, les tentatives du père J. Lebœuf, élève de Montfaucon, sont encore fondées sur des critères dynastiques.

49. *Antiquité*, préface, p. VI. Cf. aussi p. X : « J'ai mis dans cet ouvrage toutes les images que j'ai cru pouvoir servir à illustrer l'Antiquité. Ces figures, jointes aux explications, seront d'une utilité merveilleuse [...]. On verra souvent dans les images des histoires muettes que les anciens auteurs n'apprennent pas. »

50. Comte de Caylus, *Recueil d'Antiquités* (1752-1767), t. 3, p. 52 (à propos des antiquités étrusques).

51. *Observations on the fairy Queene of Spenser*, vol. II, Londres, 1762, dont un passage (p. 184-199) est inclus dans *Essays on gothic architecture* de J. Warton, J. Bentham, Grose et J. Milner, réunis par Taylor, Londres, 2e éd., 1802.

52. Cf. *Inscriptiones antiquae totius Urbis Romae* de Gruterus, Paris, 1600. Chaque planche porte indication : « Schedis fideliter descripsit et vidit. »

53. A la fin du siècle, Séroux d'Agincourt, 1730-1814, à son tour : « Ce que les historiens des Beaux-Arts se sont assez volontiers contentés de dire, je voulais le montrer dans mon livre. Là, c'étaient surtout les monumens qui devaient parler. » Effectivement, sur les six volumes in-folio de son *Histoire de l'art par les monumens*, 3 volumes de planches figurent mille quatre cents monuments. L'ouvrage, achevé en Italie pendant la Révolution de 1789, fut publié en partie posthumement. Il est alors sans exemple par l'ambition qui lui fait réunir Antiquité et Temps modernes, et surtout, en matière d'architecture, déjà traiter l'architecture gothique comme un « système ». Séroux peut cependant être encore considéré comme un antiquaire.

54. Caylus, *Recueil d'Antiquités*, t. 1, p. V.

55. *L'Antiquité expliquée*, *op. cit.*, préface, p. VI.

56. Caylus, *op. cit.*, *ibid.*

57. Cf. R. Krautheimer, « Introduction to an iconography of mediaeval architecture », *Studies in early christian, mediaeval and Renaissance art*, Princeton University Press, 1969.

58. Montfaucon, *L'Antiquité expliquée*, *op. cit.*, t. XIII (sur les thermes de Fréjus, pour lesquels il utilise l'iconographie de Peiresc).

59. 1574-1629. Un des humanistes et antiquaires romains les plus célèbres de son temps.

60. Voir, en particulier, les *Lettres à Cassiano dal Pozzo (1626-1637)* dans la remarquable édition qu'en ont donnée J.-F. Lhôte et D. Joyal, Clermont-Ferrand, Amphion Adosa, 1989.

61. Ou encore : la composition des « noces aldobrandines », la matière d'un vase antique, les reliefs d'un trépied ou l'anatomie d'une gazelle d'Éthiopie, le pelage d'un élan d'Amérique, les fleurs d'un plan de *jasminium indicum*. L'observation et la description parallèle de bâtiments et d'animaux se retrouve chez bien d'autres auteurs, notamment chez les médecins-architectes Hooke et Perrault. Ce dernier a, lui aussi, laissé un célèbre portrait de caméléon dans *Mémoires pour servir à l'histoire des animaux*, Paris, 1771.

62. *Op. cit.*, lettre LXIX. Cf. sur la question des géants, A. Schnapper, *op. cit.*

63. Peiresc, lettres à Gassendi du 21 décembre 1632, à Menestrier 30 mars 1635 ou à Cassiano, *op. cit.*, lettre XIV. Pour Montfaucon, cf. A. Rostand, *op. cit.*

64. *Op. cit.*, l. II, p. 224, 339; l. III, p. 236.

65. Il existe des exceptions. Pereisc fait l'éloge des planches qui illustrent le *Discours historial de l'antique et illustre ville de Nismes*, Lyon, 1560, de Poldo d'Albenas : elles sont « man di buon architecto e digne di far estimar il libro ». Effectivement, les dessins relevés par l'auteur sont tous cotés et relativement précis. Peiresc fait peu de cas du commentaire, cependant remarquable pour l'époque, dans lequel Poldo d'Albenas avoue ne sacrifier aux généalogies urbaines que pour la forme, démystifie le vandalisme des *gots* et multiplie les remarques judicieuses sur la Maison carrée, les arènes et le pont du Gard.

66. *Op. cit.*, p. 177.

67. Dans bien des cas, les savants ne se laissent pas duper. Montfaucon (t. II, l. II, ch. 21, p. 124) : « La plupart des profils de Soria paraissent plutôt être de *son invention*, que copiés d'après l'antique. Il est aisé de lever le plan sur des mazures ; mais ces mazures ne suffisent pas toujours pour en donner le profil. Il est à croire que pour être uniforme dans son ouvrage, il aura voulu donner le plan et le profil de tout et que *son imagination* aura suppléé à tout ce qui manquait à ces mazures [...]. Dans le doute, j'ai jugé à propos de supprimer tous ces profils dont plusieurs même ne semblent pas avoir le goût antique. » (Nos italiques.)

68. *In Ezechielem explanationes et apparatus Urbis ac templi hierosolymitani. Commentariis et imaginibus illustratus*, Rome, 1596-1604.

69. Objet d'une étude à paraître : *Présences du Parthénon, essai sur l'histoire et la théorie de l'architecture*, par P. Tournikiotis. Dans la première partie de ce remarquable travail, Tournikiotis établit la succession suivante :

1re phase. Représentation idéalisée atemporelle et décontextualisée du temple seul :

Image 1, (archétypale disparue en 1514), exécutée sur place par Ciriaco d'Ancona, voyageur florentin, en 1444, Athènes étant sous la domination florentine : elle est inspirée par les descriptions de Pausanias.

Image 2, copie anonyme de la précédente : portique octostyle d'ordre dorique.

Image 3, version inspirée de la précédente par San Gallo : le portique dorique devient ionique et un bâtiment est ajouté derrière lui.

Image 4, anonyme : l'ordre ionique devient corinthien.

Image 5, par Spon, 1678 : amalgame dorique de 2 et 3, bien que Spon ait vu le Parthénon : cette image sera reproduite dans la plupart des ouvrages d'antiquités jusqu'au milieu du XVIIIe siècle.

2e phase. Situation du Parthénon sur des plans topologiques abstraits.

1. Plan (archétypal) des Capucins (vers 1650).

2. Vue d'Athènes du père Babin, publiée par Spon en 1674 : le Parthénon est une mosquée au sommet de la citadelle.

3e phase. Relevé scientifique des plans de l'Acropole et du Parthénon par l'ingénieur J. Milhan Verneda à la suite du siège d'Athènes en 1687. Publié en 1707, reproduit jusqu'au XIXe siècle.

4e phase. Relevé complet *in situ* par Stuart et Revett, peintres (1751-1753) et, séparément par David Le Roy, architecte (1754).

Image 1 (archétypale), publiée par Le Roy, 1758, corrigée en 1770 : intégrée dans une approche historique et théorique de l'architecture.

Image 2 (archétypale), publiée par Stuart et Revett en 1789 : présentée comme corrigeant les représentations antérieures erronées et figure d'un objet intemporel et parfait.

Tournikiotis est, à ma connaissance, le premier à avoir inversé le jugement de valeur qui accordait aux images de Stuart et Revett une supériorité scientifique par rapport à celles de Le Roy.

70. Voir J. Leclant, *La Modification d'un regard (1787-1826) : du voyage en Syrie et en Égypte de Volney au Louvre de Champollion*, Académie des Inscriptions et Belles-Lettres, Paris, 1987.

71. Gioffredo, l'inventeur du site de Paestum, en fait représenter les temples en dorique renaissant.

72. *Op. cit.*, « La contribution de Gibbon à la méthode historique », et aussi chap. cité, note 5.

73. « Le savant Winckelmann est le premier [...] qui se soit avisé de découper l'Antiquité, d'analyser les temps, les peuples, les écoles, les styles, les nuances de style ; [...] il est le premier qui, en classant les époques ait rapproché l'histoire des monuments et comparé les monuments entre eux, découvert des caractéristiques sûres, des principes de critique et une méthode [...]. Il est parvenu à faire un corps de ce qui n'était qu'un amas de débris. » *Lettres sur le projet d'enlever les monuments d'Italie*, Paris, 1796, p. 205 de l'édition de 1836. Dans ce texte, par ailleurs perspicace (« cette science [l'histoire de l'art] ne fait que naître. Comment pourrait-elle exister avant les découvertes de ce siècle ? [...] Il n'y avait pas une assez grande masse de faits ou de monuments »), Quatremère se montre néanmoins injuste à l'égard des premiers antiquaires (« Tout était sans cohérence, sans ordre, et rien n'avait été analysé ; rien n'avait été composé »), et en particulier de Caylus dont il reconnaît ailleurs les mérites, *ibid.*, p. 204.

74. P. Tournikiotis, *op. cit.*

75. « Réflexions sur quelques causes de l'état présent de la peinture en France », *Mercure*, 1747. Selon A. Fontaine qui donne un rôle inaugural, quelque peu exagéré, à cet article, *Les Doctrines de l'art en France*, Paris, 1909, Slatkine reprint, Genève, 1970, « Il substituait à l'éloge traditionnel des gazettes une appréciation qui essayait d'être impartiale ».

76. *Lettres de Caylus à Paciaudi*, Lettre LVII.

77. Il avait étudié la peinture dans l'atelier de Watteau, la gravure avec Mariette et grava tout le Cabinet des dessins de Crozat, une partie de celui de Louis XV.

78. Voir en ce sens l'expérience de Norden, *Drawings of some ruins and colossal statues at Thebes in Egypt...*, Londres, Royal Society, 1741, et l'ouvrage posthume qui en a été tiré, *Voyage d'Égypte et de Nubie*, Copenhague, 1755. Envoyé par Christian VI de Danemark (1737) en Égypte pour faire la part de la légende dans les représentations existantes des monuments égyptiens, il en rapporte des relevés et dessins exécutés « on the place, just as you see them ». Mais Norden a étudié la gravure en Hollande, le dessin en Italie : on peut apprécier le rôle joué par sa culture et sa sensibilité artistique en comparant ses images avec celles de Pococke. Quatremère de Quincy a utilisé les deux auteurs pour son ouvrage sur l'architecture égyptienne.

79. Cependant dans l'Avertissement des *Monuments*, Montfaucon notait déjà parmi les informations offertes, en dépit de « leur grossièreté », par les antiquités nationales, « ce différent goût de sculpture et de peinture en divers siècles [qui] peut être compté parmi les faits historiques ». Mais la remarque

est adventice. On le voit bien quand, enquêtant sur l'histoire du costume, il compare les vêtements des statues qui ornent les églises et cathédrales d'époques diverses et découvre par hasard, sans y attacher d'importance, la différence « de goût » qui sépare les statues colonnes des portails royaux des sculptures du XIIIe siècle (*ibid.*, pl. VIII, IX, XVI). Remarque de même portée dans le tome II du même ouvrage à propos des planches de la tapisserie de Bayeux (2e série, I à IX) dont il publie successivement deux versions. Il ne faut « rien changer dans le goût de la peinture de ce temps-là ; goût des plus grossiers et des plus barbares, mais auquel il ne faut rien changer, la décadence et le rétablissement des arts faisant à mon avis *un point considérable de l'histoire...* » (nos italiques). Dans la seconde version, les parties usées de la tapisserie ne sont pas reconstituées, mais indiquées, en pointillé.

80. « Je me suis borné à ne publier dans ce recueil que les monuments qui m'appartiennent ou m'ont appartenu », *op. cit.*, avertissement. Après le premier volume, il tempère un peu cette position. Mais, par exemple dans le cas des monuments « gaulois », il fait à l'occasion appel à un ingénieur pour en dresser la topographie.

81. Les monuments « mettent les progrès des arts sous nos yeux. Mais il faut convenir que les antiquaires ne les ont presque jamais envisagés sous ce dernier point de vue », *ibid.*

82. *Op. cit.*, t. I, 1re partie.

83. *Ibid.*, avertissement, p. VIII et IX. Caylus montre comment « la voie du dessin, jointe à l'habitude de voir et de comparer » permet de s'imprimer du « goût d'une nation [...]. Le goût d'un pays étant une fois établi, on n'a plus qu'à le suivre dans ses progrès ou ses altérations ; c'est le moyen de connoître, du moins en partie, celui de chaque siècle. Il est vrai que cette seconde opération est plus difficile que la première. *Le goût d'un peuple diffère de celui d'un autre peuple presqu'aussi sensiblement que les couleurs primitives diffèrent entre elles* ; au lieu que les variétés du goût national en différents siècles peuvent être regardées comme des nuances très fines d'une même couleur [...], on doit dire cependant qu'en général les yeux éclairés par le dessin, remarquent des différences considérables où le commun des yeux ne voit qu'une ressemblance parfaite [...] ». De même, t. III, préface, p. XX-XXI sur la manière et le « style des nations différentes », nos italiques.

84. *Op. cit.*, avertissement, p. V, nos italiques.

85. Parmi les créations du XVIIIe siècle, le British Museum, les Offices, le musée Pio Clementino à Rome, le Louvre (ouvert sous le nom de Museum français).

86. Piranèse joue avec une égale virtuosité sur les deux registres de l'érudition et de l'histoire de l'art d'une part, du pittoresque de l'autre.

87. R. Krautheimer a décrit de façon suggestive les efforts — vains — tentés par Alexandre VII, *The Rome of Alexander VII, 1655-1667*, Princeton, 1982. Voir aussi Ceschi, *Teoria de Storia del restauro*, Rome, Bulzoni, 1970.

88. Ph. Prost, « Restauration et histoire des mentalités : un projet inédit

de restauration de l'amphithéâtre de Nîmes en 1692», *World Art*, *op. cit.*, vol. III.

89. Archives Perrault BN, 390 Fol II (3 pages écrites par un secrétaire, suivies de deux lignes de la main de Perrault : « Monseigneur m'a ordonné d'envoyer de sa part cette instruction à Monsieur Girardon, ce septembre 1668 », et de sa signature.

90. Architecte avignonnais né en 1640 (neveu de P. Mignard « le Romain »), l'un des huit membres fondateurs de l'Académie d'architecture (1671).

91. Lettre d'Esprit Calvet au peintre Duplessis sur les dessins faits par P. Mignard, archives bibl. d'Avignon cité in *Notice sur les dessins des antiquités de la France méridionale exécutés par Pierre Mignard et sur leur publication projetée par le comte de Caylus.*

92. Cité par Prost, *Confessions*, t. 1, Paris, 1963, p. 398-399.

93. « A senseless waste of money », selon Carter, d'après la préface (1re ligne) de L. Gomme à la sélection de ses articles du *Gentlemen's Magazine*.

94. Voir le lumineux article de N. Pevsner « Scrape and anti-scrape », *in* J. Fawcett, *op. cit.*

95. Lichfield, 1788, Hereford, 1789, Salisbury, 1789, Durham, 1791.

96. A la différence, par exemple, de la restauration en style ionien de la cathédrale de Saint-Canice, patronnée en 1757 par Pococke, devenu évêque d'Ossory.

97. Cité d'après Pevsner, *op. cit.*

98. Carter (1274-1817), est l'auteur de deux recueils importants : *Views of ancient buildings in England : 1796-1798; Ancient architecture of England, 1795-1807.*

En 1795, il s'était associé à la Société des antiquaires de Durham, en exposant ses dessins, pour faire arrêter les restaurations de Wyatt. Collaborateur régulier du *Gentlemen's Magazine* à partir de 1798, il écrivit pour ce journal plusieurs centaines d'articles polémiques.

99. Milner, *A dissertation on the modern style of altering ancient cathedrals as exemplified in the cathedral of Salisbury*, 1798. Il précise : « Il ne restera plus sur cette île un seul monument authentique, et non adultéré, de l'Antiquité sacrée », cité par Pevsner. A son plaidoyer, Milner ajoute un argument que reprendront Ruskin et Morris à l'époque de Viollet-le-Duc : il est d'autant plus urgent d'arrêter les restaurations intempestives que, sur le continent, « la plupart des édifices religieux [médiévaux] sont mutilés, en ruine, ou menacés de subir le même destin [restaurations vandales] ».

III
La Révolution française

1. Voir par exemple, F. Despois, *Le Vandalisme révolutionnaire*, Paris, 1848, et plus récemment L. Réau, *Histoire du vandalisme*, Paris, Hachette, 1959.

2. D. Hermant, « Le vandalisme révolutionnaire », *Annales*, Paris, juillet-août 1978.

3. *Les Origines de la conservation des monuments historiques en France, 1790-1830, op. cit.*

4. Le terme apparaît dès la première page des *Antiquités*, très rarement ensuite. Il désigne les antiquités nationales par opposition à celles de l'Antiquité et en recouvre toutes les catégories, sans privilège pour les bâtiments.

5. Nos italiques, *op. cit.*, t. 1, p. 1 et 2. L'ouvrage comporte six volumes, dont les quatre premiers ont été publiés entre 1790 et 1792. En présentant le premier volume à l'Assemblée, Millin lui demande « la permission de visiter tous les lieux claustraux, toutes les maisons nationales, d'y pénétrer sans difficulté et de [pouvoir s'] y livrer sans obstacle à l'objet de ses recherches », « Bulletin de l'Assemblée nationale présidée par M. Pétion », *Le Moniteur* n° 345 du 11 décembre 1790. Le Bulletin indique qu'« on applaudit ». Le président de la séance répond sur le même registre. Il loue l'entreprise « grande et utile » de Millin qui va « sauver des ravages du temps qui consume tous ces antiques et précieux monuments » en mettant « sous les yeux le tableau vivant des vérités et des œuvres de tous les siècles ».

6. Cf. par exemple, *op. cit.*, t. V, p. 3, reproduction du « portail [de la collégiale Saint-Pierre à Lille] que j'ai fait dessiner avant sa destruction ».

7. *Ibid.*, p. 3.

8. Cette tâche revenait à deux comités « des affaires ecclésiastiques » et « de l'aliénation des biens nationaux ».

9. Cf. par exemple Armand-Guy Kersaint, *Discours sur les monuments publics, prononcé au Conseil du département de Paris le 15 [XII] 91*, p. 5 : les monuments importants « sont le *patrimoine* de tous [...], doivent être entretenus, agrandis, embellis, aux frais de tous », ou encore l'*Instruction sur la manière d'inventorier*, p. 3 : « C'est dans les maisons lâchement abandonnées par vos ennemis que vous trouverez une partie de cet *héritage*, *faites-le valoir* au profit de la raison, si cruellement outragée par eux [...] ; que chacun de vous se conduise comme s'il étoit vraiment responsable de ces *trésors* que la nation lui confie » (nos italiques).

10. *Op. cit.*, p. 18.

11. Kersaint, *op. cit.*, p. 42. Le passage mérite d'être cité plus longuement : « Nous avons à recueillir une succession immense [...], une nation qui se gouverne elle-même doit se conduire dans l'arrangement d'une telle affaire par

des principes d'ordre que les héritiers sages mettroient dans le recouvrement d'une succession [...]. Ces héritiers ne laisseraient pas çà et là les tableaux précieux, les statues antiques, les médailles, les bronzes, les marbres, les bibliothèques [...]. »

12. La Commission des monuments de la Constituante comporte dix sections, toutes également composées à la fois de spécialistes et de simples citoyens. Dans le tableau ci-après, emprunté à Rücker, on constate que l'architecture n'est pas explicitement désignée dans la VIe section.

I.	Livres imprimés	Ameilhon, Debure, Mercier.
II.	Manuscrits	Bréquigny, Dacier, Poirier.
III.	Chartes et sceaux	
IV.	Médailles antiques et modernes	Barthélemy, David, Doyen, Leblond, Masson, Mongez, Mouchy, Pajou, Puthod.
V.	Pierres gravées et inscriptions	
VI.	Statues, bustes, bas-reliefs, vases, poids et mesures antiques et du Moyen Age, armes offensives et défensives, mausolées, tombeaux et tous les objets de ce genre, relatifs à l'Antiquité et à l'Histoire	
VII.	Tableaux, cartons de peintres, dessins, gravures, cartes, tapisseries anciennes ou historiques, mosaïques, vitraux	David, Debure, Desmarest, Doyen, Mouchy, Pajou.
VIII.	Machines et autres objets relatifs aux arts mécaniques et aux sciences	Desmarest, Mongez, Vandermonde.
IX.	Objets relatifs à l'histoire naturelle et à ses trois règnes	Ameilhon, Desmarest, Mongez.
X.	Objets relatifs aux costumes anciens, modernes, européens et étrangers	Ameilhon, Puthod.

13. Aux termes de son article 3, l'Assemblée nationale constituante « charge les directoires des départements de faire dresser l'état et de veiller par tous les moyens [...] à la conservation des monuments, des églises et des maisons devenus domaines nationaux qui se trouvent dans l'étendue de leur soumission et lesdits états seront ensuite remis au comité d'aliénation ».

14. Je simplifie et ne mentionne pas les différents cas de réutilisation dans les lieux publics, nationaux ou municipaux.

15. « ... Lieu, bâtiment où se trouvent rassemblés les divers objets d'art dont on fait des collections [...]. Il n'y a pas longtemps qu'on s'est occupé de construire et de disposer avec magnificence des édifices *exprès* pour en faire

des musées et le nombre n'en est pas encore considérable en Europe», dit Quatremère de Quincy dans le tome II de son *Dictionnaire*.

16. Cf. les articles 1 et 2 de la deuxième partie de son *Mémoire* : « 1° Tous les monuments (biens meubles nationalisés) dont il s'agit appartiennent en général à la Nation. Il faut donc mettre, autant qu'il sera possible, tous les individus à portée d'en jouir, et rien, ce me semble, n'y contribuera mieux que de placer chacun des dépôts où ils seront rassemblés dans chacun des quatre-vingt-trois départements dont la France est maintenant composée, ayant soin que chaque dépôt soit aussi complet qu'il se pourra ; car on verra ci-après qu'on ne peut les rendre tous également complets.

2° Le lieu où serait établi le dépôt de chaque département serait une ville considérable et par préférence celle où il y aurait un établissement d'instruction publique : car on sent combien l'instruction publique peut tirer de secours de ces *musées* : c'est le nom qu'on pourra donner à ces dépôts. »

Le sens du terme « musée » n'est pas encore fixé. La plupart des textes de l'époque qui l'emploient commencent par en donner une définition.

17. Y. Cantarel-Besson, *La Naissance du musée du Louvre, la politique muséologique sous la Révolution, d'après les archives des musées nationaux*, ministère de la Culture, Éditions de la Réunion des musées nationaux, Paris, 1981, 2 vol.

18. Michelet a contribué à créer et à répandre la légende du musée Lenoir : « Ma plus forte impression, c'est le musée des Monuments français : c'est là et nulle autre part que j'ai reçu d'abord la vive impression de l'histoire [...]. Que d'âmes y avaient pris l'étincelle historique, l'intérêt des grands souvenirs [...]. Je me rappelle encore l'émotion, toujours la même, et toujours vive, qui me faisait battre le cœur, quand, tout petit, j'entrais sous ces voûtes sombres et contemplais ces visages pâles [...], *Le Peuple*, Paris, Comptoir des imprimeurs unis, 1846, 2e éd., p. 26.

19. Un inventaire des peintures et sculptures rédigé par Doyen le 30/IX/1790 est consacré aux Archives nationales. Le 29 mars 1791, les responsables s'aperçoivent que les sculptures se trouvant dans « les églises et maisons supprimées ont été oubliées. Le nombre d'objets s'accroissant un gardien devient nécessaire, son choix est ratifié par la municipalité ». *Procès-verbaux de la Commission des monuments*, t. 1, p. 21 et 29. Une version tronquée de ces événements a été diffusée par Lenoir et reprise par L. Vitet dans son article sur « Le Musée de Cluny », publié en 1833 dans la *Revue des deux mondes*.

20. P.-v., *ibid.* Il lui est alors conseillé de prendre des conseils auprès d'experts et de ne pas chercher à concurrencer le Louvre.

21. *Notice des monumens des arts, réunis au dépôt national des monumens rue des Petits Augustins, suivie d'un traité de la peinture sur verre*, Paris, an IV. Avant-propos, x. Cf. aussi la *Description historique et chronologique des monuments de sculpture réunis au Musée des monuments français, par Alexandre Lenoir, conservateur et administrateur de ce musée, augmentée d'une dissertation sur la barbe et les costumes de chaque siècle* (5e éd., Paris, an VIII), qui donne la mesure de l'ignorance de Lenoir.

22. L. Courajod, *Alexandre Lenoir, son journal et le musée des Monuments français*, Paris, Champion, 1878, note p. CLXXIV. Pour Courajod, conservateur du musée du Louvre, qui ne voit en Lenoir que l'adversaire des vandales, ce dernier est « un bienfaiteur de l'humanité », *ibid.*, p. XVII.

23. Deseine, *Rapport fait au Conseil général... le 15 Thermidor an VIII, sur l'instruction publique, la restitution des tombeaux, mausolées, etc.*, Paris an VIII. Quatremère de Quincy avait entamé dès 1791 sa campagne contre les musées qu'il dénonce, en particulier dans ses *Considérations morales sur la destination des ouvrages de l'art* (...). Paris, 1815. C'est en partie à la suite des démarches de Deseine et de Quatremère qu'une ordonnance du 24 avril 1816 fit fermer le musée des Monuments français et tentera de restituer son contenu « aux églises et aux familles ». Dans l'article cité *supra*, consacré au musée de Cluny dont la conservation avait été confiée au fils d'Alexandre Lenoir, et qui débute par une apologie (diplomatique ?) de ce dernier, L. Vitet ne se demande pas moins : « Aujourd'hui [...] obtiendrait-il par exemple que le ministre de la Guerre lui prêtât ses fourgons pour transporter des statues, des colonnes, jusqu'à des édifices entiers ? [...] M. Lenoir n'a jamais employé d'autre roulage que le train de l'armée [...]. Il ne trouverait pas non plus à Metz et dans maintes autres villes des milliers de prisonniers de guerre, qui, moyennant quelques sous par jour, *lui démoliraient, pierre par pierre, les monuments les plus fins, les plus délicats, les plus dentelés.* » Article republié in *Études d'Histoire de l'art*, Paris, 1864, t. 2, p. 384, nos italiques.

24. Cf. article 3 du *Mémoire* cité *supra* : « Le local nécessaire ne sera pas difficile à trouver dans toute ville un peu considérable. On choisirait pour servir de *musée* quelque église du nombre de celles qui seraient supprimées et qui, sans cela, demeureraient d'une inutilité absolue. En la consacrant à cet usage, l'avantage serait double. L'édifice serait construit, et la disposition se trouverait telle qu'il y aurait peu de changements à y faire pour le rendre propre au nouveau service auquel il serait employé. »

25. Détruite entre 1798 et 1823, malgré les efforts tentés par Chaptal pour en faire annuler l'adjudication. Ce dernier écrit en 1801 au ministre des Finances : « Je cesse toute démarche, mais je vois avec douleur que l'influence d'un gouvernement réparateur n'a pu sauver un de nos édifices les plus intéressants pour l'histoire et pour les arts » (cité par K. Heitz).

26. « 1° Quand le prix actuel de la façon surpassera, ou même ne fera qu'égaler la valeur de la matière on ne fondra pas le monument ;

2° Tout monument antérieur à l'an 1300 sera conservé, *à raison des costumes* (on sera souvent aidé à déterminer l'âge des châsses et reliquaires par les dates des procès-verbaux qui accompagnent les reliques) ;

3° Tout monument précieux par la beauté du travail sera conservé ;

4° Les monuments qui, sans être précieux pour la beauté du travail, offriraient des instructions sur l'histoire et les époques de l'art, seront conservés ;

5° Si, parmi les monuments qui ne méritent pas d'être conservés, il s'en trouvait qui présentassent quelques détails intéressants pour l'art, ils seront dessinés avant la fonte ;

6° Tout monument qui intéressera l'histoire, les mœurs et les usages sera conservé ;

7° Lorsqu'un monument portera une inscription ou légende intéressante pour l'histoire ou pour l'art, on enlèvera cette inscription pour la conserver, en faisant mention du monument dont elle aura été détachée [...] ;

8° On détachera, sans les endommager, les pierres précieuses et les pierres gravées, les médailles, les bas-reliefs encastrés dans les pièces d'orfèvrerie [...] ;

9° Lorsque les reliques seront posées sur des étoffes ou tissus qui peuvent offrir des éclaircissements relatifs aux manufactures, on aura soin de les mettre à part pour être examinées. Quand elles mériteront d'être conservées, le prêtre chargé du transport des reliques sera prié d'en séparer ces tissus ou ces étoffes avec les précautions qu'exige la décence. » (Nos italiques.)

27. D. Hermant, *op. cit.*, p. 711.

28. A Lille et à Thionville, il veut faire élever « un grand monument, soit une pyramide, soit un obélisque en granit français » pour « prouver à la postérité et à l'univers les sentiments d'admiration et de reconnaissance de la République » pour l'héroïsme de leurs citoyens. Il demande « que les débris de marbre provenant des piédestaux des statues détruites dans Paris ainsi que du bronze provenant de chacune de ces cinq statues [...], débris du luxe des cinq derniers despotes français, soient employés aux ornements de ces deux monuments », séance de la Convention du 26 octobre 1792, *Le Moniteur*, 20. X. 1792. Sa proposition pour Paris est précédée d'une harangue vengeresse : « Les rois ne pouvant usurper dans les temples la place de la divinité, s'étaient emparés de leurs portiques ; ils y avaient placé leurs effigies [...]. Vous avez renversé ces insolents usurpateurs ; ils gisent étendus sur la terre qu'ils ont souillée [...]. Citoyens, perpétuons ce triomphe [...] de la victoire [du peuple] sur les tyrans, que les débris tronqués de leurs statues forment un monument durable de la gloire du peuple et de leur anéantissement [...]. » Convention, séance du 17 brumaire an II (novembre 1793), *Le Moniteur* du 9 novembre.

29. *Le Moniteur*, *op. cit.*

30. D'après Hermant, *op. cit.*, p. 708.

31. *Ibid.*

32. Article de ce décret proposé au nom du Comité d'instruction publique par Romme.

33. Prévoyant que « ceux qui seraient convaincus d'avoir mutilé ou cassé des chefs-d'œuvre de sculpture dans le jardin des Tuileries ou autres lieux appartenant à la République seraient punis de deux ans de détention ».

34. *Instruction sur la manière d'inventorier et de conserver dans toute l'étendue de la République, tous les objets qui peuvent servir aux arts, aux sciences et à l'enseignement, proposée par la Commission temporaire des arts et adoptée par le Comité d'Instruction publique de la Convention nationale*, Paris, Imprimerie nationale, an second de la République.

35. *Op. cit.*, p. 713.

36. *Le Moniteur*, n° 237, 4 août 1792. Dans ce discours, Dussault se sert très habilement du nom de David qui fut un iconoclaste enragé. « Les arts

appartiennent à la philosophie. Encouragez, respectez ceux qui les cultivent, qui les honorent. Voyez un David, c'est l'artiste le plus sublime, c'est à la fois le plus ardent des patriotes. »

37. Elle prit alors le nom de « Commission temporaire des arts ».

38. *Instruction publique. Rapport sur les destructions opérées par le vandalisme et sur les moyens de le réprimer*, Séance du 14 fructidor an II, suivi du décret de la Convention nationale ; *Instruction publique. Second rapport sur le vandalisme*, 8 brumaire an III, suivi du décret de la Convention nationale : *Instruction publique. Troisième rapport sur le vandalisme*. 24 frimaire an III. L'ambivalence de Grégoire apparaît, malgré lui, dans de nombreux passages des *Rapports*. Par exemple : « A Franciade où la massue nationale a justement frappé les tyrans jusque dans leurs tombeaux, il fallait au moins épargner celui de Turenne », I, p. 163-164. Sa préoccupation dominante est d'ordre économique : « A Saint-Louis de la Culture, on mutiloit un monument qui a coûté plus de 200 000 livres... », *ibid.*, p. 163. Cité d'après l'édition qu'en donne lord Ashbourne in *Grégoire and the French Revolution*, Londres, Sands and Co, 1910.

39. Hermant, *op. cit.*, p. 716.

40. M. Mauss, « Essai sur les variations saisonnières des sociétés eskimos », *Année sociologique 1904-1905*. Cf. aussi A. van Gennep et, sous la direction de J. Delumeau, *La Mort des pays de Cocagne*, Paris, Publications de la Sorbonne, 1976.

41. *Instruction sur la manière...*, *op. cit.*, p. 67-68. Dans le même sens voir Dussault, *op. cit.*, *supra*.

42. Kersaint, *op. cit.*, p. 8. Cf. aussi, p. 39, le passage sur le Louvre : « C'est en étudiant ce palais tracé sur le plus grand modèle, qu'on passe sans intervalle de l'admiration à l'indignation ; on sent autant de respect pour l'effort de ces artistes [...] que de haine et de mépris pour ces ministres. » Ou mieux la condamnation, comme « contre-révolutionnaire », du projet de destruction de Paris, « la cité des cités, l'orgueil de l'Empire », *ibid.*, p. 16-17.

43. *Instruction sur la manière d'inventorier*, p. 3. Vicq d'Azyr a été le rédacteur de ce texte anonyme, contresigné par les présidents respectifs de la Commission des arts, et du Comité d'instruction publique. Cf. p. 88-89, et note 45.

44. Cf. p. 88.

45. (1748-1794.) Médecin, il fut également le fondateur de l'Académie royale de médecine. Membre du Comité d'instruction publique et de la Commission temporaire des arts, il fut chargé le 10 novembre 1793 (20 brumaire an II) d'un « plan à effet d'organiser le travail dans tous les départements pour connaître des objets dont s'occupe la Commission des arts à Paris ». Le 20 brumaire (15 novembre), il est chargé d'une instruction sur les inventaires. Le 25 décembre, il lit et présente son *Rapport* à la Commission qui l'adopte.

46. Les passages du *Discours sur l'anatomie* sont nombreux qui le montrent. Cf. par exemple *Œuvres complètes*, Paris, éd. J.-L. Moreau, 1805, t. V,

«Mémoire sur les poissons», p. 166-167, «Mémoire sur les oiseaux», p. 223-227.

47. *Ibid.*, t. IV, p. 52 : «J'ai pensé que toutes ces descriptions ne seront utiles qu'après avoir été réduites à la même exposition; c'est ce que j'ai exécuté dans des tableaux où chacun des différents organes occupant une colonne particulière, la comparaison se fait par la seule inspection des sections correspondantes [...].» Voir aussi ses compétences d'archivistes.

48. *Œuvres complètes*, t. V, *Remarques de médecine pratique et d'hygiène*, p. 80.

49. Section XI (Architecture), p. 63-65 :

«1° Il sera fait mention, dans les inventaires, de tous les monumens placés dans l'arrondissement du district. On y indiquera l'antiquité de ces monumens, leur situation, leur exposition, leur genre de construction et de décoration. On dira si la bâtisse est en pierre de taille, en moëllon ou en brique; si l'édifice est solide; s'il a besoin d'être réparé, et à quels usages on croit qu'il pourroit servir;

2° Si ces monumens offrent des travaux remarquables dans la coupe des pierres dans la disposition des voûtes ou des arcs de construction, dans les divers moyens d'éclairer, dans la forme des escaliers, etc., on en fera une mention particulière sur les procès-verbaux;

3° Celles des maisons occupées par les ci-devant ministres du culte catholique et par les émigrés, qui mériteront d'être distinguées sous les rapports des arts, seront aussi inventoriées, et on indiquera de même si elles peuvent être destinées à des usages publics, qu'il est possible d'y établir des manufactures ou des hospices, etc.;

4° Tous les modèles des machines servant à l'architecture pour la préparation, le transport, l'élévation, la distribution, et le placement des matériaux, seront inventoriés et conservés avec soin;

5° Les modèles des monuments d'architecture égyptienne, grecque et romaine seront mis à part et réservés pour l'enseignement;

6° Les maisons, châteaux et monuments quelconques, dont la démolition sera jugée nécessaire, si leur construction offre des masses ou des détails dont il soit utile de conserver les formes, seront, sans délai, décrits et dessinés, et les inscriptions, s'il y en a, seront copiées, afin que l'art ne soit privé d'aucun avantage par la rigueur des mesures révolutionnaires que les circonstances exigent;

7° Quant aux plans et dessins qui concernent l'architecture, on en fera l'inventaire, et on les conservera suivant les procédés indiqués dans cet écrit.»

50. Terme commode pour recouvrir les périodes dont le style (mérovingien, roman) est mal identifié, et qui servira encore à Guizot en 1830, cf. chap. IV.

51. «L'ensemble du corps social» est symbolisé par les législateurs, les magistrats, les agriculteurs et les artistes.

52. Dans le cas de destructions systématiques, «l'industrie et le commerce de la France perdroient bientôt la supériorité qu'ils ont acquise, dans plusieurs branches, sur l'industrie et le commerce de nos voisins», *Instruction*, p. 69.

Voir aussi Grégoire, 3e *Rapport*, dans lequel il évoque le succès commercial de la fabrique de Wedgwood en Angleterre où, grâce à l'achat par acte du Parlement des modèles que constituent « les vases étrusques d'Hamilton », on vit en quelques années « sextupler les produits ordinaires des domaines », *op. cit.*, p. 212.

53. Grégoire, *Premier rapport*, *op. cit.*, p. 182. Ce passage qui commence par : « Ces monuments contribuent à la splendeur d'une nation et ajoutent à sa prépondérance politique. C'est là ce que les étrangers viennent admirer », introduit un projet de déménagement des œuvres d'art qui anticipe celui de Napoléon : « Si nos armées victorieuses pénètrent en Italie, l'enlèvement de l'Apollon du Belvédère et de l'Hercule Farnèse seroit la plus brillante conquête. C'est la Grèce qui a décoré Rome ; mais les chefs-d'œuvre des républiques grecques doivent-ils décorer le pays des esclaves ? La République française doit être leur dernier domicile. »

54. *Op. cit.*, p. 20 sq. et 45.

55. « Ici, nous appelons les regards des législateurs sur des monumens du moyen âge qui doivent être conservés, soit pour servir comme bâtimens, soit sous le rapport de l'art : telle est la basilique de Chartres, doit il étoit utile sans doute d'enlever les plombs, car la première chose est d'écraser nos ennemis ; mais au lieu de remplacer cette couverture par des tuiles ou des bardeaux on laisse à découvert cet admirable édifice que les outrages de l'hiver feront dépérir.

Amiens réclame, avec le zèle le plus ardent et le plus louable, la conservation de sa cathédrale, un des plus beaux monuments gothiques qui soient en Europe : la magnificence, la hardiesse et la légèreté de sa construction en font une des plus hardies conceptions de l'esprit humain.

Les mêmes réflexions s'appliquent à celle de Strasbourg, dont la tour est la plus haute pyramide de l'Europe, peut-être n'est-il pas inutile de dire qu'elle n'est guère inférieure en élévation à la plus haute pyramide d'Égypte, mais qu'elle lui est bien supérieure en bâtisse ; car celle-ci présente dans sa coupe un triangle dont la base est plus grande que la hauteur. Quand le connoisseur contemple ces basiliques, ses facultés, suspendues par l'admiration dont il est saisi, lui permettent à peine de respirer ; il s'honore d'être homme en pensant que ses semblables ont pu exécuter de tels ouvrages, et la satisfaction qu'il éprouve en les voyant sur le sol de la liberté, ajoute au bonheur d'être François », *Deuxième Rapport*, *op. cit.*, p. 189-190.

« Les monumens du moyen âge présentent le double intérêt de conservation, et comme édifices, et comme objets d'art. David Leroi (*sic*) remarque, avec raison, que trop tard on s'est occupé des édifices gothiques qui, par le merveilleux de leur construction, la légèreté de leurs colonnes et la hardiesse de leurs voûtes, commandent l'admiration et fournissent des types à l'art », *Troisième Rapport*, *op. cit.*, p. 213.

56. Cf. note 28 *supra*.

57. Voir tous les exemples de protection cités par Mathieu (premier bilan du travail de la commission temporaire des Arts), et par Mentelle *P.-V. de la Commission temporaire des arts*, t. 1, p. XXII-XXIII).

58. Les premiers, représentés par les antiquités, servent essentiellement à l'instruction de la nation. Les seconds, représentés par les nouveaux monuments publics qu'il a la charge de concevoir, mobilisent le peuple en jouant, au contraire, sur ses sentiments. Il s'agit d'une véritable mise en condition : « La confiance [...] s'établira par une *sorte d'instinct* sur la solidité de ces édifices destinés à conserver [les nouvelles lois] et à en perpétuer la durée », (*op. cit.*, p. 3, nos italiques). De même les monuments doivent « frapp[er] l'esprit de la multitude, dans le même temps où on cherche à la convaincre par des raisonnements », *ibid.*, p. 11, ou encore p. 17 : « Pour donner à cette vérité la *force d'un sentiment*, consacrez en commun un grand monument à l'Assemblée représentative [...] ». (Nos italiques.)

59. Cf. L. M. O'Connell, *Architecture and the French Revolution : the Conseil des bâtiments civils and the redefinition of the architect's field of action in the 1790s* (thèse d'histoire de l'architecture, Cornell University, 1988), dans laquelle l'auteur publie la lettre, à la fois laconique et confuse, envoyée par la Commission des travaux publics aux administrateurs de chaque district, pour obtenir notamment « l'état nominatif de tous les monuments, celui des lieux dans lesquels ils se trouvent » et une partie des 300 réponses conservées aux Archives nationales. Beaucoup d'agents demandent des informations complémentaires. Celui de Chartres : « Je m'occupe de vous fournir les renseignements que vous me demandez par votre lettre du 18 Thermidor relative à l'envoi d'états de monuments [...] mais je suis dans le doute sur le vrai sens du terme *monument*. Dois-je entendre dans la signification précise par monument tout ouvrage établi pour rappeler un fait ou tous édifices qui peuvent être considérés comme chefs-d'œuvre de l'art comme quelques-unes des ci-devants églises et autres ouvrages ?... » (21 août 94) ; celui de Bayonne : « Malgré mon désir de satisfaire à votre demande, je ne serai pas en mesure de le faire avant que vous ayez pris la peine de me dire ce que vous entendez par monuments » (19 août 94) ; ou encore de Corbeil : « Les communes auxquelles j'ai fait ces différentes demandes m'ont répondu d'une manière totalement étrangère à ce que vous désirez à cet égard ; le mot monument étant trop générique. En conséquence, je vous invite à me dire ce que vous entendez par monuments » (28 décembre 1794).

60. Avec Rücker, *op. cit.*

61. *Op. cit.*

62. Nommé en 1797 « Architecte des monuments à conserver » et assisté en 1798 d'un inspecteur pour remplir cette tâche.

63. Ainsi dans le cadre de l'action menée en faveur de la Maison carrée, la condamnation de la sur-restauration fantaisiste qui risque d'en faire « un temple rétabli de parties modernes, perdu pour l'histoire » : « Cette manie [...] des artistes qui veulent tout raccommoder, qui font paroître la nécessité de réparer lorsqu'il n'en est pas besoin, est le coup le plus funeste à la beauté des exemples des Édifices de l'antiquité ». *Minutes du Conseil*, F. 21 2473, 16 pluviôse an VII (4 février 1799), cité par L.M. O'Connell.

64. Alors que plus tard, dans la seconde moitié du siècle, le Conseil se fit le porte-drapeau du néo-classicisme et de l'esprit « Beaux-arts ».

65. O'Connell, *op. cit.*, cf. *Minutes* contre la vente du château de Fontainebleau au profit de « spéculateurs avides d'obtenir [ces bâtiments] à vil prix pour en faire la démolition et en tirer un très grand parti, au préjudice du Trésor public, des marbres, fers, bois et plombs, qui s'y trouvent en très grande quantité », 31 janvier 1799.

66. Notamment en préparant le terrain à la circulaire de Montalivet aux préfets, sur l'état des châteaux et abbayes de leurs départements (1810).

IV
La consécration du monument historique

1. *Op. cit.*, introduction, p. 4.

2. Ce document publié en 1966 marque la reprise, après la Deuxième Guerre mondiale, des travaux théoriques concernant la protection des monuments historiques, dans le cadre d'une audience internationale élargie. Le premier texte international de ce genre avait été publié en 1931, sous l'égide de la SDN (cf. *supra*) et demeurait strictement européen.

3. Il faut noter cependant qu'au Brésil les membres des CIAM sont à l'origine de la conservation de l'architecture vernaculaire.

4. Ce terme désigne improprement, par abus de sens, la « démolition, en vue d'une construction nouvelle, d'un secteur urbain », *Dictionnaire de l'urbanisme et de l'aménagement*, publié sous la direction de P. Merlin et F. Choay, Paris, PUF, 1988.

5. Conseil international des monuments et des sites, créé en 1964 sur la proposition de l'Unesco.

6. Ceux-ci ne disparurent pas pour autant. De nombreuses sociétés d'antiquaires subsistent aujourd'hui, fidèles à leur vocation d'érudition.

7. V. Hugo, « Guerre aux démolisseurs », article écrit en 1825, paru en 1829 dans la *Revue de Paris*, réédité avec une deuxième partie originale en 1832 dans la *Revue des deux mondes*, il figure dans le volume *Littérature et Philosophie mêlées* des *Œuvres complètes*. Dans l'article de 1825, Hugo parle à deux reprises d'« églises romanes » (Saint-Germain-des-Prés, à Paris, et Sainte-Croix à La Charité-sur-Loire), *op. cit.*, p. 153 et 154. Il doit ce vocable à l'antiquaire normand Jean-Achille Deville (1789-1875) avec qui il était en rapport et qui peut être considéré comme l'inventeur du terme roman. Cf. en particulier *L'Église et l'Abbaye de Saint-Georges de Boscherville* (1827).

8. Le *Rapport* de Guizot semble avoir été directement inspiré par le « Discours préliminaire » qui sert d'introduction aux *Monuments de la France* d'Alexandre de Laborde évoquant « ces monuments qui couvrent le sol de la patrie, qui s'unissent à nos souvenirs, qui retracent ses triomphes ou sa

prospérité [...]. La France, moins ancienne que beaucoup de contrées d'Europe, est plus riche qu'aucune d'elles en monuments de tous les âges [...]. »

9. « En dirigeant son attention exclusivement sur l'œuvre d'art singulière, et en cherchant à en enrichir toujours davantage la compréhension, l'analyste trouvera que sa compréhension historique devient toujours plus difficile, pour se révéler finalement impossible. Il lui deviendra de plus en plus ardu de reconnaître les liens qui attachent l'œuvre à son passé et son avenir ; et finalement, descendant dans la profondeur insondable de l'individualité créatrice de l'artiste, il perdra complètement ce fil historique [...]. Ainsi [...] ce en quoi consiste la valeur historique d'une œuvre d'art et en liaison avec quoi elle dépend de réalisations antérieures [...] peut s'avérer n'être qu'une petite partie *superficielle et inessentielle* de la totalité complète d'une œuvre d'art » (*Über die Beurteilung der bildenden Kunst*, 1876, p. 19-20, notre traduction et nos italiques). Cf. aussi *Bemerkungen über Wesen und Geschichte der Baukunst*, 1878. Sur Fiedler et son apport à la théorie de l'art, cf. Ph. Junod, *Transparence et Opacité*, Lausanne, L'Âge d'Homme, 1975.

10. Fiedler,Riegl, Sitte parlent de *Kunsttrieb* (instinct d'art) et Viollet-le-Duc fait de l'instinct l'essence de l'art (cf. chap. V).

11. Cf. dans ses *Études sur les arts du Moyen Age*, republiées par Flammarion, Paris, 1967, « Essai sur l'architecture religieuse [...] » et « L'Église de Saint-Savin et ses peintures murales ».

12. P. Mérimée, *Lettres à Viollet-le-Duc*, texte établi par P. Trahard, Paris, Champion, 1927. Cf. notamment la lettre de mai 1857. « Il me paraît certain qu'on ne peut plus aujourd'hui formuler de principe absolu sur rien, ni, par conséquent, ramener tout à un système unique. Notre rôle dans les arts est très difficile. Nous avons une infinité de vieux préjugés, de vieilles habitudes qui tiennent à une civilisation qui n'est plus la nôtre, et en même temps, nous avons nos besoins, nos habitudes, nos convenances modernes. Tout cela me paraît la mer à boire. Cependant, nous avons, comme les anciens, la faculté de raisonner et, un peu, celle de sentir. Pour moi, je crois que c'est par le raisonnement qu'il faut travailler notre génération et je suis convaincu qu'en l'habituant à raisonner on parviendra à perfectionner son goût » (p. 28). Camillo Boito a cependant bien montré tout ce que Mérimée doit « à la chaude influence de la littérature, de la poésie et de l'art romantique », « Restaurare o conservare », in *Questioni pratiche di belle arti*, Milan, Hoepli, 1893, p. 32.

13. Intentionnalité de la sensibilité qui colore la création artistique d'une époque. Sur ce concept voir E. Panofsky, « Le concept de *Kunstwollen* » in *La Perspective comme forme symbolique*, Paris, Éditions de Minuit, 1967. Dans les *Entretiens sur l'architecture*, Viollet-le-Duc multiplie les constats sur la mort de l'art au XIXe siècle, cf. chap. V.

14. T.D. Whitaker, *History of the parish of Whalley*, vol. I. Les premiers dessins de Turner pour Whitaker datent de 1799.

15. Par exemple, ses premières vues de la cathédrale d'Ely (1797). Dans la suite, Turner ne publiera pas seulement ses *Picturesque Views in England*

and Wales (1816) mais d'autres séries anglaises et écossaises, et celles de *Rivers of France* (1833-35).

16. *Du vandalisme et du catholicisme dans l'art*, Paris, Debécourt, 1839. Essai intitulé : « Lettre à M. Victor Hugo » (1833). En l'espace d'un paragraphe (p. 2), le mot « passion » revient quatre fois. Montalembert précise : « En ce qui touche à l'art, je n'ai [*sic*] la prétention de rien savoir, je n'ai que celle de beaucoup aimer. »

17. *Op. cit.* « La postérité inscrira parmi vos plus belles gloires celles d'avoir le premier déployé un drapeau qui pût rallier toutes les âmes jalouses de sauver l'art en France. »

18. *Contrasts or a parallel between the noble edifices of the fourteenth and fifteenth centuries and similar buildings of the present days* [...], Londres, 1836.

19. « Tout artiste, tout bourgeois même, qui passent à Guérande, y éprouvent, comme ceux qui séjournent à Venise, un désir bientôt oublié d'y finir leurs jours dans la paix [...]. Parfois l'image de cette ville revient frapper au temple du souvenir : elle entre coiffée de ses tours, parée de sa ceinture, elle déploie sa robe semée de belles fleurs, secoue le manteau d'or de ses dunes, exhale les senteurs enivrantes de ses jolis chemins épineux », *Scènes de la vie privée, Béatrix* (1844), *Œuvres complètes*, Paris, Houssiaux, 1855, t. III, p. 290.

20. « Le caractère particulier du mal engendré par notre âge est sa totale irréparabilité [*irreparableness*] », J. Ruskin, « On the opening of the Crystal Palace », reproduit par S. Tschudi Madsen, *Restoration and Antirestoration*, Oslo, 1976, p. 117.

21. *Op. cit.*, p. 155. Hugo note : « Nous n'avons plus le génie de ces siècles. » Conséquence pour lui de l'industrialisation mais, surtout, bien en amont, de la mort de l'architecture, tuée par le livre. Cf. « Ceci tuera cela », chapitre ajouté dans l'édition de 1832 de *Notre-Dame de Paris*.

22. *Op. cit.*, p. 320.

23. « Signs of the time », cité par R. Williams in *Culture and Society*, Londres, Chatto and Windus, 1958. Notre traduction.

24. Les deux notions d'architecture et de construction ont clairement été distinguées, notamment in *The Seven Lamps of architecture* (1849), J. M. Dent and sons, Londres, 1956, p. 7. Dans ce même passage, Ruskin utilise comme synonyme de *building* le terme *edification*, qui a déjà, à l'époque, à peu près perdu cette signification dans l'usage courant de l'anglais. Pour tout ce qui suit, voir « The lamp of memory ».

25. Le rôle de la différence est souligné à maintes reprises dans le chapitre VI du même ouvrage consacré à la « Lampe de mémoire », *op. cit.*, p. 184-186.

26. *Op. cit.*, p. 166, nos italiques.

27. Le *gothic revival* (cf. en particulier K. Clark, *The Gothic Revival*, Londres, Constable, 1928, réédité par Pelican Books, 1964, et les travaux de N. Pevsner). A la même époque, dans une France où l'éclectisme entre en compétition avec le néo-classicisme, on ne trouve que très peu d'exemples (Sainte-Clotilde à Paris), d'une architecture fidèle aux principes du style gothique.

28. *Guerre aux démolisseurs, op. cit.*, p. 165.

29. « La France [...] possède encore aujourd'hui quelques villes complètement en dehors du mouvement social qui donne au XIXe siècle sa physionomie [...]. Cependant, depuis trente ans, ces portraits des anciens âges commencent à s'effacer et deviennent rares. En travaillant pour les masses, l'industrie moderne va détruisant les créations de l'art antique *dont les travaux étaient tout personnels au consommateur comme à l'artisan* [...]. Or, pour l'industrie, les monuments sont des carrières de moellons, des mines de salpêtre ou des magasins à coton. Encore quelques années, ces cités originales seront transformées et ne se verront plus que dans cette iconographie littéraire », *op. cit.*, p. 286-87. La phrase soulignée montre, en outre, que Balzac avait perçu la double activité créatrice impliquée dans les processus de production et de perception des monuments anciens. Le terme « antique » est ici pris au sens d'ancien.

30. J. Ruskin, « On the opening... », *op. cit.*, p. 116.

31. « The lamp of memory », particulièrement § X où Ruskin évoque « the strength [of past buildings] which, through the lapse of seasons and times, and the decline and birth of dynasties [...], connects forgotten and following ages with each others and half constitutes the identity, as it concentrates the sympathy, of nations », *op. cit.*, p. 191.

32. Il redoute l'élitisme de l'esthète et, en ce sens, prône une architecture accessible à tous. C'est pourquoi, il déplace volontairement l'accent de l'œuvre d'art vers ceux qui l'ont réalisée et vers leurs qualités morales : « We take pleasure, or should take pleasure, in architectural construction, altogether as the manifestation of an admirable human intelligence [...] again in decoration or beauty it is less the actual loveliness of the thing produced, than the choice and intention concerned in the production which are to delight us ; *the love and thoughts of the workman more than his work* », *The Stones of Venice*, Londres, 1851, t. 1, chap.II, § 5, p. 37 (nos italiques). Cf. aussi « The lamp of memory », *op. cit.*, § IV, p. 185.

33. « True domestic architecture, the beginning of all other, which does not disdain to treat with respect and thoughtfulness the small habitation as well as the large, and which invests with the dignity of contended manhood the narrowness of wordly circumstance », *Seven Lamps*, *ibid.*, § IV, p. 185, cf. aussi § V.

34. Dans *Seven Lamps, op. cit.*, § X, p. 190, il forge le superbe néologisme *voicefulness* (M. Bakhtine fera de leur voix ce qui différencie les objets des sciences humaines de ceux des sciences physiques, « Epistémologie des sciences humaines », in T. Todorov, *Mikhaïl Bakhtine, le principe dialogique*, Paris, Le Seuil, 1981). La même idée est reprise dans *Les Pierres de Venise*, avec la distinction entre les deux fonctions de l'architecture : l'action (« *acting*, as to defend us from weather or violence ») et le discours (« *talking*, as the duty of monuments or tombs to record facts and express feelings, or of churches temples, public edifices, treated as books of history... »), *op. cit.*, ch. II, § I, p. 35.

35. *Seven Lamps*, *op. cit.*, § II, p. 182.

36. Cf. *supra* note 27, citation des *Pierres de Venise*. Dans *Les Sept Lampes*, Ruskin joue d'ailleurs sur la synonymie de *monumental* et *memorial*.

37. Nos italiques, *Seven Lamps*, *op. cit.*, § V, p. 185.

38. En particulier *in* : « On the opening of the Crystal Palace ».

39. *Op. cit.*, § 15, p. 115.

40. *Ibid.*, § 19 et 20. En fait, cette organisation était conçue, indépendamment des mécanismes étatiques, sur le modèle des associations bénévoles de sauvegarde qui s'étaient développées en Angleterre. Fonctionnant avec des fonds privés apportés par ses membres, elle devait être représentée dans chaque ville de quelque importance par « des observateurs et des agents » chargés, d'une part, d'inventorier tous les monuments anciens dignes d'intérêt, d'autre part d'en fournir une ou deux fois l'an un état, en signalant les projets d'intervention dont ils seraient susceptibles de faire l'objet. « La société fournirait ainsi les fonds pour acheter ou prendre à bail tous les édifices ou tous immeubles de cette nation, susceptibles à tout moment d'être mis en vente, ou encore pour assister leurs propriétaires, privés ou publics, dans la tâche conservatoire indispensable à leur sauvegarde [...]. »

41. « Vous avez entendu parler de la destruction de maisons qui est actuellement entreprise à Naples sous prétexte de détruire les taudis de cette ville et de les reconstruire ensuite. Mais ce n'est pas l'existence de ces édifices élevés par nos ancêtres qui est la cause de la taudification à Naples ou à Londres, mais bien cette même ignorance crasse et fataliste qui a détruit les édifices anciens », *in* : « Speech at the annual meeting of the Society for the protection of ancient buildings », 1889. On est là très près d'une protection à visée sociale. En ce sens, ce texte serait à rapprocher d'un étonnant article écrit en 1867 pour *Paris-Guide*, par Edmond About.

42. Il lance à cet effet une sorte de manifeste publié dans l'*Athenaeum* (1877), qui recueille aussitôt les signatures de nombreux écrivains et artistes tels Carlyle, Ph. Web, Burne Jones, Holman Hunt.

43. (1873-1843.) Ingénieur, architecte et historien d'art, créateur de la chaire d'architecture à l'École d'ingénieurs de Rome, il fut à la fois théoricien et praticien de l'urbanisme et de la conservation des monuments et du tissu anciens. « Vecchie città ed edilizia nuova » (*Nuova Antologia*, 1913) est à la fois le titre de l'article dans lequel il présente pour la première fois sa doctrine, et le titre du livre dans lequel celle-ci a, en 1931, reçu une forme plus développée et plus complexe. Cf. chapitre suivant.

44. *Vecchie città ed Edilizia nuova*, Turin, Unione tipografico-editrice, 1931, p. 140.

45. *Op. cit.*, p. 11.

46. En 1835 et 1840. S. Fouché, *Poitiers et la Commission des monuments historiques entre 1830 et 1860*, Mémoire de DESS, Institut français d'urbanisme, Paris, 1989, fait bien apparaître, en partie à l'aide de documents d'archives inédits, à la fois la nature des options idéologiques et techniques prises par Mérimée, et les différentes forces conjoncturelles auxquelles il se heurte.

En matière de destruction, la première place revient en fait à la municipalité. Pour réaliser le tracé d'une nouvelle rue (du centre à la porte de Limoges), elle exige, par deux fois, la démolition du baptistère Saint-Jean et met ensuite les pires entraves à sa préservation. Pour les mêmes raisons, elle tente de condamner la tour Saint-Porchaire. L'administration d'État est d'abord un soutien, en la personne du préfet Alexis de Jussieu : son successeur appuie, au contraire, les revendications locales.

47. Pour la France, voir en particulier P. Dussaule, *La Loi et le Service des monuments historiques français* (un volume contenant les principaux textes et un volume de commentaires), Paris, La Documentation française, 1974. Pour les pays européens, on peut se reporter, entre autres, aux diverses publications comparatives de la Communauté européenne.

48. Selon Rücker, *op. cit.*, p. 206, la première allocation de fonds pour la conservation des monuments historiques date de 1831. Vitet sera président de la Commission des finances de la Chambre. Grâce à lui, le budget des monuments passera de 8000 à 200000 francs en 1840.

49. Le Comité de travaux historiques avait été chargé par le ministère de l'Instruction publique d'inventorier et de décrire les monuments, ainsi que de publier les « Documents inédits de l'histoire de France ». La Commission des monuments historiques, dépendant du ministère de l'Intérieur, était présidée par le ministre. Son vice-président fut d'abord Vitet, puis Mérimée. Elle comprenait en particulier Taylor et Lenormant.

50. Figure marquante du milieu romantique français, le baron Taylor (1789-1879), graveur, écrivain et philanthrope, fut aussi inspecteur des Beaux-Arts et des Musées.

51. Les édifices religieux sont majoritaires. Les restes gallo-romains viennent en seconde position, avant les bâtiments civils.

52. Les deux approches, cognitive et pratique, sont incarnées respectivement par la Commission des monuments historiques et par le Comité des travaux historiques. Ce dernier sera concurrencé par diverses sociétés d'antiquaires. Sa vocation savante a été réassumée par l'*Inventaire général des richesses artistiques de la France*, créé par décret en 1964 par A. Malraux sur la proposition d'A. Chastel.

53. Lettre à Viollet-le-Duc du 27 septembre 52 : « J'ai failli crever pour aller voir cette fameuse rotonde de Simiane. Je vous ai regretté non pour le coup de soleil que vous auriez partagé avec moi, mais pour la singularité du monument [...] », ou encore lettre au même du 17 décembre 1856 : « Vous savez que nos monuments tombent parce qu'ils ne sont pas assez connus. Ils ne le sont pas parce qu'il n'y a pas d'auberges [...] » (et d'opposer cette situation à celle de l'Italie), *op. cit.*, *supra*.

54. F. Bercé, *Les Premiers Travaux de la Commission des monuments historiques*, Paris, Picard, 1980.

55. Caumont avait créé en 1823 la Société des antiquaires de Normandie, modèle à la Société des antiquaires de l'Ouest. En 1834, il créait la Société française d'archéologie.

56. Associations religieuses comme la Church Building Society, issue du mouvement ecclésiologiste, ou associations archéologiques (Oxford Architectural Society et Cambridge Camden Society, 1839, Cambridge Antiquarian, 1840, British archaeological society, 1843). La diversité de leurs doctrines ne nuit pas à leur efficacité qui se manifeste toutefois sous des formes contrastées.

57. Cf. P. Dussaule, *op. cit.*, et son très pertinent commentaire.

58. N. Boulting, « The law's delays, conservationist legislation in the British isles » *in* J. Fawcett, *op. cit.*

59. Voir les deux premiers chapitres de la loi. Cette définition ne sera pas améliorée avec l'introduction de nouveaux types d'objets dans le corpus des monuments.

60. *Op. cit.*, p. 155-156 (nos italiques). Parmi les édifices démolis, défigurés ou laissés à l'abandon, il cite « à la hâte et sans préparation, choisissant au hasard [des souvenirs d'une excursion récente] : les églises de Saint-Germain-des-Prés à Paris, d'Autun, de Nevers, de la Charité-sur-Loire, la cathédrale de Lyon, les châteaux de l'Arbresle, de Chambord, d'Anet [...] »

61. La situation est analysée avec lucidité par Vitet : « Il ne suffit pas de décider en principe qu'on restaure désormais les monuments dans un esprit historique ; il faut avoir des architectes assez versés dans l'histoire de l'art pour ne faire ni maladresse ni contre-sens. Lorsqu'il s'agit de monuments antiques, on n'est pas très embarrassé ; car l'étude de ces monuments est l'objet presque exclusif de l'enseignement dans notre école, et l'art des restaurations est précisément un des exercices auxquels les élèves se livrent avec le plus de succès.

Mais dès qu'il est question du Moyen Age et de nos monuments nationaux, vous n'avez plus que des novices ; et les professeurs eux-mêmes seraient fort embarrassés de leur donner des leçons ou des exemples. A la vérité, quelques hommes de talent, à force de recherches et de voyages, ont eu la patience de s'initier eux-mêmes, en dehors de l'école, à ces études nouvelles », L. Vitet, *Études sur les beaux-arts*, t. I, p. 292. La dernière phrase fait bien apparaître le processus d'autoformation de la première génération des historiens de l'architecture.

62. « L'architecture des premiers siècles du Moyen Age offrait tous les caractères de l'architecture romaine, dans un état avancé de dégénérescence ; nous la désignons sous le nom d'*architecture romane*. Le type roman a persisté jusqu'au XIIe siècle », A. de Caumont, *Abécédaire ou Rudiment d'archéologie*, Paris, Caen, Rouen, 1850, p. 1.

63. S. Fouché, *op. cit.*, p. 9. Ce Dulin est membre de la Société des antiquaires de l'Ouest.

64. S. Fouché, *ibid.*, p. 32 sq., cite le rapport des Antiquaires de l'Ouest et elle souligne fort bien que ceux-ci s'intéressent seulement à la mise en valeur de l'édifice (dont une partie devra être détruite « attendu que ces constructions dans leur état actuel formeraient une masse désagréable à l'œil au centre d'une place publique à laquelle on se propose avec le temps, de donner la forme circulaire... »), et à sa forme paléochrétienne : d'où la destruction, sous prétexte de « conservation » (ici entendue au sens de reconstitution), des

additions qui, en dénaturant la forme primitive, lui ont « fait perdre l'intérêt » qu'elle présente « sous le rapport archéologique et comme appartenant à l'histoire ».

65. Et même lorsque, comme dans la Vienne, Mérimée a choisi un praticien de la région, celui-ci n'en symbolise pas moins l'ingérance de Paris dans les affaires de la province. Il finit par concentrer l'hostilité de tous les acteurs locaux, du Conseil municipal aux antiquaires, en passant même par le préfet. *Ibid.*, p. 80 sq.

66. F. Bercé, *op. cit.*

67. Voir les conseils prodigués par l'un et l'autre à leurs praticiens favoris, Daniel Ramée en ce qui concerne Vitet et, outre Viollet-le-Duc, Questel pour Mérimée. Constat sans ambiguïté : « L'établissement d'un cours public, destiné spécialement à enseigner l'histoire de l'architecture au Moyen Age, devient aujourd'hui une véritable nécessité, et nous ne comprendrions pas que l'École des beaux-arts conçût seulement la pensée de s'opposer à cette création et mît ainsi le gouvernement dans l'obligation de la lui imposer », L. Vitet, *op. cit.*, p. 293. En fait, malgré l'aide de la force publique, le gouvernement ne parvint pas à imposer le cours d'histoire de l'architecture de Viollet-le-Duc, qui dut y mettre fin après quelques séances, et se contenta d'en donner une version écrite dans ses *Entretiens sur l'architecture*. Dans la suite d'articles qu'il avait consacrés à l'« Entretien et la restauration des cathédrales françaises » (*Revue générale de l'architecture*, 1851-1852, rubrique Histoire), Viollet-le-Duc fait le bilan de l'aide apportée par le gouvernement à la restauration et ajoute : « Une seule chose nous manque encore si nous voulons que ces sacrifices soient féconds : une pépinière de jeunes artistes, architectes, peintres et sculpteurs, nourris à l'étude de nos plus beaux monuments et ainsi capables de les restaurer avec compétence [...] Le mal est dans l'enseignement », *op. cit.*, 1852, t. X, p. 371.

68. Cf. par exemple le rôle de la physique, de la chimie, de la biochimie tel qu'il est développé dans des instituts de recherche appliquée comme en France le Laboratoire de recherche des monuments historiques. Cf. aussi le rôle de la photogrammétrie.

69. *A plea for the faithful restoration of our ancient churches*, complété en 1864 par un code de restauration en vingt points, « General advice to promotors of ancient buildings », publié en 1864-1865 in *Sessional Papers of the Riba*. L'idée directrice (prétendument conservatrice) est de rétablir l'état initial des bâtiments. Pour cela, il faut supprimer, corriger, inventer, ne garder les restaurations antérieures qu'à condition qu'elles ne soient pas « déplacées » ; d'après J. Fawcett, *op. cit.*

70. *On the conservation of ancient monuments*, cité par J. Fawcett. Celle-ci donne également la liste et les dates des interventions de G. Scott sur les cathédrales anglaises depuis Stafford, Ely et Westminster dans les années 1840, jusqu'à Exeter, Worcester et Rochester dans les années 1870.

71. Viollet-le-Duc est la tête de Turc des ecclésiologistes qui le prennent pour symbole de l'incompréhension française en matière de restauration. Cf. *infra*, note 93.

72. Nous devons « tenir compte du grand changement qui s'est insinué dans le monde, transformant la nature de son sentiment et de sa connaissance de l'histoire [...]. Nos ancêtres se représentaient tout ce qui avait eu lieu dans le passé exactement comme les mêmes faits leur seraient apparus à leur propre époque. Ils jugeaient le passé et les hommes du passé selon les critères de leur propre époque. Et ces temps anciens étaient si pleins qu'ils n'avaient nul loisir pour spéculer sur les développements du passé ou de l'avenir. Il vaut à peine de souligner combien la situation est maintenant différente. La prise de conscience toujours plus forte du présent, tout en nous montrant combien des hommes, en apparence animés des mêmes passions que nous, étaient en réalité différents [...], cette prise de conscience, tout en soulignant cette différence, nous a néanmoins rivés au passé de telle sorte qu'il fait partie intégrante de notre vie et même de notre propre développement. Ce fait, j'ose l'affirmer, n'est encore jamais survenu auparavant. C'est un fait complètement nouveau. [...] Je le répète, nous autres qui appartenons à ce siècle, nous avons fait une découverte impossible aux âges précédents, autrement dit nous savons désormais qu'aucune nouvelle splendeur, ni aucune œuvre moderne ne peut remplacer pour nous la perte d'un travail ancien qui est une authentique œuvre d'art », *The Builder*, article sur « The restoration of ancient buildings », 28 déc. 1878. (Notre traduction.)

73. « The lamp of memory », *op. cit.*, § XX, p. 201. Les italiques sont de Ruskin. Les citations suivantes sont empruntées aux § XVIII et XIX, p. 199 et 200.

74. Le mot est constamment utilisé aussi bien par Ruskin que par Morris.

75. Avec plus d'emphase, la passion ruskinienne fait école. « Restauration, ton nom est absurdité », S. Huggins, *The Builder*, 28 décembre 1878.

76. *The Builder*, article cité.

77. « La lampe de mémoire », 2e partie. Pour Ruskin, l'attitude française consiste à « d'abord négliger les édifices, puis à les restaurer ensuite ». Il ajoute avec bon sens : « Prenez convenablement soin de vos monuments et vous n'aurez pas à les restaurer ensuite », § XIX, p. 200-1. De même, dans l'article sur le Crystal Palace, il interdit de toucher au monument authentique « sauf dans la mesure où il peut être nécessaire de le consolider ou de le protéger [...]. Ces opérations nécessaires se limitent à substituer de nouvelles pierres à celles qui sont usées, dans les cas où celles-ci sont absolument indispensables à la stabilité de l'édifice ; à étayer avec du bois ou du métal les parties susceptibles de s'effondrer ; à fixer ou cimenter en leur place les sculptures prêtes à se détacher ; et de façon générale, à arracher les mauvaises herbes qui s'insèrent dans les interstices des pierres et à dégager les conduites pluviales. Mais aucune sculpture moderne ou aucune copie ne doit *jamais*, quelles que soient les circonstances, être mêlée aux œuvres anciennes », *op. cit.*, § IX, p. 112, italiques de Ruskin.

78. Du fait de notre nouvelle perception de l'histoire, nous sommes maintenant « liés au passé de telle sorte que nous le sentons vivre en nous [...]. Ce fait absolument nouveau demande que nous portions un regard neuf et

que nous nous comportions différemment avec ces reliques du passé que nous avons accoutumé [...] de considérer, pour ainsi dire, comme partie du mobilier de notre vie quotidienne». La formule est répétée un peu plus loin dans le même texte, *The Builder*, *op. cit.*

79. Cette définition constitue la référence implicite par rapport à laquelle se situent toutes les autres définitions de la restauration proposées par les adversaires de Viollet-le-Duc. Ainsi de W. Morris : «Préserver les édifices anciens signifie les conserver dans l'état même où ils nous ont été transmis, reconnaissables d'une part en tant que reliques historiques, et non comme leurs modèles, et d'autre part en tant qu'œuvres d'art exécutées par des artistes qui auraient été libres de travailler autrement s'ils l'avaient voulu», *ibid.*

80. *Revue générale de l'architecture*, 1851, t. IX. Dans la rubrique «Entretien et restauration des cathédrales de France», deuxième article, p. 114.

81. L. Grodecki, «La restauration du château de Pierrefonds», *Les Monuments historiques de la France*, 1965, n° 95 et *Le Château de Pierrefonds*, Paris, Caisse nationale des monuments historiques, 2e éd. 1979. Ces textes ont été republiés in *Le Moyen Age retrouvé*, t. 2, Paris, Flammarion, 1990.

82. *P. Nozière*, Paris, A. Lemerre, 1899, p. 172.

83. «La restauration [des anciens monuments] est une invention toute moderne et qui n'appartient qu'à notre temps [...]. Cette idée que tous les autres arts observent chacun à leur manière, jamais l'architecture ne l'a pratiquée. Chaque siècle s'est en quelque sorte imposé la loi de ne bâtir que d'une seule façon, de n'obéir qu'à son propre goût, à ses propres usages, soit qu'il construisît à neuf, soit qu'il achevât ou réparât les œuvres du passé. Si la mode a changé pendant l'exécution du monument, tant pis pour l'unité et la symétrie ; les premiers plans ont été mis au rebut, et l'édifice s'est achevé d'après les plans à la mode», *Fragments*, *op. cit.*, p. 293.

84. S. Foucher, *op. cit.*, p. 33.

85. Intervention du samedi 16 mai 1846 au Comité des arts, publié par Massin dans son édition des *Œuvres complètes*, p. 1248.

86. *Fragments*, *op. cit.*, «De l'architecture du Moyen Age en Angleterre», 1836, p. 174. «Nous ne manquons pas d'architectes producteurs ou soi-disant tels, tandis que nous avons disette d'architectes réparateurs», *ibid.*, p. 175.

87. *Ibid.*

88. *Ibid.*, p. 1248. Cf. aussi «Guerre aux démolisseurs», 1832 : «Faites réparer ces beaux et graves édifices. Faites-les *réparer* avec soin, avec intelligence, avec sobriété. Vous avez autour de vous des hommes de science et de goût qui vous éclaireront dans ce travail. Surtout que l'architecte restaurateur *soit frugal de ses propres imaginations, qu'il étudie curieusement* le caractère de chaque édifice, selon chaque siècle et chaque climat. Qu'il se pénètre de la ligne générale et de la ligne particulière du monument qu'on lui met entre les mains, et qu'il sache habilement souder son génie au génie de l'architecte ancien», *op. cit.*, p. 165, nos italiques.

89. *Entretiens sur les Beaux-Arts*, *op. cit.*, p. 290, nos italiques.

90. La restauration « suppose [...] un culte du beau sous toutes ses formes et une intelligence impartiale de l'histoire », *ibid.*

91. « De l'architecture du Moyen Age en Angleterre », *op. cit.*, p. 147, nos italiques. Quelques lignes plus haut, il affirme : « Il n'y a qu'en Angleterre où l'on rencontre des édifices religieux qui, dépouillés depuis trois cents ans d'une partie de leur destination première, *ne subsistent qu'à l'état d'objets d'art et de curiosité* », nos italiques.

92. *Op. cit.* « Le vieux sol de la patrie, surchargé comme il l'était des créations les plus merveilleuses de l'imagination et de la foi, devient chaque jour plus nu, plus uniforme, plus pelé [...]. On dirait qu'ils veulent se persuader que le monde est né d'hier et qu'il doit finir demain [...] », p. 7. De même, p. 67 sq. à propos des églises : « Là se dresse encore devant nous la vie tout entière de nos aïeux, cette vie si dominée par la religion, si absorbée par elle, [...] leur patience, leur activité, leur résignation [...], tout cela est là devant nous [...] comme une pétrification de leur existence [...]. » A rapprocher des textes de Ruskin cités dans les notes 24 sq.

93. Voir, par exemple, dans *The Builder*, 22 juin 1861, le compte rendu de la séance de l'Ecclesiological Society, « On the destructive character of modern French restoration », à laquelle Ruskin, « reçu avec des applaudissements », apporte une de ses plus belles diatribes contre la restauration en général, et celles des Français et des Allemands en particulier.

94. *Ibid.* Au cours de la même séance, l'architecte Parker s'oppose longuement à l'ensemble de ses collègues, président compris, en commençant par souligner les différences de contextes (politique, idéologique, événementiel) qui rendent complexe la comparaison entre les deux pays. Il insiste, en particulier, sur l'efficacité, en France, de l'action de l'État « qui, au lieu d'abandonner la préservation des édifices publics au sentiment et à l'opinion publics, fait classer toutes les catégories de bâtiments, et pas seulement les cathédrales, comme monuments historiques ». Il défend Viollet-le-Duc en évoquant son immense savoir et en énumérant des exemples anglais de vandalisme.

95. A propos de sa Society for the protection of ancient buildings, accusée de faire présider ses séances par de « nobles esthètes », soutenus par des dames bien pensantes et subjuguées par leurs torrents d'éloquence. Les objectifs de la nouvelle société, qui vient inutilement s'ajouter à des institutions antérieures, relèvent, notamment, d'« un fétichisme abject », *The Builder*, 29 juin 1878.

96. 1851, t. IX, 3e article consacré à la « Protection des monuments des civilisations antiques ».

97. Pierre Nozières, *op. cit.* A. France accuse Viollet-le-Duc de vandalisme même à Pierrefonds, où il a « détruit les ruines ce qui est une manière de vandalisme ». Il résume sans aménité la méthode de Viollet-le-Duc : « Maintenant [l'architecte] démolit pour vieillir. On remet le monument dans l'état où il était à son origine. On fait mieux : on le remet dans l'état où il aurait dû être », p. 177-178 et p. 241 sq.

98. « On the opening », *op. cit.*, § 10, p. 112. « Malheureusement, ce type de réparations, exécutées avec conscience, sont toujours dépourvues de carac-

tère spectaculaire et sont peu appréciées du grand public ; de telle sorte que les responsables des chantiers éprouvent nécessairement la tentation de faire exécuter les réparations indispensables d'une façon qui, bien qu'en apparence convenable, soit en fait fatale au monument. »

99. Dans sa *Storia dell'architettura moderna*, Turin, Einaudi, 1951, Bruno Zevi fait de Boito un héros national et lui accorde la place de pionnier qu'il refuse à Giovannoni. Pour la bibliographie critique de Boito, cf. C. Ceschi, *Teoria e Storia del restauro*, Roma, Bulzoni, 1970.

100. Après avoir poursuivi ses études en Italie, en Allemagne et en Pologne, il enseigne (Accademia Brera) et pratique l'architecture et la restauration des édifices anciens à Milan. Il a fondé la Revue *Arte italiana decorativa ed industriale*. On lui doit également *Ornamenti per tutti gli stili* (1888).

101. Elles avaient la forme d'une recommandation, véritable charte en huit points que Boito reproduit dans « Restaurare o conservare », *op. cit. infra*, p. 28 sq.

102. Sous-titre : *Restauri, concorsi, legislazione, professione, insegnamento*, Milan, Ulrico Hoepli, 1893.

103. Il cite plaisamment Mérimée qui, dans un esprit opposé à celui de Viollet-le-Duc, déclarait qu'il « convient de laisser incomplet et imparfait tout ce qui se trouve incomplet et imparfait, [qu']il ne faut pas se permettre de corriger les irrégularités ou de rectifier les erreurs », *op. cit.*, p. 13.

104. *Op. cit.*, p. 15 sq. et 28.

105. Entre 1889 et 1901, dans une suite d'ouvrages importants, Riegl a établi les principes de l'histoire et de la théorie de l'art, telles qu'elles ont été ensuite poursuivies par H. Wöfflin, H. Sedlmayr, P. Frankl, E. Panofsky, R. Krautheimer... Peu de ses livres ont à ce jour été traduits en français. On trouvera un exposé rapide et synthétique de son œuvre par H. Zerner, « L'art », in J. Le Goff et P. Nora (éd.), *Faire de l'histoire*, t. II. Cf. aussi O. Pächt, « A. Riegl », *Burlington Magazine*, 1963, traduit en français en introduction à la *Grammaire historique des arts plastiques*, Paris, Klincksieck, 1978 et W. Sauerländer, « A Riegl und die Entstehung des autonomes Kunstgeschichte am Fin de siècle », in R. Bauer (ed.) *Fin de siècle zur Literatur und Kunst der Jahrhundertwende*, Francfort/Main, 1977.

106. Au musée des Arts décoratifs de Vienne (1886-1898).

107. Voir introduction note 25.

108. Un schéma peut aider le lecteur à s'orienter parmi ces différentes catégories de valeurs.

— Valeurs de remémoration (liées au passé) :
- pour le souvenir (monument) ;
- pour l'histoire et l'histoire de l'art (monument historique) ;
- d'ancienneté (monument historique).

— Valeurs de contemporanéité :
- d'art
  — relative (monument historique) ;
  — de neuf (monument et monument historique) ;

• d'usage (monument et monument historique).

109. *Op. cit.*, p. 47.

110. Ou plutôt à son « vouloir d'art » (*Kunstwollen*), cf. *supra.*

111. *Ibid.*, p. 96.

112. *Ibid.*, p. 72 en particulier.

113. F. Choay, « Riegl, Freud et les monuments historiques : pour une approche sociétale de la préservation », *World Art, Acts of the XXVIth International Congress of the History of Art*, ed. by I. Lavin, vol. III, The Pennsylvania State University Press, 1989.

114. P. Loti, *La Mort de Philae*, Paris, Calmann-Lévy, 1909, rééd. Paris, Pardès, 1990.

115. P. Bourdieu et J.-C. Passeron, *Les Héritiers*, Paris, Minuit, 1964.

116. Voir note 4, p. 199.

117. Le National Trust est une organisation privée fondée en 1949.

118. Cette conférence dite d'Athènes fut réunie par la Commission internationale pour la coopération intellectuelle de la SDN, avec la coopération du Conseil international des musées (ICOM). Ses *Actes* furent publiés en 1933. On y relève en particulier trois communications remarquables, de V. Horta, G. Giovannoni et G. Nicodemi.

V

L'invention du patrimoine urbain

1. *Mémoires*, t. III, Paris, 1893, p. 28.

2. Montalembert, *Du vandalisme et du catholicisme dans l'art, op. cit., supra*, p. 215-216.

3. Cf. chap. IV, note 22.

4. Montalembert, *ibid.*, p. 216.

5. Le premier cadastre d'Europe est celui du Milanais, à la fin du XVIIIe siècle. La cartographie, qui a accompli de grands progrès au XVIIIe siècle, est alors utilisée essentiellement pour les fortifications et places de guerre. C'est à Haussmann qu'on doit le premier plan opérationnel global, avec courbes de niveaux de Paris.

6. *Op. cit.*, *infra*, p. 90.

7. Rares sont les études d'historiens d'art comme *Rome, profile of a city, 312-1308*, Princeton University Press, 1980 et *La Rome d'Alexandre VII*, Princeton University Press, 1985 de R. Krautheimer, ou encore comme le *Système de l'architecture urbaine : le quartier des Halles à Paris* de F. Boudon, A. Chastel, H. Couzy et F. Hamon, Paris, Éditions du CNRS, 1977.

8. Pour le rôle joué par les archéologues dans la nouvelle historiographie de la ville, voir en particulier les publications de l'École française de Rome, *Les Cadastres anciens dans les villes et leur traitement par l'informatique*,

Rome, 1989, n. 120 et *D'une ville à l'autre : structures matérielles et organisation de l'espace dans les villes européennes* (XII-XVIe siècles), Rome, 1989, n. 122.

9. Ensuite viendront les géographes, tel par exemple P. Lavedan, qui, sous le titre discutable d'*Histoire de l'urbanisme*, Paris, Laurens, 1926-1952, a écrit une histoire de l'organisation planifiée des villes depuis la Renaissance.

10. Dans sa *Teoria general de l'urbanización*, Madrid, 1867, trad. fr. et adapt. par Lopez de Aberasturi, Paris, Le Seuil, 1985, qui prétend fonder l'urbanisme comme science de la ville et de sa production. Cerda montre comment l'évolution des formes urbaines est liée à celle des modes de circulation et de transport.

11. Cf. supra, chap. IV, notes 32 et 34. Dans son pamphlet sur le Crystal Palace, Ruskin évoque les « changements survenus durant [sa] propre existence dans les cités de Venise, Florence, Genève, Lucerne et tout particulièrement Rouen : une ville d'une qualité absolument inestimable pour la façon dont elle avait conservé son caractère médiéval dans ses rues infiniment variées, dont la moitié des maisons existantes et habitées datent du XVe siècle et du XVIe siècle. C'était la dernière ville de France où l'on pouvait encore voir *des ensembles* de l'ancienne architecture domestique française », nos italiques.

12. Sur ces pouvoirs de l'espace, on se référera particulièrement à Cl. Lévi-Strauss, *Anthropologie structurale*, Paris, Plon, 1958, ch. VII et VIII, et à P. Bourdieu et Sayad, *Le Déracinement*, Paris, Éditions de Minuit, 1964 pour les établissements non urbains ; H. Coing, de son côté, *Rénovation urbaine et changement social*, Paris, Éditions ouvrières, 1967, oppose le fonctionnement des espaces urbains pré-industriels et actuels. Lorsque je parle du rôle mémorial, non intentionnel des villes anciennes, il est évident que j'exclus les cas exceptionnels où une ville est construite d'une pièce pour illustrer un individu (de Bagdad à Carlsruhe). Par ailleurs, il importe de ne pas confondre la notion de composition urbaine (œuvre d'art) avec celle de monument.

13. *The Opening of the Crystal Palace*, *op. cit.*, § 14, p. 115.

14. Vienne, Graeser. La première traduction en français est due à Camille Martin, Genève, 1902. Imprécise et tronquée, elle a néanmoins consacré le titre qu'a dû reprendre D. Wieczorek, dans sa nouvelle et excellente traduction commentée, *L'Art de bâtir les villes*, Paris, L'Équerre, 1980, à laquelle nous nous référons pour les citations qui suivent.

15. Il est incontestable que le *Städtebau* s'ouvre sur une évocation nostalgique du forum de Pompéi. A ma connaissance, cette ouverture n'a jamais été rapprochée du premier paragraphe de « La lampe de mémoire », auquel cependant Sitte me semble avoir emprunté un ton poétique et confidentiel qui ne reparaît plus dans la suite de son livre.

16. L'expression est de Le Corbusier qui avait cependant lu et admiré Sitte, avant de le vilipender. Cf. P. Turner, *The Readings of Le Corbusier*, trad. fr. P. Choay, *La Formation de Le Corbusier*, Paris, Macula, 1987.

17. *Op. cit.*, p. 112-113, 117, 2.

18. « La vie moderne, pas plus que nos techniques de construction, ne per-

mettent une imitation fidèle des aménagements urbains anciens », *ibid.*, p. 119. Cf. aussi p. 175.

19. *Ibid.*

20. *Ibid.*, p. 150-151. Cf. aussi p. 2, 11, 120.

21. Par exemple, « Système complet de fermeture des places », *ibid.*, p. 44.

22. Paris, Morel et Co, 1863-1872, 2 vol., rééd. Bruxelles-Liège, Mardaga, 1977.

23. « Cessant de se préoccuper avant toute chose de l'alliance de la forme avec les besoins et avec les moyens de construction [...] [l'architecture] s'est faite *néo-grecque*, *néo-romane*, *néo-gothique* [...]. Elle est devenue sujette de la mode », *op. cit.*, t. 1, Dixième entretien, p. 451. Quant à lui, Viollet-le-Duc n'a, pas plus que Sitte, « la prétention de donner des modèles à suivre, mais seulement d'exposer des principes », *ibid.*, t. 2, Treizième entretien, p. 140.

24. *Entretiens.* « Simples aveux aux lecteurs », p. 6 et 7. Pour des formules identiques, cf. aussi t. 1, p. 99, 324, 391, 432, 447, 456, 458, 476.

25. A première vue, tout semble séparer les deux auteurs. Viollet-le-Duc (1814-1879), initialement dessinateur, est le grand restaurateur des édifices religieux du Moyen Age français. Découvert, formé et soutenu par Mérimée qui lui a confié à vingt-six ans les travaux de Vézelay, il est protégé et comblé par le pouvoir. A une exception près, la cité de Carcassone, il s'est essentiellement intéressé à l'architecture et à des bâtiments individuels, d'abord comme restaurateur, puis comme architecte, concepteur de formes et d'édifices de son temps. Sitte, bien que lui aussi architecte, centre ses préoccupations sur la ville et son aménagement. Il construit peu, se consacre à la pédagogie et surtout à l'histoire et à l'étude des cités anciennes. A Vienne, où il critique les projets et les réalisations d'Otto Wagner pour le Ring, il est tenu à l'écart. C'est tardivement, en tant que théoricien et auteur du *Städtebau*, qu'en 1889 il acquiert une célébrité soudaine et bientôt internationale. Il n'est donc pas surprenant que la littérature critique se soit peu souciée de rapprocher Viollet-le-Duc et Sitte. Fait exception, toutefois, un bref et remarquable article de D. Wieczorek : « Sitte et Viollet-le-duc, jalons pour une recherche », *Austriaca*, 12, 1981, dont l'approche, différente de la nôtre, est centrée sur la démarche méthodologique et épistémologique des deux auteurs. L'auteur développe néanmoins une partie des points de notre argumentation.

26. En particulier :

1. Beauté des villes anciennes et paradigme de la cité antique : pour Viollet-le-duc comme pour Sitte, l'organisation de l'agora et du forum offre une qualité esthétique sans équivalents dans les temps modernes. Au Moyen Age, seules les cités italiennes ont pu rivaliser avec ces exemples.

2. Traits morphologiques des villes anciennes : mise en scène des monuments, clôture et asymétrie des places.

3. Erreur moderne du dégagement des centres anciens.

4. Laideur de la ville moderne dont les traits sont inverses de ceux de la ville ancienne : grand parcellaire et blocs d'habitation, régularité, symétrie, standardisation qui engendrent la monotonie.

5. Raisons historiques : avènement d'une culture autre.
6. Raisons techniques : rôle négatif de la planche à dessin.
On se reportera notamment aux Septième, Huitième et Treizième entretiens. La similitude des formules est souvent frappante.
27. Viollet-le-Duc, *op. cit.*, t. 1, Premier entretien, p. 17 : « L'art est un instinct, un besoin de l'esprit qui emploie, pour se faire comprendre, diverses formes, mais il n'y a que l'ART, comme il n'y a que la RAISON », et p. 28 : « L'instinct le plus délicat chez l'homme est peut-être l'instinct de l'art ». Sitte, *op. cit.*, p. 23 (où il s'agit du *Kunsttrieb*).
28. Cf. D. Wieczorek, *Camillo Sitte et les Débuts de l'urbanisme moderne*, Bruxelles, Mardaga, 1981.
29. *Op. cit.*, p. 119.
30. *Entretiens*, t. I, Huitième entretien, p. 324. « Non, la décadence n'est pas fatalement inévitable [...] », et *Städtebau* : « Il ne faut pas renoncer [...] », p. 119.
31. En harmonie avec les valeurs de l'ère industrielle, *op. cit.*, t. II, Quinzième entretien, p. 213.
32. *Ibid.*, t. I.
33. *Ibid.*, t. I, Huitième entretien, p. 323.
34. *Op. cit.*, t. III. Baltard propose deux projets conventionnels de halles en pierre avant de se conformer au croquis de Napoléon III qui exige de simples « parapluies » en métal, p. 479 sq.
35. F. Choay, *Le Regola e il Modelo*, sur le rôle joué par « l'histoire de l'architecture » dans le *De re aedificatoria* dont elle « fonde » la troisième partie qui concerne les règles de la beauté. A la suite d'Alberti, tous les trattatistes jusqu'au XIXe siècle ont repris cette même démarche destinée à pallier l'exclusion de la tradition dans un domaine qui n'est pas du ressort de l'analyse rationnelle. Viollet-le-Duc avait lu Alberti. On peut penser que, sans en avoir eu conscience, il développe avec son oubli méthodique une esthétique très proche de celle qui sous-tend la seconde partie du *De re aedificatoria*. Sur le rôle attribué à l'historiographie chez les historiens du mouvement moderne, cf. P. Tournikiotis, *Historiographie du mouvement moderne*, thèse de doctorat d'État, Paris VIII, 1988, à paraître.
36. « Beauty will not come at the call of legislature, nor will it repeat in England or America its history in Greece. It will come, as always, unannounced, and spring up between the feet of brave and earnest men. It is in vain that we look for genius to reiterate its miracles in the old arts ; it is its instinct to find beauty and holiness in new and necessary facts, *in the fields and roadside, in the shop and mill. Proceeding, from a religious heart it will raise to a divine use the railroad, the insurance office, the joint-stock company ; our law, our primary assemblies, our commerce, the galvanic battery, the electric jar, the prism, and the chemist's retort ; in which we seek now only an economical use* », R. W. Emerson, *Complete Works*, *Collected essays*, t. II, XII, p. 342, nos italiques.
37. *Op. cit.*, p. 4.

38. Cf. *Città d'arte, Atti dell'incontro di studio « La città d'arte : significato, ruolo, prospettive in Europa »*, (Firenze, 1986), Firenze, Giunti Barbera, 1988.

39. *Op. cit.*, V. Franchetti Pardo, « Introduzione ».

40. Auteur de *L'Esthétique des villes*. Bruxelles, Buylant-Christophe, 1893 et de « La conservation du cœur des anciennes villes », *Tekne*, n°s 64-66, Bruxelles, 1912.

41. Du nom du constructeur d'avions, Gabriel Voisin, cf. p. 97.

42. Voir appendice II.

43. *Vecchie Città ed Edilizia nuova*, Turin, Unione tipografico-editrice, 1931, p. 113.

44. *Ibid.*, p. 113, 129, etc.

45. Une partie de la carrière de Giovannoni s'est déroulée sous le régime mussolinien. De ce fait, il a été injustement impliqué, après la guerre, dans le procès du fascisme, et, en particulier, violemment critiqué par B. Zevi (*Storia dell'architettura moderna*, Milan, Einaudi, 1955). En outre, n'ayant pas ménagé certaines vedettes du mouvement moderne comme Le Corbusier, il fut taxé de passéisme, alors qu'il développait en urbanisme des théories plus avancées et techniquement plus élaborées. On assiste actuellement en Italie à une réhabilitation de l'œuvre de Giovannoni (cf. en particulier G. Zuconi, « La naissance de l'architecte intégral en Italie », trad. fr. in *Annales de la recherche urbaine*, par C. Gaudin, Paris, 1990). La conservation urbaine pratiquée alors par Piacentini est très proche, sans le même support théorique.

46. *Ibid.*, chap. III, sous-chapitre : « La città come organismo cinematico », p. 87 sq.

47. *Ibid.* La ville de la fin du XXe siècle « dipende infatti dai mille progressi, in parte previdibili in parte no, della tecnica e dell' industria. Nè è da escludersi che questi vengano a *segnare la fine del grande sviluppo cittadino* ed a riportare, la popolazione sui campi "liberi e fecondi". L'era dell' urbanesimo moderno sarà allora finita », p. 66, nos italiques.

De même, envisageant les conséquences, pour l'avenir, du développement des transports publics rapides en même temps que de l'automobile, Giovannoni imagine « un tipo nuovo di fabbricazione diffusa nelle campagne e realizando veramente la *antiurbanizzazione* », *ibid.*, p. 90, nos italiques.

48. « The post-city age », *Daedalus*, New York, 1968.

49. « La vie urbaine se compose de deux éléments essentiels qui recouvrent toutes les fonctions et tous les actes de la vie. L'homme repose, l'homme se meut : c'est tout. Il n'y a donc que repos et mouvement », *Teoria general de la urbanizacion*, Madrid, 1867, p. 595, trad. et adapt. fr., Paris, Le Seuil, 1979, p. 149.

50. Giovannoni oppose « voies de mouvement [*vie di movimento*] » et « voies d'habitation [*vie di abitazione*] », *op. cit.*, p. 95.

51. *Op. cit.*, p. 109. « Lo *sdoppiamento* tipico che si è affirmato necessario tra il grande sistema di circolazione e l'interna trama dei quartieri », nos italiques. Cf. aussi *ibid.*, p. 75 et p. 93, « una rete di grande traffico ben

determinati come tracciato [...] ed una trama di vie minori relativamente tranquille ».

52. *Ibid.*, p. 109.

53. Giovannoni n'a pas ménagé les critiques à Le Corbusier, notamment en ce qui concerne ses conceptions de l'habitat et de la circulation, jugées à juste titre élémentaires et ignorantes de la complexité des problèmes réels, *op. cit.*, p. 112 et 116.

54. A. Soria y Mata, et l'article d'*El Progresso*, Madrid, 1882, dans lequel il crée l'expression « cité linéaire ». Cf. sur sa « ciudad lineal », G. R. Collins, *Journal of the Society of the architectural historians*, n° 2, New York, 1959.

55. Sur la planification linéraire en général, cf. G. R. Collins, *op. cit.*, n° 3, 2e partie. L'ouvrage sur la construction linéaire des villes en Union soviétique, publié par Milioutine en 1930, fut traduit, annoté et commenté par G. R. Collins et W. Allix sous le titre *The Problem of building socialist cities*, Cambridge, Mass., et Londres, 1974.

56. Elle est développée dans *Edilizia nuova...*, mais aussi dans la *Carta del restauro italiana* qu'il rédige en 1931 pour le Consiglio superiore per le antichità e belle arti, et dans sa contribution à la Conférence d'Athènes sur la conservation, en 1931. Sur tous ces points, on peut se reporter à l'excellent exposé de C. Ceschi in *op. cit.*

57. Voir D. Samsa, « Un ipotesi di funzionamento territoriale : città, ideologia e scienza nel pensiero di Carlo Cattaneo », *Storia in Lumbardia*, 1986.

58. *Op. cit.*, t. II, Vingtième entretien, p. 396. Ce point de vue relève de la même logique qui inspire les *Entretiens* : « [Les Italiens] semblent estimer qu'un artiste capable de s'approprier un art ancien et de se placer, par une succession de raisonnements, dans un milieu qui existait il y a trois ou quatre siècles, est autant apte qu'un autre, sinon plus, à comprendre les besoins du temps présent et à y conformer ses conceptions », *ibid.*

59. Son premier article est consacré à « La porta del palazzetto Simonetti in Roma », *L'Arte*, 1898, fasc. VI-IX.

60. Giovannoni n'a cessé de se préoccuper des problèmes posés par la formation et la pédagogie des disciplines qu'il pratiquait. En particulier : « Gli architetti et gli studi di architettura in Italia », *Rivista d'Italia*, févr. 1916; « L'educazione architettonica in Italia, nel passato, nel presente, nell'avenire », communication à l'International Congress of architectural Education, Londres, 1924; « Gli studi urbanistici in Italia », *Universita fascista*, numéro 2, 1931 ; « Gli studi urbanistici in Italia e la classe degli ingegneri », *L'Ingegnere*, juin 1931.

61. A titre d'exemples, parmi quelque 475 articles et ouvrages échelonnés entre 1898 et 1947 (bibliographie d'A. del Bufalo, *Note e Osservazione integrate dalla consultazione dell'archivo presso il Centro di studi di storia dell'architettura*, Roma, Kappa, 1982) :

1903-1906 - « La costruzione degli *sky-scrapers* nel Nord-America », *Bol. Soc. ing. archi. ital.* (n° 9/16, 9/2135).

- « Il chiostro di S. Oliver in Cori », *L'Arte*.

1904 - « Arte nuova ed arte popolare », BSIAI.

1908 - « Sulle curvature della linee del tempio d'Ercole e Cori », *Mitteilungen des Kunstarchaeologischen Institut*, Roma.

1913 - *Case civile d'abitazione*, Milano, Vallardi.

1923 - « Opere sconosciute di Bramante », *Nuova Antologia*.

1924 - *Il piano regolatore di Roma*, Roma.

1928 - « Questioni urbanistiche », *L'Ingegnere*; « Un disegno inedito di Antonio da Sangallo », *Architettura e Arti decorative*.

1931 - « Sull'applicazione dei mezzi costruttivi moderni ed in particolare del cemento armato nel restauro dei monumenti », *Industria italiana del cemento*, déc.

1936 - « L'urbanistica e la deurbanizzazione », *Atti della Società italiana per il progresso delle scienze*.

1939 - « La cupola della Domus Aurea neronicana », *Atti del congresso nazionale di storia dell'architettura*.

1940 - « Basiliche cristiane in Roma », *Atti del congresso di archeologia cristiana*, città del Vaticano.

1943 - « Architettura e ingegneria nell'ultimo ventennio », *Annali della Università d'Italia*, Roma, Palombi.

62. « La città come organismo estetico » est le titre d'un chapitre de *Vecchie Città* qui éclaire bien la place centrale occupée par l'art et les préoccupations esthétiques dans la théorie de l'aménagement élaborée par Giovannoni.

63. *Op. cit.*

64. *Ibid.*, par exemple, p. 66 sq.

65. Ce terme, intraduisible en français, désigne les effets, heureux sur la perception, de l'articulation des éléments du tissu urbain. Dans la traduction française des Actes de la Conférence d'Athènes, il a été fâcheusement traduit par ambiance : « On applique [...] à tout un ensemble de constructions, les mesures de conservation qui visaient l'œuvre isolée et l'on crée du même coup les conditions *d'ambiance* relatives aux monuments principaux », *Conférence internationale sur la conservation des monuments*, « La restauration des monuments en Italie. » Même erreur dans l'article de G. Nicodemi, *ibid.*, traduit sous le titre « L'ambiance des monuments ». Il développe la dialectique du monument et de ses abords, ainsi que le thème de l'intégration des ensembles urbains anciens dans les plans d'urbanisme.

66. *Ibid.*, p. 63.

67. En particulier : « Il diradamento edilizio dei vecchi centri, il quartiere della Rinascenza à Roma », *Nuova Antologia* , fasc. 997 ; « Nuovi contributi al sistema del diradamento edilizio », *Atti del undecimo congresso nazionale degli ingegneri italiani*, 1931 ; « Il diradamento edilizio ed i suoi problemi nuovi », *L'Urbanistica*, n° 5-6, 1943 ; sans compter les nombreux passages consacrés au *diradamento* dans *Vecchie Città*, *op. cit.* A la même époque, Patrick Geddes parle de « chirurgie conservatoire » *(conservative surgery)*.

68. *Vecchie Città*, p. 252.

69. Giovannoni a notamment contribué à l'étude, à la mise au point ou

à la critique des plans régulateurs du quartier Flaminio à Rome (1916), d'Ostia marittima (1916), de Rome (1924- 1929), de Bari Vecchia (1932, publ. *in Nuova Antologia*), de Catania (1934), du Piano regolatore provinciale di Roma (1935)... Sur ces questions, voir ses articles : « Piani regolatori e politica urbanistica », in *Concessioni e Costruzioni*, p. 1-2, Rome, 1930 ; « I piani regolatori e la fondazione di nuova città », *Dal regno al impero-reale*, Rome, Academia nazionale dei Lincei, 1937, et « Piani regolatori e paesistici », Rome, *Urbanistica*, n° 5, 1938.

70. Cette opération, dont il conçut le plan, approuvé en 1934, a été décrite par Giovannoni sous le titre : « Une sana teoria ben applicata : il risanamento di Bergamo », *Urbanistica* n° 3, 1943.

VI

Le patrimoine historique à l'âge de l'industrie culturelle

1. La Convention du patrimoine mondial est publiée in *Conventions et Recommandations de l'Unesco relatives à la protection du patrimoine culturel*, Unesco, Paris, 1983. Le texte auquel sont empruntées nos citations n'est pas exempt de difficultés. Ainsi la définition du patrimoine culturel :

« Sont considérés comme "patrimoine culturel" :

Les monuments : œuvres architecturales, de sculpture ou de peinture monumentales, éléments ou structures de caractère archéologique, inscriptions, grottes et groupes d'éléments, qui ont une valeur *universelle exceptionnelle du point de vue de l'histoire, de l'art ou de la science.*

Les ensembles : groupes de constructions isolées ou réunies qui, en raison de leur architecture, de leur unité, ou de leur intégration dans le paysage, ont une valeur universelle *exceptionnelle du point de vue de l'histoire, de l'art ou de la science.*

Les sites : œuvres de l'homme ou œuvres conjuguées de l'homme et de la nature, ainsi que les zones y compris les sites archéologiques qui ont une valeur universelle *exceptionnelle du point de vue historique, esthétique, ethnologique ou anthropologique.* » (Nos italiques.)

La valeur exceptionnelle est un critère flou, difficile à manier. En outre, pourquoi, dans le cas des sites, l'adjectif « scientifique » est-il remplacé, restrictivement, par « ethnologique et anthropologique » ?

2. Les États-Unis furent les premiers à la ratifier. La Grande-Bretagne n'est, en revanche, devenue partie à la Convention qu'en 1984.

3. Les Halles de Reims (inaugurées en 1928) ont été classées pour leur structure parabolique en voile mince de béton due à l'inventeur de cette technique, E. Freyssinet. L'état de dégradation du béton donnait déjà lieu à une

étude de démolition en 1958. Économiquement, la restauration du bâtiment sera très onéreuse. Esthétiquement, l'intérieur en est grandiose, l'extérieur obère, par une masse disgracieuse, un site urbain important. Historiquement, nous possédons les archives concernant la conception et la réalisation des voiles minces par Freyssinet. Dans un autre ordre typologique, fallait-il inscrire sur l'inventaire supplémentaire les pavillons de logement social construits par Le Corbusier à Lège (Gironde) dans les années 1920 : inidentifiables par tout expert non prévenu, tels sont la médiocrité de leur construction et leur état de dégradation ?

4. Dans la tradition qui va de Herder et Humboldt à Spengler.

5. Dans l'ensemble de ses écrits sur la crise de l'esprit et sur le destin de l'Europe en particulier, « culture » est peu employé, généralement associé à européenne. A propos du Centre universitaire, méditerranéen, il évoque la « civilisation européenne » et définit, curieusement, l'étude de la Méditerranée comme celle d'« un dispositif, j'allais dire une machine, à faire de la civilisation », *Regards sur le monde actuel*, Paris, Gallimard, 1945, p. 317.

6. A cette occasion, un conservateur des musées nationaux fait le point dans le *Bulletin du ministère de la Culture* (janv. 1988) : « Le produit muséal — l'œuvre dans son "emballage" muséographique, architectural, technique, pédagogique — est devenu un objet esthétique pour une consommation de masse. Alors pourquoi pas un carrefour des techniques et des services pour ce marché d'un nouveau type. »

7. « Notre patrimoine doit se vendre et se promouvoir avec les mêmes arguments et les mêmes techniques que celles qui ont fait le succès des parcs d'attraction. » Discours du ministre français du Tourisme le 9-IX-1986, à qui fait écho un de ses collaborateurs : « Passer du centre ancien comme prétexte au centre ancien comme produit. »

8. Terminologie collationnée dans les documents officiels du ministère de la Culture. Elle a rapidement été adoptée par les médias.

9. Je dois ce chiffre à l'obligeance de A. Melissinos qui m'a communiqué son atlas inédit de *L'Urbanisation de la France*, comportant les statistiques, région par région et ville par ville, du parc immobilier des différentes époques.

10. Voir chap. V, p. 155.

11. G. Duhem cite le projet de reconstruction de Potsdam selon le système du XVIIIe siècle, par M. Blumert pour qui « l'âme du quartier disparaît si la restauration ne se conforme pas au modèle original », *Sauver la seconde extension de Potsdam*, mémoire de DESS, Institut français d'urbanisme, 1991.

12. La technique du moulage a encore progressé et permet d'obtenir des sortes de doubles des sculptures moulées. Reims a constitué, en France, un précédent en matière de dépose. Il est aujourd'hui suivi notamment à Athènes où les dernières sculptures du Parthénon sont au musée de l'Acropole.

13. Du même conservateur, *op. cit.*, *supra* : « Les animateurs, les services d'action culturelle sont les nouveaux acteurs, de plus en plus nombreux, médiateurs sur le devant de la scène entre l'œuvre et le public. »

14. Cf. chap. IV, p. 127-128.

15. Au XIXe siècle, le musée, devenu temple de l'art, adopte pour la première fois une typologie architecturale spécifique, celle du temple antique (British Museum, National Gallery de Londres, Altes Pinakotek de Berlin, Glyptotek de Munich, Metropolitan Museum de New York...), dont l'intérieur est réinterprété au profit de vastes espaces d'exposition. A partir des années 1960, l'architecture muséale tend plutôt à refuser toute typologie au profit de formes publicitaires dont la fonction principale est l'« imageabilité », la faculté de capter l'attention, tant par l'entremise des médias qu'*in situ*. Cette architecture autoréférencielle, de signal, apparaît à Paris avec le centre Pompidou. Son précédent le plus célèbre, et sans doute inaugural, est le musée Guggenheim de New York, dont la masse blanche, basse et opaque est posée comme un corps étranger au bord de Fifth Avenue. Quant au parti spectaculaire adopté par F.L. Wright à l'intérieur du musée, qui déroule la spirale de sa rampe autour d'un vide central, il tend non pas à ignorer les œuvres, mais à les nier et à les détruire symboliquement : plus de contemplation possible, le visiteur est condamné au parcours, entraîné dans un cheminement qui catapulte les images des œuvres les unes dans les autres pour finalement les briser en mille fragments.

16. Le lieu muséal est devenu le « geste architectural » par excellence de notre époque. « Les musées se visitent comme des monuments. L'écrin est un objet à voir comme un joyau », *Bulletin du ministère de la Culture, op. cit.*

17. Tel Carlo Scarpa en Italie.

18. On peut ainsi, entre autres, s'interroger sur la nouvelle visite du Mont-Saint-Michel, « au rythme de la musique et du silence, de l'ombre et de la lumière, *et de l'architecture médiévale et de l'art contemporain* ». (Nos italiques.)

19. Les sirènes de la culture déploient une ingéniosité mercantile qui ne craint pas le ridicule : à Paris, la boutique du jardin de Bagatelle vend des fleurs artificielles et celle de la Bibliothèque nationale des torchons.

20. Inaugurée dès 1914, elle a été classée en 1975 après avoir failli connaître le même sort que les Halles de Baltard.

21. Ce dont témoigne par exemple la vie difficile du centre d'Arc-et-Senans, dans la magnifique restauration des Salines de Ledoux. Voir Cl. Soucy, *Réutiliser les monuments historiques*, Paris, Caisse des monuments historiques, 1985.

22. Voir Appendice II.

23. La ville, créée au XVIIIe siècle, et en particulier sa seconde extension baroque, encore intacte, mais délabrée, pose de façon théorique, en termes techniques, juridiques et économiques, les problèmes de conservation, de réhabilitation et de destination fonctionnelle liés aux intérêts antagonistes des habitants, de l'industrie culturelle et de la spéculation immobilière entraînée par la proximité de Berlin, cf. G. Duhem, *op. cit.*

24. E. Le Lannou, « D'Ératosthène au "tour operator" », *Revue de l'Académie des sciences morales et politiques*, Paris, 1987.

25. P. Bourdieu, *La Distinction*, Paris, Éditions de Minuit, 1988.

26. Mystification analysée avec talent et acuité par J. Clair, dans son remarquable *Paradoxe sur le conservateur*, Tusson, L'Échoppe, 1988, pamphlet consacré au musée, mais dont une part de l'argumentation concerne aussi bien les monuments historiques.

27. Titre sous lequel a été intelligemment traduit en français le beau livre de G. Steiner, *Real Presence*, Londres, Faber and Faber, 1989, trad. fr. M.R. de Pauw, Paris, Gallimard, 1991. La réelle présence est pour Steiner celle de la transcendance dont participe toute œuvre d'art. Il insiste néanmoins sur l'importance de la présence effective et phénoménale de cette dernière, trop souvent masquée par la verbosité des commentaires.

28. Chez Valéry, le dialogue de Socrate et de Phèdre constitue un écrin pour celui d'Eupalinos et de Phèdre. Pour Alberti, le dialogue critique du praticien et de ses pairs (architectes ou amateurs) est partie intégrante de la démarche architecturale.

29. L'architecture actuelle, qui se transforme sans avoir surmonté la crise née au XIXe siècle, n'a plus de place pour ce dialogue. Elle s'appuie en revanche sur une imagerie et un discours médiatiques qui sont parfois anachroniquement transposés dans le champ de l'architecture ancienne.

30. Les édifices anciens et actuels sont aujourd'hui interprétés par une nouvelle critique, nourrie des travaux de la linguistique du sens et qui, à l'instar de toutes les productions humaines, les traite comme des *textes*, appelant de la part de ceux qui les rencontrent une resémantisation originale et créative. On a ainsi montré que les grands ensembles et les constructions les plus pauvres et démunies de valeur symbolique sont, plus ou moins richement, sémantisés par leurs habitants. (Travaux de J.-F. Augoyard, M. de Certeau, I. Goffmann.) Dans le cas inverse d'édifices ou de monuments de grande valeur symbolique et esthétique, les visiteurs sont dotés des mêmes pouvoirs de recréation personnelle. Mais ici s'introduit une confusion : la création de sens n'équivaut nullement à la création artistique. Le procès de sémantisation des artefacts humains est ouvert sans limites à l'invention individuelle, mais en tant que tel, il ne peut remplacer l'acquisition d'une information, elle aussi constitutive de sens, ni surtout ouvrir nécessairement à l'expérience esthétique et encore moins en tenir lieu.

31. *De re aedificatoria*, *op. cit.*, livre X, ch. 1, p. 869, 871.

32. « L'œuvre d'art au temps de sa reproductibilité mécanique » de W. Benjamin (1936) a été largement utilisé par A. Malraux.

33. « Petite histoire de la photographie » (article de 1931), trad. fr. M. de Gandillac in W. Benjamin, *Essais 1922-1934*, Paris, Denoël-Gonthier, 1983, p. 164.

34. « Chacun pourra constater combien une image, mais surtout une œuvre plastique, et au plus haut point une architecture, se laisse mieux saisir en photo que dans la réalité », *ibid.*

35. En 1982, à la suite d'une discussion sur la façon dont l'architecte américain Richardson avait, l'un des premiers, photographié les églises romanes du Sud-Ouest de la France, l'historien d'art Meyer Shapiro m'avait longue-

ment démontré, à l'aide de ses propres documents, la supériorité analytique du dessin *in situ* par rapport à la photographie, pour l'appréhension de cette architecture romane.

36. « La légende sans laquelle toute construction photographique ne peut que rester dans l'à-peu-près », W. Benjamin, *op. cit.*, p. 168.

37. En 1900, un architecte américain soumettait au Congrès un projet de Musée national d'art et d'histoire pour Washington, reproduisant en grandeur nature un ensemble de monuments appartenant aux principales civilisations de l'Antiquité. L'intérêt de cette « Acropole moderne » tenait à ce que « la science moderne peut reconstruire les monuments et les édifices anciens avec une exactitude de détails beaucoup plus impressionnante et instructive que les musées européens qui exposent dans des vitrines des objets hétéroclites et souvent même des fragments ». La naïve suffisance de l'auteur ne doit pas faire sous-estimer l'intérêt de son intuition. Il va de soi que les copies actuelles que nous évoquons n'ont rien à voir avec les imitations approximatives ou encore les réductions grossières comme celles des temples de Pran-Barang qu'on voit le long des routes indonésiennes.

38. A la suite de la contamination algale et bactérienne constatée sur les parois, la grotte de Lascaux, découverte en 1940, a été fermée au public en 1963. (La fréquentation avait été de 100 000 visiteurs en 1962.) Le développement, en 1965-1968, de voiles de calcite, a imposé, pour la conservation, de rétablir l'équilibre existant avant l'ouverture, entre température, humidité relative de l'air et gaz carbonique. Un fac-similé a été mis en chantier en 1973, en utilisant les méthodes de la stéréophotogrammétrie et les traceurs ordinateurs de l'Institut géographique national. Le coût de l'opération s'est élevé à huit millions de francs. Le fac-similé a été ouvert au public en 1983.

39. Voir V. Patin, *La Valorisation touristique du patrimoine culturel*, Rapport pour les ministères du Tourisme et de la culture, Conclusion, Paris, 1988.

40. G. Bauer et J.-M. Roux, *La Rurbanisation*, Paris, Le Seuil, 1976.

La compétence d'édifier

1. M. Heidegger, « La fin de la philosophie et le tournant », in *Questions IV*, trad. fr., Paris, Gallimard, 1976, p. 142 sq.

2. J.M. Drugeon, *Les Édifices cultuels face à la sécularisation de la société. Situation et perspectives du patrimoine cultuel français*, DEA, 1991, Institut français d'urbanisme.

3. Victor Hugo a sans doute été initié à la pensée de Hegel par Victor Cousin qu'il rencontrait au Comité de travaux historiques, créé par Guizot en 1830, ce qui pourrait expliquer le rajout du célèbre chapitre dans la huitième édition (1832) de *Notre-Dame de Paris* (éd. originale 1831).

4. « Objets très précieux pour le corps, délicieux à l'âme, et que le Temps lui-même doive trouver si durs et si difficiles à digérer, qu'il ne puisse les réduire qu'à coups de siècles ; et encore, les ayant revêtus d'une seconde beauté : une dorure douce sur eux, une majesté sacrée sur eux, et un charme de comparaisons naissantes et de secrètes tendresses tout autour d'eux, institué par la durée », Eupalinos, Paris, 1923, Gallimard, 1944, p. 126.

5. Pour des raisons analogues, A. Leroi-Gourhan estime que l'« *homo sapiens* de la zoologie est probablement près de la fin de sa carrière », *Le Geste et la Parole*, t. II, *La Mémoire et les Rythmes*, Paris, Albin Michel, 1965, p. 266.

6. Voir en particulier les travaux publiés par le groupe britannique Archigram.

7. F. Frontisi-Ducroux, *Dédale, mythologie de l'artisan en Grèce ancienne*, Paris, Maspero, 1975.

8. F. Choay, « La métaphore du labyrinthe et le destin de l'architecture », contribution au séminaire de Roland Barthes au Collège de France, Paris, 1979. Inédit en français, traduit en italien par E. d'Alfonso, « La metafora del labirinto e il destino dell'architettura », in *La Metaforo del labirinto*, Comme di Reggio Emilia, 1984. Le labyrinthe illustre la relation duelle qui définit l'architecture. Il est conçu pas à pas en fonction de celui qui s'y engagera, lequel à son tour doit, pour en découvrir le sens ou la beauté, recréer pas à pas le parcours inventé par « la ruse et l'intelligence » de l'architecture.

9. « L'homme habite poétiquement [*dichterlich*] », cité et utilisée par Heidegger in *Essais et Conférences*, trad. A. Préau, « L'homme habite en poète », Paris, Gallimard, 1954.

10. F. Choay, « L'art dans la ville : Haussmann et le mobilier urbain », *Temps libre*, Paris, 1985, n° 12. *L'Orizonte del post-urbano*, 2e partie : « L'ultima figura della città occidentale : il Parigi di Haussmann », à paraître aux éditions Officina, Rome.

11. *Trattato*, écrit entre 1460 et 1461, et dédié à Piero de Medicis, éd. critique, Milan, Il Polifilo, 1972, livre I, p. 29.

Annexe 1

Rapport présenté au Roi, le 21 octobre 1830, par M. Guizot, ministre de l'Intérieur, pour faire instituer un inspecteur général des monuments historiques en France.

Sire,

Les monuments historiques dont le sol de la France est couvert font l'admiration et l'envie de l'Europe savante. Aussi nombreux et plus variés que ceux de quelques pays voisins, ils n'appartiennent pas seulement à telle ou telle phase isolée de l'histoire, ils forment une série complète et sans lacune; depuis les druides jusqu'à nos jours, il n'est pas une époque mémorable de l'art et de la civilisation qui n'ait laissé dans nos contrées des monuments qui la représentent et l'expliquent. Ainsi, à côté de tombeaux gaulois et de pierres celtiques, nous avons des temples, des aqueducs, des amphithéâtres et autres vestiges de la domination romaine qui peuvent le disputer aux chefs-d'œuvre de l'Italie : les temps de décadence et de ténèbres nous ont aussi légué leur style bâtard et dégradé; mais lorsque le XIe et le XIIe siècle ramènent en Occident la vie et la lumière, une architecture nouvelle apparaît, qui revêt dans chacune de nos provinces une physionomie distincte, quoique empreinte d'un caractère commun : mélange singulier de l'ancien art des Romains, du goût et du caprice oriental, des inspirations encore confuses du génie germanique. Ce genre d'architecture sert de transition aux merveilleuses constructions gothiques qui, pendant les XIIIe, XIVe et XVe siècles, se suivent sans interruption, chaque jour plus légères, plus hardies, plus ornées, jusqu'à ce qu'enfin succombant sous leur propre richesse elles s'affaissent, s'alourdissent et finissent par céder la place à la grâce élégante mais passagère de la Renaissance. Tel est le spectacle que présente cet admirable enchaînement de nos antiquités nationales et qui fait de notre sol un si précieux objet de recherches et d'études.

La France ne saurait être indifférente à cette partie notable de sa gloire.

Déjà, dans les siècles précédents, la haute érudition des bénédictins et d'autres savants avait montré dans les monuments la source de grandes lumières historiques; mais sous le rapport de l'art, personne n'en avait deviné l'importance.

A l'issue de la Révolution française, des artistes éclairés, qui avaient vu disparaître un grand nombre de monuments précieux, sentirent le besoin de préserver ce qui avait échappé à la dévastation : le musée des Petits-Augustins, fondé par M. Lenoir, prépara le retour des études historiques et fit apprécier toutes les richesses de l'art français.

La dispersion fatale de ce musée reporta sur l'étude des localités l'ardeur des archéologues et des artistes; la science y gagna plus d'étendue et de mouvement; d'habiles écrivains se joignirent à l'élite de notre école de peinture pour faire connaître les trésors de *l'ancienne* France. Ces travaux, multipliés pendant les années qui viennent de s'écouler, n'ont pas tardé à produire d'heureux résultats dans les provinces. Des centres d'étude se sont formés; des monuments ont été préservés de la destruction; des sommes ont été votées pour cet objet par les Conseils généraux et les communes : le clergé a été arrêté dans les transformations fâcheuses qu'un goût mal entendu de rénovation faisait subir aux édifices sacrés.

Ces efforts toutefois n'ont produit que des résultats incomplets : il manquait à la science un centre de direction qui régularisât les bonnes intentions manifestées sur presque tous les points de la France; il fallait que l'impulsion partît de l'autorité supérieure elle-même, et que le ministre de l'Intérieur, non content de proposer aux Chambres une allocation de fonds pour la conservation des monuments français [1], imprimât une direction éclairée au zèle des autorités locales.

La création d'une place d'inspecteur général des Monuments historiques de la France m'a paru devoir répondre à ce besoin. La personne à qui ces fonctions seront confiées devra avant tout s'occuper des moyens de donner aux intentions du gouvernement un caractère d'ensemble et de régularité. A cet effet, elle devra parcourir successivement tous les départements de la France, s'assurer sur les lieux de l'importance historique ou du mérite d'art des monuments, recueillir tous les renseignements qui se rapportent à la dispersion des titres ou des objets accessoires qui peuvent éclairer sur l'origine, les progrès ou la destruction de chaque édifice; en constater l'existence dans tous les dépôts, archives, musées, bibliothèques ou collections particulières : se mettre en rapports directs avec

1. F. Rücker indique qu'il a vainement cherché les traces d'une telle proposition dans les délibérations des Chambres, en 1830. La première allocation de fonds pour la conservation des monuments historiques date de 1831.

les autorités et les personnes qui s'occupent de recherches relatives à l'histoire de chaque localité, éclairer les propriétaires et les détenteurs sur l'intérêt des édifices dont la conservation dépend de leurs soins, et stimuler enfin, en le dirigeant, le zèle de tous les conseils de département et de municipalité, de manière à ce qu'aucun monument d'un mérite incontestable ne périsse par cause d'ignorance et de précipitation et sans que les autorités compétentes aient tenté tous les efforts convenables pour assurer leur préservation, et de manière aussi à ce que la bonne volonté des autorités ou des particuliers ne s'épuise pas sur des objets indignes de leurs soins. Cette juste mesure dans le zèle ou dans l'indifférence pour la conservation des monuments ne peut être obtenue qu'au moyen de rapprochements multipliés que l'inspecteur général sera seul à même de faire; elle préviendra toute réclamation et donnera aux esprits les plus difficiles la conscience de la nécessité où le gouvernement se trouve de veiller activement aux intérêts de l'art et de l'histoire.

L'inspecteur général des Monuments historiques préparera, dans sa première et générale tournée, un catalogue exact et complet des édifices ou monuments isolés qui méritent une attention sérieuse de la part du gouvernement : il accompagnera, autant que faire se pourra, ce catalogue de dessins et de plans, et en remettra successivement les éléments au ministère de l'Intérieur, où ils seront classés et consultés au besoin. Il devra s'attacher à choisir dans chaque localité principale un correspondant qu'il désignera à l'acceptation du ministre, et se mettre lui-même en rapport officieux avec les autorités locales. Communication sera donnée aux préfets des départements, d'abord, des instructions de l'inspecteur général des Monuments historiques de la France, puis de l'extrait du catalogue général en ce qui concerne chaque département. Le préfet en donnera connaissance à tous les conseils et autorités qu'ils intéressent.

L'inspecteur général des Monuments historiques devra renouveler le plus souvent possible ses tournées, et, les diriger chaque année d'après les avis qui seront donnés par les préfets et les correspondants reconnus par l'administration. Lorsqu'il s'agira d'imputations à faire sur les fonds de la conservation de monuments de la France, ou de dépenses analogues votées par les départements ou les communes, l'inspecteur général des Monuments historiques sera consulté.

Le traitement annuel de ce fonctionnaire est fixé à *huit mille francs.*

Le tarif des frais de tournée sera déterminé par une mesure ultérieure.

Le Moniteur du 18 octobre 1830

Annexe 2

Extraits du *Guide de la protection des espaces naturels et urbains*[1]

La création d'un secteur sauvegardé

La création du secteur sauvegardé est l'étape préliminaire à l'élaboration du plan de sauvegarde et de mise en valeur. Elle permet d'assurer, pendant toute la période d'élaboration du plan de sauvegarde et de mise en valeur, la sauvegarde du patrimoine inclus dans le secteur sauvegardé.

La procédure de création

L'instruction du projet[2]
Le ou les conseils municipaux délibèrent sur le projet de création du secteur sauvegardé.

La décision de création[3]
La création et la délimitation du secteur sauvegardé sont prononcées par arrêté du ou des ministres chargés de l'architecture et de l'urbanisme, après avis de la Commission nationale des secteurs sauvegardés.

1. Publié sous les auspices du ministère de l'Équipement, du Logement, des Transports et de la Mer ; du ministère de la Culture, de la Communication et des Grands Travaux ; et du ministère de l'Environnement et de la Prévention des risques technologiques et naturels majeurs. Conception et rédaction : Chantal Ausseur-Dolléans, architecte-urbaniste.

2. Code de l'urbanisme, articles R 313.1 et R 313.2.

3. R. 313.1.

En cas d'avis défavorable du conseil municipal, un décret en Conseil d'État serait nécessaire, mais cette procédure n'a jamais été utilisée.

L'information sur la création du secteur sauvegardé[1]

L'arrêté ou le décret portant création et délimitation du secteur sauvegardé est publié au *Journal officiel* et affiché en mairie.

Il doit également être inséré dans deux journaux locaux ou régionaux.

Les effets de la création d'un secteur sauvegardé

L'arrêté ou le décret portant création et délimitation du secteur sauvegardé vaut, sur le territoire auquel il s'applique, prescription de l'établissement du plan de sauvegarde et de mise en valeur et par là même mise en révision du plan d'occupation du sol rendu public ou approuvé ou de tout document d'urbanisme en tenant lieu[2].

L'obligation d'obtenir une autorisation spéciale pour tout projet susceptible de modifier l'état des immeubles nus ou bâtis situés à l'intérieur du périmètre d'un secteur sauvegardé[3].

Afin d'assurer la sauvegarde des immeubles nus ou bâtis compris dans le secteur sauvegardé pendant la période d'élaboration du plan de sauvegarde et de mise en valeur, à compter de l'arrêté créant et délimitant le secteur sauvegardé et jusqu'à la publication du plan de sauvegarde, aucune modification de l'état extérieur et intérieur d'un immeuble nu ou bâti situé à l'intérieur du secteur sauvegardé ne peut être effectuée sans l'accord de l'architecte des bâtiments de France.

La procédure d'élaboration du plan de sauvegarde et de mise en valeur

Le plan de sauvegarde est élaboré par un architecte compétent en matière de centres anciens et de quartiers historiques, désigné par le maire après agrément du ou des ministres chargés de l'architecture et de l'urbanisme[4].

L'instruction du plan de sauvegarde[5]

L'instruction du plan de sauvegarde est conduite sous l'autorité du préfet :

— il soumet le projet élaboré par l'architecte à la commission locale du secteur sauvegardé constituée par arrêté préfectoral ;

1. R. 313.3.
2. R. 313.4.
3. L. 313.2 et R. 313.13.
4. R. 313.5.
5. *Id.*

— il communique le projet aux administrations qui ne sont pas représentées au sein de la commission locale et, sur leur demande, aux présidents des associations agréées [1];
— il soumet ensuite le projet de plan à la délibération du conseil municipal de la ou des communes intéressées [2].

Le plan de sauvegarde et de mise en valeur « PSMV »

La publication du plan de sauvegarde [3]
Après avoir été soumis à l'avis de la commission nationale des secteurs sauvegardés, le plan de sauvegarde est rendu public par arrêté du préfet. Cet arrêté peut en même temps prescrire la mise à l'enquête publique.

L'information sur la publication du plan de sauvegarde [4]
Le plan rendu public accompagné des délibérations du conseil municipal de la ou des communes intéressées est tenu à la disposition du public à la mairie et à la préfecture.

La mise à l'enquête publique [5]
Le plan de sauvegarde et de mise en valeur est soumis par arrêté du préfet à enquête publique en mairie.

L'approbation du plan de sauvegarde [6]
Le plan de sauvegarde, accompagné des résultats de l'enquête et des avis émis par le conseil municipal est soumis à la commission nationale des secteurs sauvegardés.
Le plan, éventuellement modifié pour tenir compe des avis émis, est alors approuvé par décret en Conseil d'État pris sur le rapport conjoint du ou des ministres chargés de l'architecture et de l'urbanisme et du ministre de l'Intérieur.

L'information sur l'approbation du plan de sauvegarde [7]
Le décret approuvant le plan de sauvegarde et de mise en valeur est

1. R. 313.6.
2. R. 313.7.
3. R. 313.7.
4. R. 313.10.
5. R. 313.8.
6. R. 313.9.
7. R. 313.10

publié au *Journal officiel* et inséré dans deux journaux locaux ou régionaux.

Le plan approuvé est tenu à la disposition du public à la mairie et à la préfecture.

Le contenu du plan de sauvegarde et de mise en valeur

Le plan de sauvegarde et de mise en valeur est un document d'urbanisme qui fixe sur le territoire auquel il s'applique les principes d'organisation urbaine et les règles destinées à assurer la conservation et la mise en valeur du patrimoine architectural et urbain. Certaines dispositions des plans d'occupation des sols sont applicables aux PSMV mais il comporte des dispositions spécifiques qui permettent de fixer, parcelle par parcelle, les règles qui s'appliquent à chacun des immeubles et des espaces situés à l'intérieur de son périmètre [1].

Les prescriptions réglementaires des documents graphiques du plan de sauvegarde, qui sont établis en général, avec une très grande précision, au 1/500e, indiquent notamment :

— les immeubles ou parties d'immeubles à conserver dont la démolition, l'enlèvement, la modification ou l'altération sont interdits [2];

— les immeubles ou parties d'immeubles dont la démolition, la modification ou l'écrêtement pourront être imposés à l'occasion d'opérations d'aménagement publiques ou privées [3];

— les espaces soumis à une protection particulière tels que des pavages à conserver, des prescriptions au titre de la recherche archéologique;

— les sous-secteurs d'aménagement d'ensemble dans lesquels, afin de permettre la réalisation d'une opération globale d'aménagement futur, pourront être refusés des initiatives dispersées.

Le rapport de présentation du plan de sauvegarde :

— présente les caractéristiques du secteur sauvegardé tant architecturales et urbaines qu'économiques et démographiques;

— explicite les objectifs et les motifs qui ont conduit aux mesures de protection ainsi que les conditions suivant lesquelles sont prises en compte les préoccupations d'environnement;

— expose la politique globale de revitalisation du centre ancien ou du quartier historique;

— montre la cohérence du règlement avec les autres documents d'urbanisme en vigueur sur la commune.

1. R. 313.1
2. *Id.*
3. *Id.*

Ouvrages cités*

Abdelkafi, D., *La Médina de Tunis*, Paris, Presses du CNRS, 1990.

Abé, Y., « Les débuts de la conservation au Japon moderne : idéologie et historicité », *ACHA (1980)*.

Académie française, *Dictionnaire*, 1re édition, Paris, 1694.

Actes de la Conférence d'Athènes sur la conservation des monuments d'art et d'histoire, publié par l'Institut de coopération intellectuelle de la SDN, Paris, 1933.

Adhémar, J., *Influences antiques dans l'art du Moyen Age français*, Londres, Institut Warburg, 1939.

Alberti, L.B., *Della famiglia, Opere volgari*, C. Grayson (éd.), Bari, Laterza, 1960.

Alberti, L.B., *De re aedificatoria*, G. Orlandi (éd.), Milan, Il Polifilo, 1966.

Alsop, J., *The Rare Art Traditions. The history of art collecting and its linked phenomena*, Princeton-New York, Harper and Row, 1982.

Androuet du Cerceau, J., *Livre d'architecture contenant cinquante bâtiments*, Paris, 1559.

Ashbourne, Lord, *Grégoire and the French Revolution*, Londres, Sand and Co, 1910.

Aubrey, J., *Monumenta britannica : chronologica architectura*, Londres, 1670.

Averlino, A., dit Filarète, *Trattato*, 1464, éd. critique par A.M. Filori et L. Grassi, Milan, Il Polifilo, 1972.

Babelon, J. et Chastel, A., « La Notion de patrimoine », *Revue de l'art*, 49, Paris, CNRS, 1980.

Balzac, H. de, *Œuvres complètes*, *Scènes de la vie privée* (t. 3 et 4), *Béatrix* (1844), Paris, Houssiaux, 1855.

Barthélemy, Abbé, J.-J., *Voyage du jeune Anacharsis en Grèce*, Paris, de Bure aîné, 1788, 4 vol.

* Les ouvrages non édités qui sont cités (thèses, mémoires divers) ne figurent pas sur cette liste. Pour la bibliographie de G. Giovannoni, cf. Del Bufalo. L'abréviation *ACHA (1980)* renvoie à *Acts of the XXVth Congress of the History of Art (1980)*, vol. III, The Pennsylvania State University Press, 1989.

Barthes, R., *La Chambre claire*, Paris, Cahiers du cinéma, Gallimard-Seuil, 1980.

Bauer, G. et Roux, J.-M., *La Rurbanisation*, Paris, Le Seuil, 1976.

Baumgarten, A.G., *Aesthetica*, Francfort-sur-le-Main, 1750-58, 2 vol.

Bellori, G.P., *Colonna trajana... novamente disegnata e intagliata da Pietro Santi Bartoli*, Rome, 1673.

Benjamin, W., « L'œuvre d'art au temps de sa reproduction mécanisée », 1936, trad. fr. in *Écrits français*, Paris, Gallimard, 1991.

Benjamin, W., « Petite histoire de la photographie », *Essais 1922-1934*, trad. fr. M. de Gandillac, Paris, Denoël-Gonthier, 1983.

Bentham, J., *Historical remarks on the Saxon Church*, Londres, 1772.

Bentham, J., cf. Warton, J.

Bercé, F., *Les Premiers Travaux de la Commission des monuments historiques*, Paris, Picard, 1980.

Bertrand, Abbé, *Antiquitez et Singularitez de l'Abbaye de St Denys*, Paris, 1575.

Boito, C., *Ornamenti per tutti gli stili*, Milan, Hoepli, 1888.

Boito, C., *Questioni pratiche di belle arti*, Milan, Hoepli, 1893.

Boudon, F., Chastel, A., Couzy, H. et Hamon, F., *Système de l'architecture urbaine : le quartier des Halles à Paris*, Paris, Éditions du CNRS, 1977.

Boulting, N., « The law's delays », cf. Fawcett, J.

Bourdieu, P. et Passeron, J.-C., *Les Héritiers*, Paris, Éditions de Minuit, 1964.

Bourdieu, P. et Sayad, A., *Le Déracinement*, Paris, Éditions de Minuit, 1964.

Bourdieu, P., *La Distinction*, Paris, Éditions de Minuit, 1988.

Bracciolini, P., *Ruinarum descriptio urbis Romae...*, Florence, 1513.

Broglie, E. de, *Mabillon et la Société de l'Abbaye de St-Germain-des-Prés à la fin du XVIe siècle*, Paris, Plon, Nourrit, 1888, 2 vol.

Bruyne, E. de, *Études d'esthétique médiévale*, Bruges, De Tempel, 1946, 3 vol., réimp., Genève, Slatkine, 1975.

Buls, Ch., *L'Esthétique des villes*, Bruxelles, Buylant-Christophe, 1893.

Buls, Ch., « La Conservation du cœur des anciennes villes », *Tekne*, nos 64-66, Bruxelles, 1912.

Burke, E., *A Philosophical inquiry into the nature of our ideas of the sublime and the beautiful*, 1757, Londres, Routledge and Kegan Paul, 1958.

Cantarel-Besson, Y., *La Naissance du musée du Louvre, la politique muséologique sous la Révolution, d'après les archives des musées nationaux*, Éditions de la Réunion des musées nationaux, Paris, 1981, 2 vol.

Carter, J., *Views of ancient buildings in England*, Londres, 6 vol., 1796-1798.

Carter, J., *Ancient Architecture of England*, Londres, 1807.

Carter, J., sélection de ses articles du *Gentleman's Magazine* éditée par

G.L. Gomme in *The Gentleman's magazine Library, Architectural Antiquities, Part 1*, Londres, E. Stock, 1890.

Castiglione, B., *Opera*, Padoue, Ed. Volpi, 1733.

Caumont, A. de, *Cours d'antiquités monumentales*, Paris, Caen, Rouen, 1830-1833.

Caumont, A. de, *Abécédaire ou Rudiment d'archéologie*, Paris, Caen, Rouen, 1850.

Caylus, A.C.L., comte de, *Recueil d'antiquités*, Paris, Desaint et Saillant, 7 vol., 1752-1767.

Caylus, A.C.L., comte de, cf. Paciaudi père, P.

Cerda, I., *Teoria general de l'urbanización*, Madrid, 1867, trad. fr. et adapt. par J. Lopez de Aberasturi, Paris, Le Seuil, 1975.

Ceschi, C., *Teoria e Storia del restauro*, Rome, Bulzoni, 1970.

Charte d'Athènes, version de Le Corbusier, Paris, Éditions de Minuit, 1957, réimpression en coll. « Points », Le Seuil.

Charte internationale sur la conservation des monuments historiques, dite de Venise, Venise, ICOMOS, 1966.

Chastel, A., cf. Boudon, F.

Chastel, A., cf. Babelon, J.

Choay, F., « La métaphore du labyrinthe et le destin de l'architecture », contribution au Séminaire de Roland Barthes au Collège de France, 1979 (inédit en français). Trad. ital. par E. d'Alfonso, in *La Metaforo del labirinto*, Commune di Reggio Emilia, 1984.

Choay, F., « L'Art dans la ville : Haussmann et le mobilier urbain », *Temps libre*, n° 12, Paris, 1985.

Choay, F., *La Regola e il Modelo*, Rome, Officina, 1986.

Choay, F., cf. Merlin, P.

Choay, F., « Riegl, Freud et les monuments historiques... », *ACHA (1980)*.

Choay, P., cf. Turner, P.

Città d'arte, Atti dell'incontro di studio « La città d'arte : significato, ruolo, prospettive in Europà », Firenze, XI, 1986, Firenze, Giunti Barbera, 1988.

Clair, J., *Paradoxe sur le conservateur*, Tusson, l'Échoppe, 1988.

Clark, K., *The Gothic Revival*, Londres, 1928, rééd. Pelican Books, 1964.

Coing, H., *Rénovation urbaine et Changement social*, Paris, Éditions ouvrières, 1967.

Collins, G.C., « Linear planning throughout the world », *Journal of the Society of the architectural historians*, XVIII, New York, 1959.

Conventions et Recommandations de l'Unesco relatives à la protection du patrimoine culturel, Unesco, Paris, 1983.

Cordier, abbé, *L'Architecture du Moyen Age jugée par les écrivains des deux derniers siècles*, Paris, 1839.

Corrozet, G., *La Fleur des antiquitez, singularitez et excellences de la plus que noble et triomphante ville et cité de Paris*, Paris, 1532.

Courajod, L., *Alexandre Lenoir, son journal et le Musée des monuments français*, Paris, Champion, 1878.

Couzy, H., cf. Boudon, F.

Del Bufalo A., *Gustavo Giovannoni, Note e osservazione integrate dalla consultazione dell'archivo presso il centro di studi di storia dell'architettura*, Rome, Kappa, 1982.

Delumeau, J. (sous la direction de), *La Mort des pays de cocagne*, Paris, publications de la Sorbonne, 1976.

Derrida, J., *La Dissémination*, Paris, Le Seuil, 1972.

Description de l'Égypte, publié par F. Jomard, Paris, Imprimerie impériale puis royale, 1808-1813, 9 vol. et 12 vol. de planches, réimpr. Institut d'Orient, Paris, 1988.

Desgodets, A., *Les Édifices anciens de Rome*, Paris, J.B. Coignard, 1682.

Despois, F., *Le Vandalisme révolutionnaire*, Paris, 1848.

Deville, A., *Église de l'abbaye de Saint-Georges-de-Boscherville*, Rouen, N. Périaux jeune, 1827.

Didron, A.N., *Annales archéologiques*, t. I, Paris, Librairie archéologique V. Didron, 1844.

Di Marco, M., *Il Colosseo, funzione simbolica, storica, urbana*, Rome, Bursoni, 1961.

Dussaule, P., *La Loi et le Service des monuments historiques français*, Paris, La Documentation française, 1974.

École française de Rome, *Les Cadastres anciens dans les villes et leur traitement par l'informatique*, n° 120, Rome, 1989.

École française de Rome, *D'une Ville à l'autre : structures matérielles et organisation de l'espace dans les villes européennes* (XIIe-XVIe siècle), n° 122, Rome, 1989.

Emerson, R.W., « Art », in *Complete works, Collected essays*, t. II, Boston, Houghton, 1888.

Fawcett, J. (éd.), *The Future of the past : attitudes towards conservation*, Londres, Thames and Hudson, 1976.

Félibien, A., *Recueil historique de la vie et des ouvrages des plus éminents architectes*, Paris, 1687.

Félibien, M., *Histoire de l'Abbaye royale de St Denys en France*, rééd., Paris, Éditions du Pont-Royal, 1973.

Fiedler, K., *Uber die Beurteilung der bildenden Kunst*, 1876 et *Bemerkungen über Wesen und Geschichte der Baukunst*, 1878, réimp. in *Schriften zu Kunst*, G. Boehm (éd.), Munich, Fink, 1971, 2 vol.

Fischer von Erlach, J.B., *Entwurf einer historischen Architektur in Abbildung unterschiedener berühmter Gebaüde des Altertums und fremder Völker*, Leipzig, 2e édition, 1725.

Fontana, V., *Artisti e commitenti nella Roma del Quattrocento*, Rome, Istituto di Studi romani, 1973.

Fournier, E., *Paris démoli*, Paris, Arly, 1855.

France, A., *P. Nozière*, Paris, A. Lemerre, 1879.
Frémin, M. de, *Mémoires critiques d'architecture*, Paris, 1702.
Freud, S., *Das Unbehagen in der Kultur*, Vienne, 1929, trad. fr., *Malaise dans la civilisation*, Paris, PUF, 1971.
Frontisi-Ducroux, F., *Dédale, mythologie de l'artisan en Grèce ancienne*, Paris, Maspero, 1975.
Furetière, A., *Dictionnaire universel*, Rotterdam, 1690.
Fustel de Coulanges, N.D., *La Cité antique*, Paris, Hachette, 1864.

Garin, E., *Moyen Age et Renaissance*, Paris, Gallimard, 1969.
Germain, Dom Michel, *Monasticon Gallicanum*, Paris, V. Palmé, 1871, 2 vol.
Gibbon, E., *Decline and Fall of the Roman Empire*, Londres, 1776-1788, trad. fr. F. Guizot, réimpr. présentée par M. Baridon, Paris, Laffont, 1983.
Gombrich, E.H., *The Heritage of Apelles*, Oxford, Phaidon, 1976.
Giovannoni, G., « Vecchie città ed edilizia nuova », *Nuova Antologia*, Milan, 1913, Turin, Unione tipografico-editrice, 1931.
Grandmaison, C. de, *Gaignières, sa correspondance et ses collections*, Niort, 1892.
Grégoire, abbé, cf. lord Ashbourne qui reproduit intégralement les trois rapports sur le vandalisme.
Grodecki, L., « La Restauration du château de Pierrefonds », *Les Monuments historiques de la France*, n° 95, 1965.
Grose, F., *Antiquities of England and Wales*, Londres, 1776.
Grose, F., cf. Warton, Th.
Gruterus, *Inscriptiones antiquae totius Urbis Romae*, Paris, 1600.
Guilhermy, F. de, *Itinéraire archéologique de Paris*, Paris, Bance, 1855.
Guillet, G., *Athènes ancienne et nouvelle*, Paris, E. Michallet, 1675.
Guizot, F., *Essais sur l'histoire de France*, Paris, Ladrange, 1836.

Hamon, F., cf. Boudon, F.
Hansen, E.V., *The Attalides of Pergamon*, Ithaca, Cornell University Press, 1947.
Haussmann, baron E., *Mémoires*, Paris, Victor-Havard, 1890-1893, 3 vol.
Hegel, G.W.F., *Vorlesungen über der Aesthetik*, 1836, trad. fr., *L'Esthétique*, Paris, Aubier, 1944.
Heidegger, M., *Essais et Conférences*, trad. A. Préau, Paris, Gallimard, 1954.
Heidegger, M., « La Fin de la philosophie et le tournant », *Questions IV*, trad. fr. J. Beaufret et F. Fédier, Paris, Gallimard, 1976.
Hermant, D., « Le Vandalisme révolutionnaire », *Annales*, Paris, juillet-août 1978.
Huggins, S., « The Restoration of ancient monuments », *The Builder*, 28 décembre 1878.
Hugo, V., *Notre-Dame de Paris, Œuvres*, Paris, Renduel, t. III-V, 1832.

Hugo, V., *Littérature et Philosophie mêlées*, *Œuvres*, Paris, Renduel, t. XI, 1834.

Jones, I., *The Most Notable Antiquities of Great Britain, vulgarely called Stone-Heng, on Salisbury Plain*, Londres, 1653.

Junod, Ph., *Transparence et Opacité*, Lausanne, L'Age d'Homme, 1975.

Kant, I., *Kritik der Urteilskraft*, 1790, trad. fr. J. Gibelin, *La Critique du jugement*, Paris, Vrin, 1941.

Kersaint, A.G., *Discours sur les monuments publics*, prononcé au Conseil du Département de Paris, le 15 décembre 1791, P. Didot, 1792.

Kircher, père A., *Musaeum Kircherianum*, Rome, G. Plachi, 1709.

Krautheimer, R., *Lorenzo Ghiberti*, Princeton, Princeton University Press, 1956.

Krautheimer, R., « Introduction to an iconography of mediaeval architecture », *Studies in early Christian, mediaeval and Renaissance art*, Princeton University Press, 1969.

Krautheimer, R., *Rome, profile of a city 312-1308*, Princeton, Princeton University Press, 1980.

Krautheimer, R., *The Rome of Alexander VII, 1655-1667*, Princeton, 1982.

Kristeller, P.O., « Renaissance thought and the arts », *Collected essays*, New York, Harper and Row, 1965.

Labande, L.H., *Notice sur les dessins des antiquités de la France méridionale exécutés par Pierre Mignard et sur leur publication projetée par le comte de Caylus*, Nîmes, Gervais Bedot, 1862.

Laborde, A. de, *Les Monuments de la France classés chronologiquement et considérés sous le rapport des faits historiques et de l'étude des arts*, Paris, Didot aîné, 1816.

Lavedan, P., *Histoire de l'urbanisme*, Paris, Laurens, 1926-1952.

Le Goff, J. et Nora, P. (éds), *Faire de l'histoire*, t. II, Paris, 1974.

Le Lannou, E., « D'Ératosthène au "tour operator" », *Revue de l'Académie des Sciences morales et politiques*, Paris, 1987.

Lenoir, A., *Notice des monuments des arts, réunis au dépôt national des monuments rue des Petits Augustins, suivie d'un traité de la peinture sur verre*, Paris, an IV.

Lenoir, A., *Description historique et chronologique des monuments de sculpture réunis au Musée des monuments français*, 5e édition, Paris, an VIII.

Léon, P., *La Vie des monuments français*, Paris, Picard, 1951.

Leroi-Gourhan, A., *Le Geste et la Parole*, t. II, *La Mémoire et les Rythmes*, Paris, Albin Michel, 1965.

Le Roy, J.D., *Les Ruines des plus beaux monuments de la Grèce*, Paris, 1758, 2e édition, 1770, 2 vol.

Lestocquoy, J., « L'Architecture gothique aux XVIIe et XVIIIe siècles », *Art sacré*, janvier-février 1948.

Lévi-Strauss, C., *Anthropologie structurale*, Paris, Plon, 1958.
Loti, P., *La Mort de Philae*, Paris, Calmann-Lévy, 1909, rééd. Paris, Pardès, 1990.

Mabillon, J., *Correspondance inédite de Mabillon et de Montfaucon avec l'Italie*, Paris, 1846.
Mac Canell, P., *The Tourist : a new theory of the leisure class*, Londres-New York, McMillan, 1976.
Madsen, S.T., *Restoration and Antirestoration*, Oslo, Universitetsforlaget, 1976.
Magister Gregorius, *Narracio de mirabilibus urbis Romae*, R.B.C. Huyghens (éd.), Leyde, 1970.
Major, Th., *The Ruins of Paestum, otherwise Posidania in magna Graecia*, Londres, Th. Major, 1768.
Marrou, H.-I., *Histoire de l'éducation dans l'Antiquité*, Paris, Le Seuil, 1948, 2 vol.
Mauss, M., « Essai sur les variations saisonnières des sociétés eskimos », *Année sociologique*, 1904-1905.
Mayer, A., *La « Solution finale » dans l'histoire*, trad. fr. M.-G. et J. Carlier, Paris, La Découverte, 1990.
Mérimée, P., *Lettres à Viollet-le-Duc*, texte établi par P. Trahard, Paris, Champion, 1927.
Mérimée, P., *Études sur les arts du Moyen Age*, republié par Flammarion, Paris, 1967.
Merlin, P. et Choay, F. (sous la direction de), *Dictionnaire de l'urbanisme et de l'aménagement*, Paris, PUF, 1988.
Michelet, J., *Le Peuple*, Paris, Comptoir des Imprimeurs unis, 1846.
Middleton, R., « The Abbé Cordemoy and the Graeco-gothic ideal : a prelud to romantic classicism », *Journal of the Warburg and Courtauld Institutes*, Londres, 1962-1963.
Milioutine, N.A., *Sotsgorod, the problem of building socialist cities*, 1930, traduit du russe et présenté par G.R. Collins et W. Allix, Cambridge, Mass., MIT Press, 1974.
Millin, L.A., *Antiquités nationales ou Recueil de monuments*, Paris, 1790-1798.
Milner, J., *A Dissertation on the modern style of altering ancient cathedrals as exemplified in the cathedral of Salisbury*, Londres, 1798.
Milner, J., cf. Warton, Th.
Momigliano, A., *Problèmes d'historiographie ancienne et moderne*, Paris, Gallimard, 1983.
Montalembert, comte C.-F. de, *Du Vandalisme et du catholicisme dans l'art*, Paris, Debécourt, 1839.
Montfaucon, B. de, *L'Antiquité expliquée et représentée en figures*, Paris, P.F. Giffart, 1719-1724, 11 vol.
Montfaucon, B. de, *Monuments de la Monarchie française*, Paris, P.F. Giffart, 1724-1733, 10 vol.

Montfaucon, B. de, *Correspondance avec le baron de Crassier*, Liège, 1855.
Morris, W., « The Restoration of ancient buildings », *The Builder*, 28 décembre 1878.
Morris, W., « Letter to *The Times* », *The Times*, 17 avril 1878.
Müntz, E., *Les Arts à la cour des papes pendant le* XVe *et le* XVIe *siècle*, Paris, Thorin, 1878-1882, 3 vol.

Nodier, Ch. et Taylor, baron I.J.S., *Voyages pittoresques et romantiques dans l'ancienne France*, Paris, Gide fils, 1820-1863, 23 vol.
Nora, P., cf. Le Goff, J.
Norden, F.L., *Voyage d'Égypte et de Nubie*, Copenhague, 1755.
Norden, F.L., *Drawings of some ruins and colossal statues at Thebes in Egypt*, Londres, Royal Society, 1741.

Ozouf, M., *La Fête révolutionnaire, 1789-1799*, Paris, Gallimard, 1970.

Pächt, O., « A. Riegl », *Burlington Magazine*, 1963, trad. fr. en introduction à la *Grammaire historique des arts plastiques*, Paris, Klincksieck, 1978.
Paciaudi, père P., *Correspondance inédite du comte de Caylus avec le père Paciaudi*, Paris, H. Tardieu, 1801.
Panofsky, E. et Saxl, F., « Classical myth in mediaeval art », New York, *Metropolitan museum studies*, 1932.
Panofsky, E., *Abbot Suger on the Abbey Church of Saint-Denis and its art treasures*, Princeton University Press, 1946.
Panofsky, E., *La Perspective comme forme symbolique*, Paris, Éditions de Minuit, 1967.
Panofsky, E., *Renaissance and Renascences in Western art*, Stockholm, Almqvist und Wiksells, 1960, trad. fr. *La Renaissance et ses avant-courriers*, Paris, Flammarion, 1976.
Paris-Guide, Paris, Lacroix, 1867.
Passavant, J.-D., *Raffaele von Urbino und sein Vater Giovanni Santi*, Leipzig, 1839.
Passeron, J.-C., cf. Bourdieu, P.
Patte, P., *Monuments à la gloire de Louis XV*, Paris, Rozet, 1765.
Peiresc, N.C. Fabri de, *Lettres à Cassiano dal Pozzo (1625-1637)*, J.F. Lhote et D. Joyal édit., Clermont-Ferrand, Amphion Adosa, 1989.
Pérouse de Montclos, J.M., *L'Architecture à la française*, Paris, Picard, 1982.
Perrault, Ch., *Parallèle des anciens et des modernes*, Paris, J.B. Coignard, 1688-1697.
Perrault, Ch., *Mémoires de ma vie*, P. Bonnefon (éd.), Paris, H. Laurens, 1909.
Perrault, Cl., *Mémoires pour servir à l'histoire naturelle des animaux*, Paris, Imprimerie royale, 1671-1676.
Perrault, Cl., *Voyage à Bordeaux*, publié avec Ch. Perrault, *Mémoires de ma vie*.

Pevsner, N., « Scrape and antiscrape », cf. Fawcett, J.

Pirenne, H., *Les Villes et les Institutions urbaines du Moyen Age*, Bruxelles, 1939, Paris, PUF, 1971.

Pococke, R., *A Description of the East*, Londres, 1743-1745, 3 vol.

Poldo d'Albénas, J., *Discours historial de l'antique et illustre ville de Nismes*, Lyon, 1560.

Pomian, K., *Collectionneurs, Amateurs et Curieux*, Paris, Gallimard, 1987.

Prado, J., cf. Villalpanda, J.B.

Prost, Ph., « Restauration et histoire des mentalités : un projet inédit de restauration de l'amphithéâtre de Nîmes en 1692 », *ACHA (1980)*.

Pugin, A.N.N., *Contrasts or a parallel between the noble edifices of the fourteenth and fifteenth centuries and similar buidings of the present day*, Londres, 1836.

Quatremère de Quincy, A.C., *De l'Architecture égyptienne considérée dans son origine, ses principes et son goût, comparée sous les mêmes rapports, à l'architecture grecque*, Paris, Barrois, 1803.

Quatremère de Quincy, A.C., *Considérations morales sur la destination des ouvrages de l'art*, Paris, imp. de Crapelet, 1815.

Quatremère de Quincy, A.C., *Encyclopédie méthodique. Dictionnaire d'architecture*, Paris, Panckouke, Veuve Agasse, 1798-1825, 3 vol.

Réau, L., *Histoire du vandalisme. Les Monuments détruits de l'art français*, Paris, Hachette, 1959.

Revett, N., cf. Stuart, J.

Riegl, A., *Der moderne Denkmalkultus*, Vienne, 1903, trad. fr. par D. Wieczorek, *Le Culte moderne des monuments*, Paris, Le Seuil, 1984.

Rostand, A., « Les monuments de la monarchie française de B. de Montfaucon », *Bulletin de la Société de l'histoire de l'art français*, Paris, 1932.

Rostand, A., « L'Œuvre architecturale des bénédictins de la congrégation de Saint-Maur en Normandie, 1619-1789 », *Bulletin de la Société des antiquaires de Normandie*, XLVII, 1940.

Roux, J.-M., cf. Bauer, G.

Rucker, F., *Les Origines de la conservation des monuments historiques en France*, Paris, Jouve, 1913.

Ruskin, J., Intervention « On the destructive character of modern French restoration », *The Builder*, 22 juin 1861.

Ruskin, J., *The Stones of Venice*, Londres, Allen, 1897.

Ruskin, J., *The Seven Lamps of architecture*, Londres, Ed. J.M. Dent and Sons, 1956.

Ruskin, J., « On the opening of the Crystal Palace », cf. Madsen, S.T.

Ryckmans, S.P., « The Chinese attitudes towards the past », *ACHA (1980)*.

Samsa, D., « Un Ipotesi di funzionamento territoriale : città, ideologia e scienza nel pensiero di Carlo Cattaneo », *Storia in Lumbardia*, n. 2, Milan, F. Angeli, 1986.

Sauerländer, W., « A. Riegl und die Entstehung des autonomes Kunstgeschichte am Fin de Siècle », *Fin de siècle zur Literatur und Kunst der Jahrhunderdertwende*, R. Bauer (éd.), Francfort/Main, 1977.

Saxl, F., cf. Panofsky, E.

Sayad, A., cf. Bourdieu, P.

Schnapper, A., *Le Géant, la Licorne et la Tulipe*, Paris, Flammarion, 1988.

Scott, G., « A Plea for the faithful restoration of our ancient churches », *Sessional Papers of the Riba*, Londres, 1864-1865.

Serlio, S., *Terzo Libro*, *Antichità di Roma*, Venise, 1540.

Séroux d'Agincourt, J.B.L.C., *Histoire de l'art par les monuments*, Paris, Treuttel et Würtz, 1811-1820, 4 vol.

Seznec, J., *La Survivance des dieux antiques*, Londres, Institut Warburg, 1940.

Sharpe, Intervention « Against restoration », *The Builder*, 23 août 1873.

Sitte, C., *Der Städtebau nach seinen Künstlerischen Grundtsätzen*, Vienne, Graeser, 1889, trad. fr. D. Wieczorek, *L'Art de bâtir les villes*, Paris, L'Équerre, 1980.

Soucy, C., *La Réutilisation des monuments historiques*, Paris, Caisse des monuments historiques, 1985.

Spanheim, E., *Dissertationes de praestantia et usu numismatum antiquorum*, deuxième édition, 1671.

Spon, J. et Wheeler, G., *Voyage d'Italie, de Dalmatie, de Grèce et du Levant, fait les années 1675 et 1676*, Lyon, 1678.

Spon, J., *Réponse à la critique publiée par M. Guillet*, Lyon, Amaubri, 1679.

Spon, J., *Recherches curieuses d'Antiquité*, Lyon, Amaubri, 1683.

Steiner, G., *Real presence*, Londres, Faber and Faber, 1989, trad. fr. M.R. de Pauw, Paris, Gallimard, 1991.

Stengers, I. (sous la direction de), *D'une science à l'autre. Des concepts nomades*, Paris, Le Seuil, 1987.

Suger, Abbé, *Mémoire sur son administration abbatiale*, cf. Panofsky E. et *Œuvres complètes*, Paris, Éd. A. Lecoy de la Marche, 1867.

Stuart, J. et Revett, N., *The Antiquities of Athens*, Londres, Haberkorn, 1762-1794, 3 vol.

Summerson, J., *Architecture in Britain*, 1530-1830, Londres, Penguin, 4e éd., 1962.

Taylor, baron I.J.S., cf. Nodier, Ch.

Taylor, F.H., *The Taste of angels*, Boston, Little Brown, 1948.

Todorov, T., *Le Principe dialogique*, Paris, Le Seuil, 1981.

Turner, P., *The Education of Le Corbusier*, trad. fr. P. Choay, *La Formation de Le Corbusier*, Paris, Macula, 1987.

Vagnetti, L., « Lo studio di Roma negli scritti albertiani », *Convegno internazionale indetto nel V centenario di Leon Battista Alberti*, Rome, Accademia nazionale dei Lincei, 1974.
Valéry, P., *Eupalinos*, Paris, Gallimard, 1944.
Valéry, P., *Regards sur le monde actuel*, Paris, Gallimard, 1945.
Veyne, P., *Le Pain et le Cirque*, Paris, Le Seuil, 1976.
Veyne, P., *L'Inventaire des différences*, Paris, Le Seuil, 1976.
Veyne, P., *L'Élégie érotique romaine*, Paris, Le Seuil, 1984.
Vicq d'Azyr, F., *Instruction sur la manière d'inventorier et de conserver dans toute l'étendue de la République, tous les objets qui peuvent servir aux arts, aux sciences et à l'enseignement, proposée par la Commission temporaire des arts et adoptée par le Comité d'Instruction publique de la Convention nationale*, Paris, Imprimerie nationale, an second de la République, 1793.
Vicq d'Azyr, F., *Œuvres complètes*, Paris, Éditions J.-L. Moreau, t. IV et V, 1805.
Villalpanda, J.B. et Prado, J., *In Ezechielem explanationes et apparatus Urbis ac templi hierosolymitani. Commentariis et imaginibus illustratus*, Rome, Zanetti, 1596-1604.
Viollet-le-Duc, E., « Notre-Dame de Paris », *Revue générale de l'architecture*, 1851, t. IX.
Viollet-le-Duc, E., *Dictionnaire raisonné de l'architecture française du XIe au XVIe siècle*, Paris, Morel et Co., 1854-1868.
Viollet-le-Duc, E., *Entretiens sur l'architecture*, Paris, Morel et Co., 1863-1872, 2 vol. rééd. Bruxelles-Liège, Mardaga, 1977.
Vitruve, *De architectura*, édition *princeps*, 1486, trad. fr. Cl. Perrault, *Les Dix Livres d'architecture de Vitruve*, J.B. Coignard, 1673, réimpr. Bruxelles, Mardaga, 1980.

Walpole, H., *Anecdotes in painting*, Londres, 1762.
Warton, Th., Bentham, J., Grose Captain et Milner, J., *Essays on gothic architecture*, 2e édition, Londres, 1802.
Webber, M., « The Post-city age », *Daedalus*, New York, automne 1968.
Wheeler, G., cf. Spon, J.
Wieczorek, D., cf. Sitte, C.
Wieczorek, D., *Camillo Sitte et les Débuts de l'urbanisme moderne*, Bruxelles, Mardaga, 1981.
Wieczorek, D., « Sitte et Viollet-le-Duc... », *Austriaca* 12, Vienne, 1981.
Williams, R., *Culture and Society*, Londres, Chatto and Windus, 1958.
Winckelmann, J.J., *Geschichte der Kunst des Altertums*, 1764, trad. fr. *Histoire de l'art chez les anciens*, Paris, Saillant, 1766, 2 vol.

Zevi, B., *Storia dell'architettura moderna*, Turin, Einaudi, 1951.
Zuconi, G., « La Naissance de l'architecte intégral en Italie » trad. fr. C. Gaudin, *Annales de la recherche urbaine*, Paris, 1990.

Index des noms de personnes cités

Table

Table des illustrations

Alinari-Giraudon : 1. - Bibl. Mazarine (ph. J.-L. Charmet) : 2. - F. Choay : 3, 4. - Bibl. nat. : 5. - P. Tournikiotis : 6, 7, 8. - F. Choay : 9, 10, 11. - J.-F. Benard : 12. - E. Revault : 13a. - C. Ganet, © Editing : 13b. - Fondation Le Corbusier, © SPADEM, 1992 : 14. - DR : 15. - Rapho (ph. G. Monico) : 16.

COMPOSITION : CHARENTE-PHOTOGRAVURE À L'ISLE-D'ESPAGNAC (16340)
REPRODUIT ET ACHEVÉ D'IMPRIMER
SUR ROTO-PAGE PAR L'IMPRIMERIE FLOCH À MAYENNE
DÉPÔT LÉGAL : JANVIER 1992. N° 14392 (31643)

LA COULEUR DES IDÉES

Tzvetan Todorov
Nous et les autres
La réflexion française sur la diversité humaine

Francisco J. Varela
Autonomie et Connaissance
Essai sur le Vivant

Mony Elkaïm
Si tu m'aimes, ne m'aime pas
Approche systématique et psychothérapie

Eric Landowski
La Société réfléchie

Ronald D. Laing
Paroles d'enfants

Gregory Bateson et Mary Catherine Bateson
La Peur des anges

Mary Catherine Bateson
Regard sur mes parents
Une évocation de Margaret Mead et Gregory Bateson

Frances Tustin
Le Trou noir de la psyché

Lynn Segal
Le Rêve de la réalité

Jean-Louis Bouttes
Jung : la puissance de l'illusion

Gregory Bateson
Vers une écologie de l'esprit/1

Gregory Bateson
La Nature et la Pensée

Jean-Pierre Dupuy
Ordres et Désordres
Enquête sur un nouveau paradigme

Oliver Sacks
Des yeux pour entendre
Voyage au pays des sourds

Oliver Sacks
L'Homme qui prenait sa femme pour un chapeau

Cornelius Castoriadis
Le Monde morcelé
Les carrefours du labyrinthe III

Elisabeth Laborde-Nottale
La Voyance et l'Inconscient

Lucien Sfez
Critique de la communication

Colloque Atlan
Les Théories de la complexité

Marinna Yaguello
En écoutant parler la langue

Tzvetan Todorov
Face à l'extrême

Daniel Sibony
Entre-deux
l'origine en partage

Olivier Mongin
La Peur du vide
essai sur les passions démocratiques

Paul Watzlawick
Les Cheveux du baron de Münchhausen
Psychothérapie et « réalité »

Raymonde Carroll
Évidences invisibles
Américains et Français au quotidien

Murray Edelman
Pièces et Règles du jeu politique

Philippe Van Parijs
Qu'est-ce qu'une société juste ?
Introduction à la pratique de la philosophie politique

Paul Ricœur
Lectures 1
Autour du politique

Groupe μ
Traité du signe visuel
Pour une rhétorique de l'image